OSHO

O livro do ego

FUNDAMENTOS PARA UMA NOVA HUMANIDADE

OSHO

O livro do ego
Liberte-se da ilusão

Tradução
Patrícia Arnaud

21ª edição

Rio de Janeiro | 2024

CIP-BRASIL. CATALOGAÇÃO NA FONTE
SINDICATO NACIONAL DOS EDITORES DE LIVROS, RJ

O91L
21ª ed.

Osho, 1931-1990
  O livro do ego / Osho; tradução: Patrícia Arnaud. – 21ª ed. -
Rio de Janeiro: BestSeller, 2024.

  Tradução de: The Book of Ego
  ISBN 978-85-7684-710-6

  1. Vida espiritual. 2. Meditação. I. Título.

15-22572
CDD: 299.93
CDU: 299.93

Texto revisado segundo o novo Acordo Ortográfico da Língua Portuguesa.

TÍTULO ORIGINAL:
THE BOOK OF EGO
Copyright © 1997, 1998 OSHO International Foundation
Copyright da tradução © 2015 by Editora Best Seller Ltda.

Publicado mediante acordo com OSHO International Foundation, Switzerland.
www.osho.com/copyrights

Trechos de obras selecionadas. O material deste livro foi selecionado de várias palestras de Osho dadas a um público ao vivo por um período de mais de trinta anos. Todas as palestras de Osho foram publicadas na íntegra em formato de livros e também se encontram disponíveis como gravações originais de áudio. As gravações e o arquivo completo de texto podem ser encontrados on-line na Biblioteca OSHO no site www.osho.com

OSHO é uma marca registrada da Osho International Foundation,
www.osho.com/trademarks.

Capa: Gabinete de Artes
Editoração eletrônica: Abreu's System

Todos os direitos reservados. Proibida a reprodução,
no todo ou em parte, sem autorização prévia por escrito da editora,
sejam quais forem os meios empregados.

Direitos exclusivos de publicação em língua portuguesa para o Brasil
adquiridos pela
EDITORA BEST SELLER LTDA.
Rua Argentina, 171, parte, São Cristóvão
Rio de Janeiro, RJ – 20921-380
que se reserva a propriedade literária desta tradução

Impresso no Brasil

ISBN 978-85-7684-710-6

Seja um leitor preferencial Record.
Cadastre-se e receba informações sobre nossos lançamentos e nossas promoções.

Atendimento e venda direta ao leitor:
sac@record.com.br

*O ego é um iceberg.
Derreta-o. Derreta-o com amor profundo,
para que ele desapareça e
você se torne parte do oceano.*
– OSHO –

Sumário

Prefácio	11
Ego	15
Ideais	44
Sucesso	72
Mente	89
Identificação	112
Poder	123
Política	142
Violência	154
Terapia	168
Meditação	209
Amor	223

Ausência de ego	234
Iluminação	254
Simplicidade	278
Liberdade	296
Informações adicionais	315

derfully unique, as is a gentle breeze from the mountains. I am unique, I am Indian. I am a boy. I am a girl... And all kinds of other labels.

OSHO

Prefácio

O simples não é um desafio para o ego do homem, o difícil é um desafio, o impossível é um grande desafio. O tamanho do ego pode ser conhecido pelo desafio que alguém aceitou por sua ambição, pois ele é mensurável. No entanto, o simples não é atraente para o ego, o simples é a morte do ego.

E o homem escolheu complexidades até mesmo em lugares em que não havia nenhuma complexidade, pela simples razão de que com a complexidade ele pode continuar desenvolvendo e fortalecendo seu ego. Ele continua ficando cada vez mais importante na política, na religião, na sociedade, em todos os lugares.

A psicologia como um todo é orientada para tornar o ego mais forte. Até mesmo aqueles idiotas, os psicólogos, enfatizam que o homem precisa de um ego forte. Assim, a educação é um programa para lhe dar ambição através da punição e da recompensa, para conduzi-lo a uma determinada direção. Os pais desde o princípio têm expectativas muito altas com relação aos filhos. Talvez achem que Alexandre, o Grande, foi enviado para eles, ou que a filha é a reencarnação de Cleópatra. Os pais condicionam os filhos desde o início, dizendo que, a menos que prove a si mesmo, não serve para nada. O homem simples é considerado um simplório.

O homem simples não foi o objetivo da sociedade humana até agora. E o homem simples não pode ser o objetivo, uma vez que o ser humano nasceu simples! Toda criança é simples, é apenas uma folha em branco. Então, os pais começam a escrever nessa folha, escrever o que ela tem que se tornar. Depois, os professores, os padres, os líderes, todos eles seguem enfatizando que ela tem de se tornar alguém, pois, caso contrário, terá desperdiçado sua vida.

A questão é exatamente o oposto.

O homem é um ser. Ele não precisa tornar-se outra pessoa. Esse é o significado da simplicidade: permanecer à vontade com o próprio ser, e não seguir qualquer caminho para tornar-se outra pessoa, que é algo que não tem fim.

Não há um momento em que vá pensar: "Agora a minha jornada está completa. Cheguei ao ponto mais alto das minhas ambições." Ninguém, em toda a história da humanidade, foi capaz de fazer isso, pelo simples fato de que o homem está se movendo em círculos. Portanto, uma pessoa está sempre à frente de outra em uma coisa ou outra.

Você pode se tornar presidente dos Estados Unidos, porém, diante de Muhammad Ali, sentir-se inferior. Você não tem aquela força animal. Muhammad Ali pode dar um belo soco no nariz de Ronald Reagan e Reagan vai ficar estirado no chão. Você pode se tornar primeiro-ministro de um país, porém, ao defrontar-se com Albert Einstein, vai parecer um pigmeu. Não um primeiro-ministro, mas um pigmeu.

A vida é multidimensional. É impossível que o homem vá em todas as direções e que seja o primeiro em todas elas. É simplesmente impossível, pois a existência não funciona dessa forma.

O ego é a doença do homem.

Os interesses instituídos querem que o homem permaneça doente. A sociedade não quer que o homem seja saudável e inteiro, porque o ser saudável e inteiro é um perigo para os seus interesses preestabelecidos. É por isso que ninguém quer ser simples, ninguém quer ser um zé-ninguém. E toda a minha abordagem é que o homem deve estar à vontade consigo mesmo, que deve aceitar o seu ser.

"Tornar-se" é doença, enquanto "ser" é saúde. No entanto, ser simples, por inteiro, saudável, feliz: você não experimentou isso. A sociedade não lhe permite um único momento para si, portanto, o homem conhece apenas um caminho: o caminho do ego.

Foi dito a você para se tornar Jesus Cristo. Há sociedades que têm como objetivo que todos se tornem um deus. Este mundo é insano! Eles têm que sair de toda essa programação. Aquele que quiser se divertir, relaxar, sentir a paz e a beleza da existência terá que ter descartado esse falso ego.

Não quero tirar mais nada do ser humano. Quero somente tirar-lhe o ego, que, de qualquer forma, é apenas uma fantasia. Não é uma realidade, portanto, não estou realmente lhe tirando nada. E quero lhe dar o seu ser. É claro que não preciso dar isso a você: você já o possui! Você apenas precisa ser alertado sobre a realidade e despertado para a imensa beleza da inocência.

Nada está em risco. E o homem está correndo atrás das sombras que nunca será capaz de capturar, esquecendo-se de todos os tesouros que trouxe consigo para o mundo. Antes que seu ego seja satisfeito, a morte vai acabar com o homem. A vida é muito curta, não é para ser destruída nesse tipo de jogo como o ego.

E é apenas uma questão de compreensão.[1]

---

[1] *From Death to Deathlessness* [Da morte para a imortalidade], Capítulo 6.

Ego

O que é o ego?

O ego é exatamente o oposto do verdadeiro eu. O ego não é a pessoa. O ego é a decepção criada pela sociedade para que as pessoas possam continuar vivendo na fantasia e nunca se perguntarem a respeito da realidade. É por isso que insisto que, se o homem não abandonar o ego, nunca vai chegar a conhecer a si mesmo.

Quando nascemos, temos nosso eu autêntico. Depois, a sociedade cria um falso eu: você é cristão, você é católico, você é branco, você é alemão, faz parte da raça escolhida por Deus e deve governar o mundo e assim por diante. Ela cria uma falsa ideia de quem são as pessoas. Ela lhes dá um nome e, em torno do nome, cria ambições, condicionamentos.

E, pouco a pouco, uma vez que leva quase um terço da vida, a sociedade trabalha o ego dos indivíduos através da escola, da igreja, da faculdade... No momento em que volta da universidade para casa, você já esqueceu completamente seu ser inocente. Você agora é um grande ego com uma medalha de ouro, é da primeira classe, está no topo da universidade. Agora está pronto para ir para o mundo.

Esse ego tem todos os desejos, ambições, vontades para estar sempre no topo de tudo. O homem é explorado por esse ego. E isso nunca lhe permite nem mesmo um vislumbre de seu eu autêntico, real, e sua vida está lá, em sua autenticidade. Portanto, esse ego produz apenas infelicidade, sofrimento, luta, frustração, loucura, suicídio, assassinato, todos os tipos de crime.

A pessoa que busca a verdade tem de começar exatamente a partir desse ponto: descartar tudo o que lhe foi dito pela sociedade em relação a quem ela é. Com certeza, ela não é nada disso, pois ninguém pode saber quem o outro é, exceto ele próprio. Nem os pais, nem os professores, nem os padres. A não ser você mesmo, ninguém pode entrar na privacidade de seu ser. Logo, ninguém sabe nada sobre você, e o que quer que tenham dito a seu respeito está errado.

Coloque isso de lado. Desmantele todo o ego! Ao destruir o ego você vai descobrir seu ser. E essa descoberta é a maior possível, porque dá início a uma peregrinação totalmente nova em direção à felicidade suprema, rumo à vida eterna.

É possível optar pela frustração, pelo sofrimento, pela infelicidade e, então, continuar a alimentar o ego. Ou pode escolher a paz, o silêncio, a felicidade, mas, nesse caso, é preciso recuperar a inocência.[2]

A criança não nasce com ego

A criança não nasce com ego. O ego é ensinado pela sociedade, através da religião, através da cultura. Qualquer um já observou que os bebês não dizem: "Estou com fome." Se o nome do bebê

---

[2] *From Bondage to Freedom* [Da escravidão à liberdade], Capítulo 33.

é Bob, ele diz: "Bob está com fome. Bob quer ir ao banheiro." Ele não tem a noção do que quer dizer "eu". Ele indica a si mesmo na terceira pessoa. Bob é como as pessoas o chamam, então, ele também chama a si mesmo de Bob. Mas vai chegar o dia... à medida que ele cresce, em que vão começar a ensinar a Bob que isso não está certo. "Bob é o nome que os outros usam para chamar você, e você tem que parar de chamar a si mesmo de Bob. Você é um indivíduo, você tem de aprender a chamar a si mesmo de 'eu'."

No dia em que Bob se torna "eu", o bebê perde a realidade de ser e cai no poço abissal escuro de uma alucinação. Ao chamar a si mesmo de "eu", passa a operar uma energia totalmente diferente. Agora, o "eu" quer crescer, quer se tornar grande, quer isso, quer aquilo. Quer subir cada vez mais no mundo das hierarquias. O "eu" quer um imperativo territorial maior.

Se alguém tem um "eu" maior que o do outro, isso cria um complexo de inferioridade nesse outro. O homem faz todo o esforço para ser superior ao outro, mais santo do que o outro, maior do que o outro. Agora sua vida toda é dedicada a uma coisa estúpida que, em primeiro lugar, não existe. Ele está em um caminho de sonho. Vai continuar a se mover, tornando o seu "eu" maior, cada vez maior. E é isso que cria quase todos os seus problemas.

Até mesmo Alexandre, o Grande, teve problemas enormes. O "eu" dentro dele queria ser o conquistador do mundo, e quase o conquistou. Digo "quase" por duas razões. Primeiro, na época dele não se conhecia metade do mundo, não se conhecia a América. Segundo, ele entrou na Índia, mas não conseguiu conquistar a Índia, e teve de voltar das fronteiras para trás.

Ele não era muito velho, tinha apenas 33 anos. No entanto, nesses 33 anos ele simplesmente lutou, lutou e lutou. E ficou doente, entediado com luta, matança, assassinatos, sangue.

Queria voltar para casa e descansar, e nem mesmo isso conseguiu. Não conseguiu chegar à sua casa em Atenas. Morreu na véspera do dia previsto para chegar lá, uma vez que Atenas estava a apenas 24 horas de distância.

Mas toda a sua experiência de vida, que envolveu ficar mais rico, maior, cada vez mais poderoso e, depois, o fato de também sentir uma impotência absoluta, nem mesmo foi capaz de postergar sua morte por 24 horas... E tinha prometido à mãe que, depois que tivesse conquistado o mundo, ele voltaria e colocaria o mundo inteiro aos pés dela, como um presente. Nenhum filho tinha feito aquilo para nenhuma mãe antes, portanto, era algo absolutamente único o que ele pretendia fazer.

Porém, Alexandre sentiu-se impotente, cercado dos melhores médicos. Todos eles disseram: "Você não pode sobreviver. Essa jornada de 24 horas... você vai morrer. É melhor descansar aqui, talvez haja uma chance. Mas não se mova. Não vemos muita chance nem mesmo com o descanso, você está submergindo. Está chegando cada vez mais próximo, não da sua casa, mas da morte, não da sua casa, mas do seu túmulo. E não podemos ajudar. Podemos curar doenças, não podemos curar a morte. E isso não é doença. Você está quase como um cartucho gasto. Em 33 anos você gastou toda a sua energia vital para lutar contra essa nação, aquela nação. Desperdiçou sua vida. Não se trata de doença, é só que sua energia vital esta gasta, e gasta inutilmente."

Alexandre era um homem muito inteligente. Foi discípulo do grande lógico e filósofo Aristóteles, seu tutor particular. Morreu antes de chegar à capital. Antes de sua morte, disse ao seu comandante:

– Este é o meu último desejo, e tem de ser cumprido.

Qual foi seu último desejo? Um desejo muito estranho. O desejo era o seguinte:

– Quando carregarem meu caixão para o túmulo, vocês devem manter as minhas mãos penduradas do lado de fora do caixão – explicou Alexandre.

– Que espécie de desejo é esse? – perguntou o comandante. – As mãos são sempre mantidas dentro do caixão. Ninguém nunca ouviu falar de um caixão sendo carregado até o túmulo com as mãos dependuradas para fora!

– Não tenho muito fôlego para explicar a você, mas, em suma, quero mostrar ao mundo que estou indo com as mãos vazias. Achei que estava ficando cada vez maior, cada vez mais rico mas, na verdade, eu estava me tornando cada vez mais pobre. Quando nasci, vim ao mundo com os punhos cerrados, como se estivesse segurando algo nas mãos. Agora, no momento da morte, não posso ir com meus punhos fechados – esclareceu Alexandre.

Manter os punhos fechados exige vida, um tanto de energia. Nenhum homem morto é capaz de manter as mãos fechadas. Quem irá fechá-las? Um homem morto não está mais presente, toda a energia se foi, e as mãos se abrem por conta própria.

– Deixem que todo mundo saiba que Alexandre, o Grande, está morrendo com suas mãos vazias, como um simples mendigo.

E, pelo que vejo, ninguém aprendeu nada com essas mãos vazias, pois as pessoas depois de Alexandre continuam a fazer o mesmo de formas diferentes.

O ego do homem é a fonte de todos os seus problemas, de todas as guerras, de todos os conflitos, de todo ciúme, medo e de toda depressão. Sentir-se um fracasso, comparar-se continuamente com os outros, faz com que todo mundo se machuque, e se machuque bastante, porque ninguém pode ter tudo.

Uma pessoa ser mais bonita que a outra dói; uma pessoa ter mais dinheiro do que a outra dói; uma pessoa ser mais bem-informada do que a outra dói. Muitas coisas estão por aí para machucar as pessoas, mas elas não sabem que não são essas coisas que as machucam, pois elas não me machucam. As coisas machucam as pessoas por conta do ego delas.

O ego constantemente treme de medo, pois sabe muito bem que é um artefato, um dispositivo artificial criado pela sociedade para fazer com que as pessoas continuem a correr perseguindo sombras.

Esse jogo do ego, de chegar cada vez mais alto, é política.

O ego e todos os seus jogos... casamento, dinheiro e poder são seus jogos. Todos os jogos são jogos do ego. A sociedade manteve-se até agora jogando, trata-se de uma Olimpíada constante em todo o mundo. Todo mundo está lutando por seu caminho para o topo, e uns estão puxando as pernas dos outros para baixo, porque no pico do Everest não há espaço suficiente para todos.

É uma competição predatória. E torna-se tão importante para o homem que ele se esquece completamente de que esse ego foi plantado nele pela sociedade, pelos professores. Do jardim de infância até a universidade, o que é que eles fazem? Reforçam o ego das pessoas. Cada vez mais diplomas são adicionados ao seu nome, e as pessoas começam a se sentir cada vez maiores.

O ego é a maior mentira, que as pessoas aceitam como uma verdade. No entanto, todos os interesses adquiridos são muito a favor dele, porque, se todo mundo se tornar consciente da ausência de ego, toda essa Olimpíada que acontece no planeta vai simplesmente chegar a um impasse. Ninguém vai querer escalar o Everest, pois todos vão se divertir estejam onde estiverem. Estarão satisfeitos.

O ego mantém o homem na expectativa: amanhã, quando for bem-sucedido, ele vai ficar alegre. Hoje, é claro, ele tem de sofrer, tem de se sacrificar. Se quiser ser bem-sucedido amanhã, hoje tem de se sacrificar. Tem de merecer o sucesso, e para isso ele está fazendo vários tipos de contorcionismos. E é só uma questão de um pouco de tempo de sofrimento para que depois haja alegria. Mas esse amanhã nunca chega. Nunca chegou.

Amanhã simplesmente significa aquilo que nunca chega. Ele adia a vida. É uma bela estratégia para manter as pessoas em sofrimento.

O ego não pode ter contentamento no presente. Não pode existir no presente, existe somente no futuro, no passado, naquilo que não é. O passado não é mais, o futuro ainda não é, ambos são existem. O ego só pode existir com o não existencial, pois ele próprio é inexistente.

No presente, momento puro, o homem não vai encontrar nenhum ego em si, e sim uma alegria silenciosa, um nada silencioso e puro.[3]

A ideia de um centro separado é a raiz do ego

A ideia de um centro separado é a raiz do ego. Quando uma criança nasce, ela vem sem um centro que seja seu. Durante os nove meses no útero da mãe, seu centro é o centro da mãe, ela não tem um centro separado. Então, ela nasce.

Portanto, é importante o indivíduo pensar que tem um centro separado, pois, do contrário, a vida se tornaria muito difícil, quase impossível.

---

[3] *From the False to the Truth* [Do falso à verdade], Capítulo 18.

Para sobreviver e para lutar pela sobrevivência, na luta da vida, todas as pessoas precisam ter certa ideia de quem são. E ninguém tem a menor ideia. Na verdade, ninguém nunca pode ter qualquer ideia, porque no mais profundo âmago o homem é um mistério. Ele não pode ter nenhuma ideia disso. No âmago, o homem não é individual, e sim universal.

É por isso que, se você pergunta a Buda "Quem é você?", ele se mantém em silêncio e não responde. Ele não pode, porque agora ele não está mais separado. Ele é o conjunto. Porém, na vida comum, até mesmo Buda tem de usar a palavra "eu". Se ele sente sede, tem de dizer: "Eu estou com sede. Ananda, traga-me um pouco de água, eu estou com sede." Então ele continua a usar a velha palavra significativa "eu". É muito significativa. Embora seja uma ficção, ainda é significativa. Mas muitas ficções são significativas.

Por exemplo, todos têm um nome. Isso é uma ficção. As pessoas vêm sem um nome, não trazem um nome com elas. O nome é dado a elas. Depois, através da repetição constante, cada indivíduo começa a se identificar com ele. Mas é uma ficção.

No entanto, quando digo que é uma ficção, não quero dizer que não seja necessária. A ficção é necessária, é útil, pois, se não fosse assim, como as pessoas seriam abordadas umas pelas outras? Se uma pessoa quiser escrever uma carta para alguém, a quem ela vai escrever?

Um menininho uma vez escreveu uma carta para Deus. Sua mãe estava doente e seu pai havia morrido, e eles não tinham dinheiro, então, ele pediu a Deus 50 rúpias.

Quando a carta chegou à agência dos correios, eles ficaram espantados. O que fazer com a correspondência? Para onde enviá-la? Foi simplesmente endereçada a Deus. Então, resolveram abri-la. Sentiram muita pena do garotinho e decidiram coletar algum dinheiro e enviá-lo para ele. Coletaram um pouco de dinheiro. Embora o garotinho tivesse pedido 50 rúpias, eles conseguiram coletar apenas 40.

Chegou a carta seguinte, novamente endereçada a Deus, em que o garoto tinha escrito: "Prezado Senhor, por favor, da próxima vez que enviar o dinheiro, envie-o diretamente a mim, não mande pelo correio. Eles levaram uma comissão, no valor de 10 rúpias!"

Seria difícil se ninguém tivesse um nome. Embora ninguém tenha um nome na realidade, ainda assim é uma ficção bela e útil. Os nomes são necessários para que as pessoas chamem umas às outras, e o "eu" é necessário para que cada pessoa chame a si mesma, mas é apenas ficção. Se a pessoa penetrar fundo dentro de si, vai descobrir que o nome desapareceu, que a ideia do "eu" desapareceu, e que restou apenas um ser puro, uma existência.

E esse ser não é separado, não é de uma ou outra pessoa e meu; esse ser é o ser de todos. Rochas, rios, montanhas, árvores, todos estão incluídos. Está tudo incluído, não exclui nada. Todo o passado, todo o futuro, esse universo imenso, tudo está incluído nele. Quanto mais profundo a pessoa penetrar em si mesma, mais vai descobrir que não existem pessoas, que não existem indivíduos. Então, o que existe é a pura universalidade. Na circunferência, as pessoas têm nomes, egos, identidades. Quando saem da circunferência, em direção ao centro, todas essas identidades desaparecem.

O ego é apenas uma ficção útil. Use-o, mas não se deixe enganar por ele.[4]

---

[4] *The Book of Wisdom* [O livro da sabedoria], Capítulo 16.

Funcionamos sempre através do ego ou há momentos em que ficamos livres dele?

Visto que o ego é uma ficção, há momentos em que a pessoa fica livre dele. Por se tratar de uma ficção, o ego pode ficar presente apenas se a pessoa continuar a mantê-lo. A ficção precisa de bastante manutenção. A verdade não precisa de nenhuma manutenção, e é essa a beleza dela. Mas a ficção? É preciso pintá-la constantemente, colocar um suporte aqui e ali, e ela desmorona constantemente. No momento em que a pessoa consegue escorar um lado, o outro começa a desmoronar.

E é isso que as pessoas fazem a vida inteira, ou seja, tentam fazer com que a ficção pareça com a verdade. Ter mais dinheiro, para então poder ter um ego maior, um pouco mais sólido do que o ego do homem pobre. O ego do homem pobre é franzino, ele não pode se dar ao luxo de ter um ego mais robusto. Basta tornar-se o primeiro-ministro ou presidente de um país para que o ego da pessoa infle ao extremo. Depois, ela não anda sobre a terra.

Toda a nossa vida, a busca pelo dinheiro, poder, prestígio, isto e aquilo, não é nada além de uma busca por novas peças de amparo, uma busca por novos apoios, para, de alguma forma, manter a ficção em andamento. E o tempo todo a pessoa sabe que a morte está chegando. O que quer que ela faça, a morte vai destruir. Mas, ainda assim, ela continua a ter esperança contra todas as expectativas: talvez todas as outras pessoas morram, menos ela.

E, de certa maneira, isso é verdade. Nós sempre vemos as outras pessoas morrendo, e nunca nós mesmos, portanto, isso também parece verdadeiro, além de lógico. Essa pessoa morre, aquela pessoa morre, mas nós nunca morremos. Estamos sempre presentes, para sentir pena dos que morreram, vamos ao cemitério para nos despedir deles e, depois, voltamos para casa.

Não se deixe enganar, no entanto, pois todos agem do mesmo jeito. E ninguém é exceção. A morte vem e destrói toda a ficção do nome e da fama do indivíduo. A morte vem e simplesmente apaga tudo, não são deixadas nem mesmo pegadas. O que quer que as pessoas continuem a fazer de suas vidas, não é nada além de escrever sobre a água – nem mesmo na areia, mas sobre a água. Nem mesmo terminam de escrever e ela já se foi. Não podem nem mesmo lê-la, pois, antes que possam lê-la, ela se foi.

Mas as pessoas continuam tentando fazer esses castelos no ar. Como é uma ficção, precisa de constante manutenção, esforço constante, dia e noite. E ninguém pode ser tão cuidadoso durante 24 horas. Então, às vezes, sem que a pessoa perceba, há momentos em que tem um vislumbre da realidade sem que o ego funcione como uma barreira.

Sem a tela do ego, há momentos assim, mas sem que a pessoa perceba, é bom lembrar. Todo mundo, de vez em quando, tem esses momentos.

Por exemplo, toda noite, quando a pessoa cai em sono profundo, e o sono é tão profundo que não pode nem mesmo sonhar, o ego não é mais encontrado, todas as ficções se foram. O sono profundo, sem sonhos, é uma espécie de pequena morte.

No sono sem sonhos, o ego desaparece completamente, porque, quando não há nenhum pensamento, nenhum sonho, como a pessoa pode conduzir uma ficção? Mas o sono sem sonhos é muito pequeno. Em oito horas de sono saudável não são mais do que duas horas. Mas apenas essas duas horas são revitalizantes. Se a pessoa tem duas horas de sono profundo, sem sonhos, de manhã ela está nova, fresca, viva. A vida tem novamente emoção, o dia parece ser um presente. Tudo parece novo, porque a pessoa está renovada. E tudo parece belo, porque ela está em um lindo espaço.

O que acontece nessas duas horas, quando a pessoa cai em sono profundo, o que Patanjali [e o yoga] chama[m] de *sushupti*, sono sem sonhos? O ego desaparece. E o desaparecimento do ego revitaliza a pessoa, rejuvenesce-a. Com o desaparecimento do ego, mesmo que em profunda inconsciência, a pessoa tem uma prova de Deus. Patanjali diz que não há muita diferença entre *sushupti*, sono sem sonhos, e *samadhi*, o estado supremo do budismo, embora haja uma diferença. A diferença é a consciência. No sono sem sonhos a pessoa está inconsciente, em *samadhi*, a pessoa está consciente, mas o estado é o mesmo. A pessoa move-se para Deus, move-se para o centro universal. Ela desaparece da periferia e vai para o centro. E apenas esse contato com o centro a rejuvenesce.

Como o ego é uma ficção, ele às vezes desaparece. O tempo maior é o do sono sem sonhos. Portanto, tenha em mente que o sono é muito valioso, e não o perca, de jeito nenhum.

A segunda maior fonte de experiências sem ego é o sexo, o amor. Isso foi destruído pelos padres, eles o condenaram, por isso, não é mais uma experiência tão grandiosa. Esse tipo de condenação, por tanto tempo, condicionou as mentes das pessoas. Mesmo quando estão fazendo amor, no fundo sabem que estão fazendo algo errado. Alguma culpa está à espreita em algum lugar. E isso é assim até mesmo para a geração mais moderna, mais contemporânea, até mesmo para a mais jovem.

Superficialmente, as pessoas podem ter se revoltado contra a sociedade; superficialmente, podem não ser mais conformistas. No entanto, as coisas se aprofundaram, não é uma questão de revoltar-se superficialmente. Podem deixar o cabelo comprido, isso não vai ajudar muito. Podem tornar-se hippies e parar de tomar banho, isso não vai ajudar muito. Podem rejeitar a ordem vigente de todas as formas possíveis que imaginarem, mas isso não vai realmente ajudar, porque as coisas se aprofundaram muito e todas essas são medidas superficiais.

Por milhares de anos foi dito que o sexo é o maior dos pecados. Isso se tornou parte do sangue, dos ossos e da medula do homem. Assim, mesmo que a pessoa saiba conscientemente que não há nada de errado nisso, o inconsciente a mantém um pouco afastada, com medo, com sentimento de culpa, e ela não consegue se concentrar totalmente nisso.

Se a pessoa conseguir desfrutar do ato de amor totalmente, o ego desaparece, porque no clímax, no mais alto clímax do ato de amor, a pessoa é pura energia. A mente não consegue funcionar. É tamanha a explosão de energia que a mente fica desorientada, não sabe mais o que fazer. A mente é perfeitamente capaz de permanecer em funcionamento em situações normais, mas, quando alguma coisa muito nova e muito vital acontece, ela para. E o sexo é o que há de mais vital.

Se a pessoa puder se aprofundar no ato sexual, o ego desaparece. Essa é a beleza de se fazer amor, que é outra fonte de um vislumbre de Deus, assim como o sono profundo, mas muito mais valioso, porque, no sono profundo, a pessoa fica inconsciente. Ao fazer amor, ela fica consciente, porém, sem a mente.

Por isso, a grande ciência do tantra tornou-se possível. Patanjali e o yoga trabalharam nas linhas do sono profundo. Escolheram esse caminho para transformar o sono profundo em um estado consciente, de modo que a pessoa saiba quem ela é, e saiba que está no centro. O tantra escolheu o ato de amor como uma janela em direção a Deus.

O caminho do yoga é muito longo, porque transformar o sono inconsciente em consciência é muito árduo, e pode levar muitas vidas...

Mas o tantra escolheu um caminho muito mais curto, o mais curto, e muito mais agradável também! O ato de fazer amor pode abrir a janela. Tudo o que é preciso é desarraigar os condicionamentos que os padres incutiram nas pessoas. Os padres os incutiram nas pessoas para que pudessem se tornar mediadores e agentes entre elas e Deus, de modo que o contato direto das pessoas fosse cortado. Claro que as pessoas precisariam de alguém para conectá-las, e assim o padre se tornaria poderoso. E o padre foi poderoso ao longo dos séculos.

Quem quer que coloque as pessoas em contato com o poder, o poder real, vai se tornar poderoso. Deus é o poder real, a fonte de todos os poderes. O padre permaneceu muito poderoso ao longo dos tempos, mais poderoso do que os reis. Agora, o cientista tomou o lugar do padre, porque, agora, ele sabe como destravar as portas do poder oculto na natureza. O padre sabia como conectar as pessoas com Deus, o cientista sabe como conectá-las com a natureza. Mas o padre tem que desconectá-las primeiro, de modo que nenhuma linha privada individual permaneça entre elas e Deus. Ele estragou as fontes interiores das pessoas. Ele tornou-se muito poderoso, mas toda a humanidade ficou sem desejo sexual, sem amor, cheia de culpa.

É preciso abandonar essa culpa completamente. Ao fazer amor, a pessoa deve pensar em oração, meditação, Deus. Ao fazer amor, deve queimar incenso, entoar um mantra, cantar, dançar. O quarto há que ser um templo, um lugar sagrado. E o ato sexual não pode ser uma coisa apressada. A pessoa deve se aprofundar nele, saboreá-lo da forma mais lenta e mais graciosa possível. E ela vai se surpreender. Ela tem a chave.

Deus não enviou as pessoas ao mundo sem chaves. Mas essas chaves têm de ser usadas, as pessoas têm de colocá-las na fechadura e virá-las.

O amor é um outro fenômeno, um dos que têm maior potencial, no qual o ego desaparece e você permanece consciente, completamente consciente, pulsante, vibrante. Você não é mais um indivíduo, está perdido na energia do todo.

Depois, aos poucos, deve-se deixar que isso se torne o próprio modo de vida. O que acontece no auge do amor tem de se tornar a disciplina da pessoa, não apenas uma experiência, mas uma disciplina. Então, o que quer que a pessoa esteja fazendo ou por onde quer que esteja caminhando... no início da manhã, com o sol nascente, tenha o mesmo sentimento, a mesma fusão com a existência. Deitada no chão, o céu cheio de estrelas, tenha a mesma fusão novamente. Deitada na terra, sinta-se como pertencente à terra.

Pouco a pouco, o ato sexual deve lhe dar a pista de como é estar apaixonado pela existência em si. E, então, o ego é conhecido como uma ficção, é usado como uma ficção. E se a pessoa faz uso dele como uma ficção, não há nenhum perigo.

Existem alguns outros momentos em que o ego escapa da sua própria vontade. Em momentos de grande perigo, por exemplo. Digamos que a pessoa esteja dirigindo e, de repente, vê que vai acontecer um acidente. Ela perde o controle do carro e parece que não há nenhuma possibilidade de se salvar. Vai colidir com a árvore ou com o caminhão que se aproxima, ou vai cair no rio, isso é absolutamente certo. Nesses momentos, o ego desaparece de repente.

É por isso que há uma grande atração para se envolver em situações perigosas. As pessoas escalam o Everest. Trata-se de uma meditação profunda, embora elas possam não compreender isso. O montanhismo é de grande importância. Escalar montanhas é perigoso e, quanto mais perigoso, mais bonito. Os indivíduos têm vislumbres, grandes vislumbres de ausência de ego. Sempre que o perigo está próximo, a mente para. A mente consegue pensar somente quando a pessoa não está em perigo, pois não há nada a dizer em perigo. O perigo torna as pessoas espontâneas e, nessa espontaneidade, elas de repente sabem que não são o ego.

Ou, considerando-se que isso vai ser para pessoas diferentes, porque as pessoas são diferentes, se a pessoa tem um coração estético, então a beleza vai abrir as portas. Basta que uma pessoa olhe uma linda mulher ou um homem que passa, apenas por um único momento, um flash de beleza e, de repente, o ego desaparece. E a pessoa se sente oprimida.

Ou ver uma flor de lótus na lagoa, ou ver o pôr do sol ou um pássaro voando, qualquer coisa que acione a sensibilidade interior, qualquer coisa que possua a pessoa, por um momento, de forma tão profunda que ela esquece de si própria, que ela é e, no entanto, não é, que ela abandona a si própria, e, nesse caso, também o ego escapa. É uma ficção, e a pessoa tem que conduzi-la. Se ela esquecer por um momento, ele escapa.

E é bom que haja uns poucos momentos em que o ego escapa e a pessoa tem um vislumbre da verdade e do real. É devido a esses vislumbres que a religião não morreu. Não é por causa dos padres, pois eles fizeram de tudo para matá-la. Aqueles que vão à igreja, à mesquita e ao templo, não vão por causa dos chamados religiosos. Eles não são religiosos, são impostores.

A religião não morreu por causa de alguns momentos que acontecem mais ou menos com quase todos. É preciso observá-los mais, absorver mais o espírito daqueles momentos, permitir mais momentos como aqueles, criar espaços para que aqueles momentos aconteçam mais vezes. Esse é o verdadeiro caminho para buscar a Deus.[5]

---

[5] *The Book of Wisdom* [O livro da sabedoria], Capítulo 16.

Há três pessoas dentro de cada um

Há três pessoas dentro de cada um: uma delas é a eu-1, essa é a personalidade. A palavra personalidade vem do grego *"persona"*. No teatro grego os atores costumavam usar máscaras, e a voz viria da máscara. *Sona* significa voz, som, e *per* significa "através da máscara". Não se conhece a verdadeira face, ou seja, quem é o ator na realidade. Há uma máscara, e através da máscara vem a voz. Parece que a voz está vindo da máscara, mas não se conhece a verdadeira face. A palavra "personalidade" é bonita, e vem do teatro grego.

E foi isso o que aconteceu. No teatro grego eles tinham apenas uma máscara. O homem tem muitas, são máscaras sobre máscaras, como camadas de uma cebola. Se descartar uma máscara, há outra, e se puser de lado essa, há outra. E é possível prosseguir, cavando cada vez mais. É de surpreender quantas faces o homem carrega. Quantas! O homem as vem coletando ao longo de vidas. E todas elas são úteis, porque é preciso mudar muitas vezes.

Quando o chefe está conversando com seu funcionário não pode ter a mesma cara de quando fala com o chefe dele. E ambos podem estar presentes na sala: quando olha para o funcionário, o chefe tem que usar uma máscara, e quando olha para o patrão, tem que usar outra. Ele muda continuamente. Torna-se praticamente automático, de modo que a pessoa não precisa mudar, pois a cara muda por si. Quando olha para o patrão, ela está sorrindo, e quando olha para o funcionário, o sorriso desaparece, e ela adota uma postura rígida, tão rígida quanto o patrão em relação a ela. Quando o patrão dela olha para o próprio patrão, ele sorri.

Em um único momento a pessoa pode mudar sua fisionomia muitas vezes. É preciso ficar muito alerta para saber quantas caras se possui. Inúmeras. Não podem ser contabilizadas.

Essa é o primeiro "eu" do indivíduo, a pessoa falsa. Ou chame-a de ego. O ego foi dado às pessoas pela sociedade, é um presente da sociedade, ou seja, do político e do padre, do pai e do pedagogo. Eles deram ao indivíduo muitas faces, exatamente para tornar sua vida suave. Eles tiraram sua verdade, e lhe deram um substituto. E, devido a essas faces substitutas, o indivíduo não sabe quem ele é. E não pode saber, pois as faces mudam tão rapidamente e são tantas que ele não pode confiar em si mesmo. Ele não sabe exatamente qual face é a dele. Na verdade, nenhuma dessas faces é dele.

E as pessoas zen dizem: "A menos que você conheça sua face original, não vai saber o que significa Buda", pois Buda é a face original da pessoa.

O homem nasceu um Buda e está vivendo uma mentira.

Esse presente social tem que ser abandonado. Esse é o significado de *sannyas*, iniciação. Não importa se o indivíduo é cristão, hindu ou muçulmano, essa face tem que ser abandonada, porque essa não é sua verdadeira face. Essa face lhe foi dada por outros, e o indivíduo foi condicionado por ela. Nem sequer lhe perguntaram, nem sequer lhe foi solicitado. Foi-lhe imposta à força, de forma violenta.

Todos os pais são violentos e todos os sistemas educacionais são violentos. Isso acontece porque eles não prestam atenção às crianças. Eles têm ideias preestabelecidas, já sabem o que é certo. E eles ensinam o "certo" às crianças. Elas se contorcem, gritam por dentro, mas são indefesas. A criança é tão indefesa e tão delicada que pode ser moldada de qualquer forma. E é o que a sociedade faz. Antes que a criança fique bem forte, já está debilitada de várias maneiras. Paralisada, envenenada.

O dia que alguém quiser tornar-se religioso vai ter que abandonar as religiões. O dia que alguém quiser se relacionar com Deus, vai ter que descartar todas as ideologias sobre Deus. O dia que alguém quiser saber quem ele é, vai ter que descartar todas as respostas que lhe foram dadas. Tudo o que é emprestado tem que ser destruído.

É por isso que o zen foi definido como sendo aquele que "aponta direto para o coração humano, vê a natureza e torna-se Buda. Independente das palavras. Uma transmissão separada fora das escrituras".

Uma transmissão separada fora das escrituras: o Alcorão não pode dar isso ao homem, nem o Dhammapada, nem a Bíblia, nem o Talmude, nem o Gita. Nenhuma escritura pode lhe dar isso. E se a pessoa acredita na escritura, vai continuar sem a verdade.

A verdade está na pessoa, e tem que ser encontrada nela. "Ver a natureza e tornar-se Buda. Apontar direto para o coração humano." A pessoa não tem que ir a lugar algum. E, aonde quer que vá, permanecerá a mesma. Então qual é o sentido? Pode ir para o Himalaia que não vai mudar nada. Ela vai carregar consigo mesma tudo o que tem, tudo o que ela se tornou, tudo que tem feito. Ela vai carregar toda a sua artificialidade. E suas faces sintéticas, seu conhecimento emprestado, suas escrituras vão continuar apegando-se a ela. Mesmo sentada em uma caverna no Himalaia, a pessoa não vai estar sozinha. Os professores estarão presentes ao seu redor, além dos padres, dos políticos, dos pais e de toda a sociedade. Pode não ser tão visível, mas a sociedade vai estar presente, aglomerada dentro da pessoa. E ela vai continuar a ser cristã, hindu ou muçulmana. E vai continuar a repetir palavras como um papagaio. Isso não vai mudar, não pode mudar.

Eu estava lendo uma linda história da Baviera. Pode ser que o leitor tenha ouvido falar sobre isso. Medite sobre ela.

Um anjo de Munique

Alois Hingerl, porteiro número 172 na Estação Central de Munique, trabalhou tão energeticamente um dia que caiu morto. Dois anjinhos o levaram para o céu com um pouco de dificuldade, onde São Pedro o acolheu e lhe disse que, daquele momento em diante, seu nome seria anjo Aloisius. São Pedro deu-lhe de presente uma harpa e lhe passou as informações sobre as regras da casa celestial.

— Das oito da manhã até o meio-dia — disse São Pedro — você vai ficar alegre. E do meio-dia até as oito da noite, você vai cantar hosana.

— O que está acontecendo? — perguntou Aloisius. — Das oito da manhã até o meio-dia, ficar alegre? E do meio-dia até oito da noite cantar hosana? Então... hum.. sim, e quando posso pegar algo para beber?

— Você vai receber o seu maná no tempo devido — respondeu São Pedro, ligeiramente irritado, e deixou-o.

— Diabos! — resmungou o anjo Aloisius. — Isso vai ser um tanto tedioso! Devo ficar contente das oito ao meio-dia? E eu que pensei que não havia trabalho no céu! — Mas ele, por fim, sentou-se em uma nuvem e começou a cantar conforme lhe foi dito: — Aleluia! Aleluia!

Um intelectual muito espirituoso veio planando.

— Ei, você! — chamou Aloisius — Que tal um pouco de rapé? Vamos agora, vamos cheirar um pouco!

Mas o anjo intelectual ficou revoltado com essa ideia vulgar. Apenas sussurrou "hosana" e partiu.

Aloisius ficou furioso.

— Ei, que tipo de idiota estúpido é esse? — gritou ele. — Se você não tem nenhum rapé, você simplesmente não tem, certo? Um homem pode esperar uma resposta decente, não pode? Você é um caipira! Ah! Nossa, que tipo de gente eles têm aqui! Ah, ah, onde fui me meter! – E, mais uma vez, sentou-se em sua nuvem e deu continuidade ao seu período de alegria.

Mas sua raiva foi demonstrada em seu canto, e ele estava gritando tão alto que o Pai Celestial, na porta ao lado, acordou de sua soneca vespertina e perguntou, espantado:

– De onde vem esse barulho?

No mesmo instante Ele mandou chamar São Pedro, que veio correndo, e juntos eles ouviram a alegria escandalosa do anjo Aloisius:

– Aleluia! Merda! Aleluia! Merda! Aleluia! Vai se danar! Aleluia!

São Pedro saiu correndo e arrastou Aloisius até o Senhor.

O Pai Celestial olhou para ele por um longo tempo e depois falou:

– Ah, entendo: um anjo de Munique. Foi o que pensei! Agora, diga-me, por que toda essa gritaria?

Era exatamente o que Aloisius estivera esperando. Ele estava tão furioso que começou logo a dizer:

– Não gosto de nenhuma dessas coisas! Não gosto de ter asas! Não gosto de cantar hosana! Não gosto de beber maná em vez de cerveja! E quero deixar claro: não gosto de cantar!

– São Pedro – disse o Senhor –, isso nunca vai dar certo! Mas tenho uma ideia. Vamos empregá-lo como mensageiro para transmitir o nosso conselho celestial para o governo da Baviera. Assim ele pode voar para Munique uma ou duas vezes por semana, e sua boa alma vai descansar em paz!

Quando Aloisius ouviu isso, ficou de fato muito feliz. Logo obteve seu primeiro serviço de entrega, uma carta, e voou para a Terra.

E quando sentiu novamente o solo de Munique sob seus pés, teve a impressão de que estava no céu, na verdade. E, seguindo seus velhos hábitos, foi imediatamente para o Hofbräuhaus e encontrou seu lugar de costume vazio e à sua espera. A velha e boa Kathi, a garçonete, ainda estava lá, e então ele pediu mais uma rodada de cerveja, e outra, e ainda outra... e simplesmente sentou-se, e ainda se encontra sentado lá até os dias de hoje.

E essa é a razão de o governo da Baviera até hoje não ter orientação divina.

Aonde quer que o homem vá, ele vai ser ele mesmo, seja no céu ou no Himalaia. Não pode ser de outra forma. O mundo não está fora do homem, pois o homem é o mundo. Portanto, aonde quer que ele vá, deve levar seu mundo com ele.

A verdadeira mudança não tem que ser de lugar, a verdadeira mudança não tem que ser externa, a verdadeira mudança tem que ser interior. E o que eu quero dizer com verdadeira mudança? Não quero dizer que o homem tem que melhorar a si mesmo, pois a melhoria é, mais uma vez, uma mentira.

A melhoria significa que a pessoa vai continuar a polir sua personalidade. Isso pode resultar em algo belo, mas é bom lembrar que quanto mais belo, mais perigoso, porque será mais difícil descartar.

É por isso que às vezes acontece de um pecador se tornar um santo. Mas as pessoas denominadas respeitadas nunca se tornam santas. Não podem se tornar santas, pois elas têm personalidades muito valiosas, muito rebuscadas, muito polidas, e fazem tanto investimento na personalidade que sua vida como um todo é uma espécie de polimento. Agora fica caro demais descartar essas belas personalidades. Um pecador pode largá-las, pois não tem nenhum investimento nisso. Na verdade, ele se alimenta disso, e isso é muito feio. Mas como é possível a uma pessoa respeitável largar a personalidade de forma tão fácil? A personalidade tem pago a ela tão bem, tem gerado tantos lucros! Torna-a cada vez mais respeitada, faz com que ela galgue posições cada vez mais altas e com que esteja em vias de chegar ao auge do sucesso. É muito difícil para essa pessoa deixar de prosseguir nessa escalada para o sucesso. É uma escalada sem fim, e que a pessoa segue continuamente para sempre.

Alguém disse a Henry Ford, quando ele estava em seu leito de morte, momento em que ele ainda planejava algumas novas indústrias, alguns novos empreendimentos:

– O senhor está morrendo. E os médicos dizem que não vai sobreviver mais do que poucos dias. Não estão nem certos sobre isso, o senhor pode morrer hoje ou amanhã. Agora, por quê? E o senhor fez isso a vida inteira. E tem tanto dinheiro, mais do que é capaz de gastar, mais do que é capaz de usar seja para o que for. É um dinheiro inútil! Por que o senhor continua aumentando suas empresas?

Por um momento Henry Ford parou seu planejamento e respondeu:

– Ouça. Não posso parar. Isso é impossível. Apenas a morte vai me fazer parar, eu não posso parar. Enquanto eu estiver vivo, continuarei chegando a um degrau superior. Sei que isso não faz sentido, mas não posso parar!

Quando a pessoa é bem-sucedida no mundo, é difícil parar. Quando está ficando mais rica, assim como quando está ficando famosa, é difícil parar. Quanto mais refinada a personalidade, mais ela se apega à pessoa.

Então, não quero dizer que as pessoas tenham de melhorar a si mesmas. Nenhum dos grandes mestres, de Buda a Hakuin, falou para melhorar. Cuidado com os chamados "livros de autoajuda". O mercado nos Estados Unidos é cheio desses livros: cuidado, pois a melhoria não vai levar ninguém a lugar algum. O problema não é a melhoria, e sim o fato de que, através da melhoria, a mentira será aperfeiçoada. A personalidade será aperfeiçoada, uma vez que vai se tornar mais polida, vai se tornar mais sutil, vai se tornar mais valiosa, vai se tornar mais preciosa, mas essa não é a transformação.

A transformação não vem através das melhorias, mas através do abandono total da personalidade.

A mentira não pode tornar-se a verdade. Não há como melhorar a mentira de modo que ela venha a se tornar uma verdade. Vai continuar a ser uma mentira. Vai se parecer cada vez mais com a verdade, mas vai permanecer como a mentira. E quanto mais se parece com a verdade, mais a pessoa será absorvida por ela, enraizada nela. A mentira pode se parecer tanto com a verdade que a pessoa pode até mesmo tornar-se alheia ao fato de que se trata de uma mentira.

A mentira diz ao indivíduo: "Busque a verdade. Melhore seu caráter, sua personalidade. Busque a verdade, torne-se isso, torne-se aquilo." A mentira segue oferecendo a você novos programas: "Faça isso, e então tudo vai dar certo e você vai ser feliz para sempre. Faça isso, faça aquilo. Isso não deu certo? Não se preocupe, tenho outros planos para você." A mentira continua a oferecer planos, e a pessoa continua passando de um plano para outro, e desperdiçando sua vida.

A busca pela verdade também sai da mentira. Será difícil compreender, mas tem de ser compreendido. A busca pela verdade vem da própria mentira. É a forma com que a mentira se protege, ela até mesmo oferece à pessoa a busca da verdade. Agora, como a pessoa pode ficar brava com a própria personalidade? E como a pessoa pode chamá-la de mentira? Ela impulsiona a pessoa, força-a, empurra-a para buscar a verdade.

Mas a busca significa partir. E a verdade está aqui, enquanto a mentira empurra a pessoa para ir até lá. E a verdade é agora, enquanto a mentira diz "depois" e "lá". A mentira sempre fala do passado ou do futuro, nunca do presente. E a verdade é o presente. Neste exato momento. É aqui e agora...

Então, o primeiro "eu" é a mentira, o ato, ou seja, a pseudopersonalidade que cerca a pessoa. A face pública, a falsidade. É uma fraude. A sociedade impôs isso ao homem e ele passou a cooperar com isso. É preciso abandonar essa cooperação com a mentira social, porque o homem só é ele mesmo quando se encontra totalmente despido. Todas as roupas são sociais. Todas as ideias e todas as identidades que ele acha que são suas, mas que na verdade são sociais, são dadas por outras pessoas. E essas outras pessoas, ou seja, a sociedade, têm seus motivos para dar essas ideias e identidades a cada um dos indivíduos. É uma exploração sutil.

A verdadeira exploração não é econômica ou política, a verdadeira exploração é psicológica. É por isso que todas as revoluções até agora fracassaram. Até o momento nenhuma revolução foi bem-sucedida. O motivo? O fato de não terem olhado para a forma de exploração mais profunda, que é a psicológica. Continuam a mudar apenas coisas superficiais. A sociedade capitalista torna-se comunista, mas não faz nenhuma diferença. A democracia torna-se ditatorial, a sociedade ditatorial torna-se democrática, mas não ocorre nenhuma diferença. Estas são apenas mudanças superficiais, como uma camuflagem, mas a estrutura, no fundo, permanece a mesma.

O que é a exploração psicológica? A exploração psicológica é aquela na qual nenhum indivíduo tem permissão de ser ele mesmo, ninguém é aceito como si mesmo, ninguém é respeitado. Como alguém pode respeitar as pessoas se não as aceita como elas são? Se alguém impõe coisas às pessoas e depois as respeita, na verdade está respeitando suas próprias imposições. Ele não as respeita como elas são, não as respeita em sua nudez. Não as respeita em sua naturalidade, não as respeita em sua espontaneidade, não as respeita em seus sorrisos verdadeiros e em suas lágrimas verdadeiras. Ele respeita apenas falsidade, pretensões, ações. Os atos das pessoas, isso ele respeita.

Esse eu-1 tem de ser completamente descartado. Freud ajudou bastante a humanidade a ter consciência da pseudo-personalidade, da mente consciente. A revolução dele é muito mais profunda do que a revolução de Marx, sua revolução é muito mais profunda do que qualquer outra revolução. Ela vai fundo, apesar de não ir longe o suficiente.

Essa revolução chega até o segundo "eu", ou seja, o eu-2. É o eu reprimido, o eu instintivo, o eu inconsciente. É tudo o que a sociedade não permitiu, é tudo o que a sociedade forçou dentro do ser de cada um e trancou lá dentro. Ele vem apenas nos sonhos, vem apenas em forma de metáforas, vem somente quando a pessoa está bêbada, vem somente quando a pessoa não está sob seu próprio controle. Caso contrário, o eu-2 fica longe da pessoa. E é mais autêntico, não é falso.

Freud fez muito para que o homem tivesse consciência disso. E as psicologias humanistas e, particularmente, os grupos de crescimento, encontro e outros, ajudaram muito a tornar o homem consciente de tudo o que está gritando dentro dele, tudo o que está reprimido, esmagado. E esta é a sua parte vital. Essa é a sua vida real, sua vida natural. As religiões a condenaram como sua parte animal, como uma fonte do pecado. Não é a fonte do pecado, e sim a fonte da vida. E não é inferior ao consciente. É mais profundo do que o consciente, com certeza, mas não inferior ao consciente.

E não há nada errado se essa parte é animal. Os animais são belos, assim como as árvores. Eles ainda vivem nus em sua simplicidade absoluta. Eles ainda não foram destruídos pelos padres e pelos políticos, eles ainda são parte de Deus. Só o homem se desviou. O homem é o único animal anormal na face da terra, contrário a todos os animais que são simplesmente normais. Daí a alegria, a beleza, a saúde. Daí a vitalidade. Quem nunca viu isso? Quando um pássaro está voando, quem nunca sentiu inveja? Quem não viu isso em um veado correndo rápido na floresta? Quem não sentiu inveja da vitalidade, da alegria pura, da energia?

Crianças: quem já não sentiu inveja? Talvez o fato de sentir tanta inveja seja o motivo para as pessoas condenarem a infantilidade. E as pessoas seguem condenando. Montague está certo quando diz que, em vez de dizer às pessoas "Não seja infantil", deve-se passar a dizer "Não seja metido a adulto". Ele está certo, eu concordo.

A criança é bela, enquanto o adulto é o que representa a feiura. O adulto não é mais um fluxo, ele está bloqueado em muitos aspectos. Ele está congelado, é chato e está morto. Perdeu o ânimo, perdeu o entusiasmo, ele está simplesmente se arrastando. Ele está entediado, não tem nenhum senso de mistério. Nunca se surpreende, esqueceu a linguagem da admiração. O mistério desapareceu dele. Ele tem explicações, o mistério não está mais presente. Consequentemente, ele perdeu a poesia, a dança e tudo o que é valioso, e tudo o que dá sentido e significado à vida, tudo o que dá sabor à vida.

Esse segundo "eu" é muito mais valioso do que o primeiro. É aí que sou contra todas as religiões, é nesse ponto que sou contra todos os sacerdotes, pois eles agarram o primeiro, o mais superficial. Vá para o segundo "eu". Mas o segundo "eu" não é o fim, e é aí que Freud falha em não ir além. E é aí que a psicologia humanista também é limitada, e apesar de ir um pouco mais fundo do que Freud, ainda não se aprofunda o suficiente para encontrar o terceiro "eu".

Há um terceiro "eu", o eu-3. O verdadeiro eu, a face original, que está além do eu-1 e do eu-2, além de ambos. O transcendental. O estado de Buda. É o puro estado de consciência indivisível.

O primeiro "eu" é social, o segundo "eu" é natural e o terceiro "eu" é divino.

E é bom lembrar que não estou dizendo que o primeiro "eu" não é de todo útil. Se o terceiro "eu" existe, então o primeiro "eu" pode ser muito bem-utilizado. Se o terceiro "eu" existe, então o segundo "eu" pode muito bem ser utilizado. Mas somente se o terceiro "eu" existir. Se o centro funciona bem, então a periferia também está boa, e a circunferência também está com bom funcionamento. Porém, sem o centro, e apenas com a circunferência, é um tipo de morte.

É o que aconteceu com o homem. É por isso que no Ocidente tantos pensadores acham que a vida não tem sentido. Ela não é sem sentido. A questão é que o homem perdeu o contato com a fonte de onde vem o sentido.

É como se uma árvore tivesse perdido o contato com as próprias raízes. Agora não nasce nenhuma flor. Agora a folhagem começa a desaparecer, as folhas caem e não nasce nenhuma nova. E o suco para de fluir, a seiva não existe mais. A árvore fica moribunda, a árvore está morrendo.

E a árvore pode começar a filosofar, a árvore pode tornar-se existencialista, um Sartre ou outra pessoa, e pode começar a dizer que não há flores na vida. Que a vida não tem flores, que não há aroma, que não há pássaros. E a árvore pode até começar a dizer que sempre foi assim e que os antigos apenas se iludiam de que havia flores, apenas imaginavam que elas existiam. "Sempre foi assim, a primavera nunca chegou, as pessoas apenas fantasiaram. Esses Budas simplesmente imaginam, fantasiam que as flores desabrocham, que existe uma grande alegria e que os pássaros vêm na luz do sol. Não há nada. Tudo é escuridão, tudo é obra do acaso, e não há nenhum sentido." A árvore pode dizer isso.

E a questão não é o fato de não haver sentido, de não haver mais flores, de as flores não existirem, de o aroma ser uma fantasia, mas a simples realidade de que a árvore perdeu contato com as próprias raízes.

A menos que esteja enraizada em seu estado de Buda, a pessoa não vai desabrochar. Não vai cantar, não vai saber o que é celebração. E como é possível conhecer Deus sem conhecer a celebração? Se a pessoa esqueceu como dançar, como é que pode rezar? Se a pessoa esqueceu como cantar e como amar, então Deus está morto. Não que Deus esteja morto. Deus está morto dentro da pessoa, apenas nela. Sua árvore está seca, a seiva desapareceu. Ela vai ter que encontrar as raízes novamente. Onde encontrar essas raízes? As raízes têm de ser encontradas aqui e agora.[6]

---

[6] *This Very Body the Buddha* [Este próprio corpo o Buda], Capítulo 6.

Ideais

Um ursinho polar perguntou para a mãe:
— Meu pai também era um urso polar?
— Claro que o seu pai era um urso polar — respondeu ela.
— Mas — prosseguiu o pequeno urso depois de algum tempo —, mamãe, só me diga: o meu avô também era um urso polar?
— Sim, ele também era um urso polar.
O tempo passa, e o ursinho continua a perguntar para a mãe:
— Mas e o meu bisavô? Ele era um urso polar também?
— Sim, ele era. Mas por que você está perguntando isso? — questionou a mãe.
— Porque estou congelando.
Osho, disseram-me que meu pai era um urso polar. Do mesmo modo, meu avô era um urso polar, e também o meu bisavô, mas eu estou congelando. Como posso mudar isso?

Acontece que eu conheço o seu pai, o seu avô e o seu bisavô, e eles também congelavam. E as mães deles contavam a mesma história para eles! Ou seja, que o pai era um urso polar, que o avô era um urso polar e o bisavô era um urso polar.

Se você está congelando, você está congelando. Essas histórias não vão ajudar. Isso simplesmente mostra que mesmo os ursos polares congelam. O homem deve olhar para a realidade, e não se prender a tradições, não deve se deslocar para o passado. Se você está congelando, você está congelando, e o fato de ser um urso polar não serve de consolo, de jeito algum.

Esses consolos foram dados à humanidade. Quando a pessoa está morrendo, a pessoa está morrendo, no entanto, alguém vem e diz: "Não tenha medo, a alma é imortal." Ora, você está morrendo.

Ouvi a história de um judeu que, ao sofrer um ataque cardíaco, caiu em uma estrada e estava morrendo. Uma multidão se juntou, e alguns buscavam por uma pessoa religiosa, algum padre, porque o homem estava morrendo. Surgiu um padre católico, sem saber quem era a pessoa. Ele chegou perto do moribundo e perguntou:

– Você acredita? Você declara que acredita na Santa Trindade, ou seja, no Deus Pai, em seu filho Jesus Cristo e no Espírito Santo?

O judeu moribundo abriu os olhos e disse:

– Estou morrendo e ele está falando em enigmas. Agora, o que devo fazer com a Santa Trindade? Estou morrendo. Que absurdo é esse que você está falando?

Um homem está morrendo e você o consola dizendo que a alma é imortal. Esses consolos não vão ajudar. Uma pessoa está infeliz e alguém lhe diz: "Não fique infeliz. É apenas psicológico." De que isso adianta? Isso vai fazer com que ele fique ainda mais infeliz. Essas teorias não são de muita ajuda. Elas foram inventadas para confortar, para iludir.

Se a pessoa está congelando, ela está congelando. Em vez de perguntar se o pai era um urso polar, deve fazer algum exercício. Deve pular, correr ou fazer meditação dinâmica e, com isso, não vai congelar, eu prometo. Esqueça tudo sobre pai, avô e bisavô. Basta dar ouvidos à própria realidade. Se a pessoa está congelando, então faça alguma coisa. E sempre é possível fazer algo. Mas esse não é o caminho, perguntar sobre os antepassados é o caminho errado. A pessoa pode continuar a perguntar, e é claro que a mãe prosseguirá dando consolos.

A pergunta é muito boa, muito significativa e de uma importância tremenda.

Essa é a forma como a humanidade está sofrendo. É preciso dar ouvidos ao sofrimento. É preciso olhar para dentro do problema, e não tentar encontrar uma solução fora dele. Basta olhar diretamente para o problema que a solução sempre será encontrada. Examine a pergunta, não peça a resposta.

Por exemplo, as pessoas podem continuar a perguntar: "Quem sou eu?" Podem ir até o cristão e ele vai dizer: "Vocês são filhos de Deus, e Deus os ama muito." E elas vão ficar confusas porque, como Deus pode amá-las?

Um padre disse a Mulla Nasruddin:
– Deus ama muito você.
– Como ele pode me amar? Ele sequer me conhece – retrucou ele.
– É por isso que ele pode amar você. Nós conhecemos você. Nós não podemos amar você, pois é difícil demais – afirmou o padre.

Ou é só alguém chegar até os hindus e perguntar, e eles vão dizer: "Você é o próprio Deus." Não o filho de Deus, mas o próprio Deus. E ainda assim a pessoa tem sua dor de cabeça e a sua enxaqueca, e fica muito confusa com o fato de existir a possibilidade de Deus ter uma enxaqueca... e isso não resolve o problema.

Aquele que quiser perguntar "Quem sou eu?" não deve ir até ninguém. Deve sentar-se em silêncio e fazer a pergunta no fundo de seu próprio ser. Deixe a pergunta reverberar. Não verbalmente. Existencialmente, deixe a pergunta ficar lá como uma flecha que perfura o coração, "Quem sou eu?", e acompanhe a pergunta.

E não tenha pressa de responder a isso, porque, ao responder, essa resposta, provavelmente, terá vindo de outra pessoa, algum padre, algum político, alguma tradição. Não se deve responder a partir da própria memória, porque a memória é toda emprestada. A memória é como um computador, completamente sem vida. A sua memória não tem nada a ver com o saber. Ela foi alimentada. Portanto, quando alguém perguntar "Quem sou eu?", e sua memória disser "Você é uma grande alma", você deve ficar alerta. Trata-se de uma armadilha. É preciso descartar todo esse lixo, pois é tudo podridão.

Basta continuar a perguntar "Quem sou eu?... Quem sou eu?... Quem sou eu?...", e um dia vai ser possível perceber que a pergunta também desapareceu. Ficou apenas uma sede: "Quem sou eu?" Não realmente uma pergunta, mas uma sede, ou seja, todo o seu ser pulsando com a sede: "Quem sou eu?"

E um dia a pessoa vai perceber que nem ela mesma está lá: há apenas a sede. E nesse estado intenso e apaixonado do seu ser, de repente, ela percebe que algo explodiu. De repente ela fica cara a cara consigo mesma e não sabe quem ela é.

Não tem como perguntar ao próprio pai: "Quem sou eu?" Ele próprio não sabe quem ele é. Não tem como perguntar ao avô ou ao bisavô. E não se deve perguntar! Não se deve perguntar à mãe, à sociedade, à cultura, à civilização.

Deve-se perguntar ao âmago mais profundo.

Se a pessoa realmente quiser saber a resposta, deve buscar em seu interior, e é a partir dessa experiência interior que a mudança acontece.

Você pergunta: "Como posso mudar isso?" Você não pode mudar isso. Primeiro é preciso encarar sua realidade, e é exatamente esse confronto que vai mudar você.

Um repórter tentava obter uma história de interesse humano de um idoso em uma casa de repouso sustentada pelo governo.

– Pai – perguntou o repórter atrevido –, como você se sentiria se, de repente, recebesse uma carta dizendo que um parente esquecido tinha lhe deixado 5 milhões de dólares?

– Filho – veio a resposta lentamente –, eu continuaria com 94 anos de idade.

Deu para entender? O velho diz: "Tenho 94 anos. Mesmo que eu ganhe 5 milhões de dólares, o que vou fazer com isso? Eu ainda vou ter 94 anos de idade."

O que Buda diz, o que Mahavira diz, o que Cristo diz, não ajuda ninguém em nada. A pessoa está congelando, outra pessoa continua com 94 anos. Mesmo que todo o conhecimento do mundo seja despejado na cabeça das pessoas, não vai adiantar: alguns ainda estão congelando, outros continuam a ter 94 anos de idade. A menos que surja alguma experiência nas pessoas, alguma experiência de vida que transforme seu ser e elas voltem a ser jovens novamente, com vivacidade de novo, nada será de valor algum.

Portanto, não pergunte aos outros. Essa é a primeira lição a ser aprendida. Cada um deve perguntar a si mesmo. E, então, lembre-se também de evitar aquelas respostas que os outros já colocaram lá e que virão à tona. A questão é de cada um, de modo que a resposta de ninguém mais pode ser útil.

A questão é de cada um, e a resposta também tem que ser de cada um.

Buda bebeu e está satisfeito. Jesus bebeu e está em êxtase. Eu bebi, mas de que forma isso vai ajudar a sede de seja lá quem for? Cada um terá de beber por si.

Foi o que aconteceu quando um grande místico sufi foi convidado pelo imperador a ir até a corte e orar por eles. O místico foi, mas recusou-se a orar. E disse: "É impossível. Como posso orar por vocês?" E então se justificou: "Há algumas coisas que o homem tem que fazer por si mesmo. Por exemplo, se ele quer fazer amor com uma mulher, ele tem que fazer isso sozinho. Eu não posso fazer isso para ele em seu nome. Ou, se uma pessoa tem que assoar o nariz, ela tem que assoar sozinha. Não posso assoar o meu nariz por ele, isso não vai ser de utilidade alguma. E, da mesma forma, acontece com a oração. Como posso orar por você? Você ora. Eu posso orar por mim." E, então, fechou os olhos e deu início a uma grande oração.

É o que eu posso fazer. Para mim o problema desapareceu, mas não desapareceu pela resposta de ninguém. Não perguntei para ninguém. Na verdade, todo o esforço foi descartar todas as respostas que os outros deram, de forma muito generosa.

As pessoas continuam dando conselhos às outras. São muito generosas em seus conselhos. Não podem ser generosas em nada mais, no entanto, em conselhos elas são muito generosas, pessoas excelentes. Independente de alguém perguntar ou não, elas continuam dando conselhos.

O conselho é a única coisa que se dá em grande quantidade e que nunca é tomada de volta. Ninguém toma de volta ou leva o conselho embora.

Ouvi uma história sobre dois vagabundos que estavam sentados debaixo de uma árvore, conversando. Um deles disse:
— Cheguei a este estado porque nunca ouvi o conselho de ninguém.
— Irmão, eu cheguei até aqui porque segui o conselho de todo mundo — disse o outro.

A jornada tem que ser de cada um.
A pessoa está congelando, eu sei. A pessoa está infeliz, eu sei. A vida é dura, eu sei. E não tenho nenhum consolo para nenhum dos casos. E não acredito em consolar as pessoas, porque todo o consolo se torna uma prorrogação. A mãe diz ao filho urso "Sim, seu pai é um urso polar", e por algum tempo ele tenta não congelar, porque os ursos polares supostamente não devem congelar. Mas isso não adianta. Ele torna a perguntar: "Mãe, meu avô também era um urso polar?" Ele está tentando saber: *Algo deu errado na minha herança genética, e é por isso que estou congelando?* E a mãe diz: "Sim, seu avô também era um urso polar." Mais uma vez ele tenta postergar o congelamento, mas não se pode postergá-lo. É possível retardar um pouco, mas ele ainda vai estar lá.
A realidade não pode ser evitada.
Teorizações não ajudam em nada. As pessoas devem esquecer as teorias e dar ouvidos ao fato em si. Está infeliz? Então a infelicidade tem que ser analisada. Está com raiva? Essa raiva tem que ser avaliada. Sente-se sexual? Então, esqueça o que os outros dizem a respeito, e faça uma análise por si mesmo. É a sua vida, e você tem que vivê-la. Não peça emprestado.

Nunca seja de segunda mão. Deus ama as pessoas que são de primeira mão. Ele nunca soube amar cópias. O homem tem que ser de primeira mão, ser original, ser único, ser individual, ser ele mesmo, e analisar seus problemas.

E há somente uma coisa que posso dizer às pessoas: que no problema está escondida a solução. O problema é apenas uma semente. Se a pessoa entrar fundo nela, a solução vai brotar a partir dela. Sua ignorância é a semente. Se entrar profundamente nela, o conhecimento vai florescer a partir dela. O calafrio, o congelamento, é o problema. Entre nele e o calor vai surgir dele.

Na verdade, tudo é dado ao homem, tanto a pergunta quanto a resposta, tanto o problema quanto a solução, tanto a ignorância quanto o conhecimento. É preciso apenas que cada um olhe para dentro de si.[1]

Parece-me que os seres humanos sentem que ser apenas eles mesmos não é suficiente. Por que a maioria das pessoas tem tanta compulsão para alcançar o poder e o prestígio, e assim por diante, em vez de apenas serem simples seres humanos?

É uma questão complicada. Ela tem dois lados, e ambos precisam ser compreendidos. Primeiro: o homem nunca foi aceito como ele é pelos pais, pelos professores, pelos vizinhos, pela sociedade. Todo mundo estava tentando melhorá-lo, torná-lo melhor. Todo mundo apontou falhas, equívocos, erros, pontos fracos, fragilidades, a que todo ser humano está sujeito. Ninguém enfatizou sua beleza, ninguém ressaltou sua inteligência, ninguém destacou sua grandeza.

---
[1] *Êxtase: a linguagem esquecida*, Capítulo 4.

Apenas o fato de estar vivo é um belo presente, mas ninguém nunca lhe disse para ser grato à existência. Pelo contrário, todo mundo era mal-humorado, e reclamava. Naturalmente, se tudo o que o cerca em sua vida, desde o início, vive enfatizando ao homem que ele não é o que deveria ser, além de lhe oferecer grandes ideais a que ele tem de aspirar e pelos quais tem que se transformar, seu ser nunca será prestigiado. O que é prestigiado é o seu futuro, ou seja, se ele pode se tornar uma pessoa respeitável, poderosa, rica, intelectual, de alguma forma famosa, e não apenas um zé-ninguém.

O condicionamento constante contra o homem criou nele esta ideia: "Não sou suficiente como sou, falta alguma coisa. E tenho de estar em algum outro lugar, não aqui. Este não é o lugar em que eu deveria estar, eu deveria estar em uma posição mais alta, mais poderosa, mais dominante, mais respeitada, mais conhecida."

Essa é a metade da história – que é feia, que não deveria existir. Isso pode ser simplesmente removido se as pessoas forem um pouco mais inteligentes no modo de ser como mães, como pais, como professores.

Não se deve arruinar a criança. A criança tem que ser ajudada no desenvolvimento de sua autoestima e na aceitação de si mesma. Caso contrário, os pais vão se tornar um obstáculo para o seu desenvolvimento. Essa é a parte feia, mas é a parte simples. E pode ser removida, porque é muito simples e lógico ver que a pessoa não é responsável pelo que ela é, e que essa é a forma como a natureza a fez. Agora, chorar desnecessariamente sobre o leite derramado é pura estupidez.

No entanto, a segunda parte é de imensa importância. Mesmo que todos esses condicionamentos sejam removidos, processo pelo qual a pessoa é desprogramada e todas essas ideias são extraídas de sua mente, ela ainda vai sentir que não é suficiente, mas essa vai ser uma experiência totalmente diferente. As palavras vão ser as mesmas, mas as experiências serão diferentes.

A pessoa não é suficiente porque pode ser mais. Não vai mais ser uma questão de tornar-se famosa, respeitável, poderosa, rica. Essa não vai ser sua preocupação, de jeito nenhum. Sua preocupação será que seu ser é apenas uma semente. Com o nascimento, a pessoa não nasce como uma árvore, e sim apenas como uma semente, e, como tal, ela tem que crescer até o ponto em que venha a florescer, e esse florescimento será seu contentamento, sua satisfação.

Esse florescimento não tem nada a ver com poder, nada a ver com dinheiro, nada a ver com política. Tem algo a ver com a pessoa, pois é um progresso individual. E para isso os outros condicionamentos são um obstáculo, são uma distração, são um emprego errado de um desejo natural para o crescimento.

Toda criança nasce para crescer e se tornar um ser humano de pleno direito, com amor, compaixão, serenidade. Ela tem de se tornar uma celebração em si mesma. Não é uma questão de competição, nem mesmo de comparação.

Mas o primeiro condicionamento feio distrai as pessoas, porque a vontade de crescer, a vontade de ser mais, o desejo de expandir são usados pela sociedade, pelos interesses estabelecidos. Eles desviam. Eles enchem a mente das pessoas, de modo que elas passam a achar que essa ânsia é por ter mais dinheiro, que esse desejo significa estar no topo em todos os sentidos, seja na educação ou na política. Onde quer que as pessoas estejam, elas têm de estar no topo, e se for menos do que isso, elas vão achar que não estão indo bem, e vão sentir profundo complexo de inferioridade.

Todo esse condicionamento produz complexo de inferioridade, porque quer que a pessoa seja superior, e que esteja acima dos outros.

Ensina-lhe a competição, a comparação.

Ensina-lhe a violência, a luta.

Ensina-lhe que o meio não importa, que o que importa é o fim, ou seja, o sucesso é o objetivo.

E isso pode ser feito facilmente, porque a criança já nasce com o anseio de crescer, com um desejo de estar em outro lugar. Uma semente tem de viajar muito para se transformar em flores. É uma peregrinação. O anseio é belo e é dado pela própria natureza. Porém, a sociedade até agora tem sido muito astuta, pois transforma, desvia, afasta os instintos naturais das pessoas em prol de alguma utilidade social.

Esses dois são os lados que dão às pessoas a sensação de que, onde quer que estejam, alguma coisa está faltando, de que elas têm que ganhar algo, alcançar algo, tornar-se empreendedoras, alpinistas sociais.

Agora, a inteligência é necessária para deixar claro qual é o seu anseio natural e qual é o condicionamento social. É preciso cortar o condicionamento social, pois é tudo lixo, de modo que a natureza permaneça pura, despoluída. E a natureza é sempre individualista.

Uma pessoa vai crescer, irá desabrochar, e pode dar rosas. Outra pode crescer e dar cravos. A primeira não é superior pelo fato de dar rosas, assim como a segunda não é inferior pelo fato de dar cravos. Ambas floresceram, é o que importa, e esse florescimento dá profunda satisfação. Toda frustração e toda tensão desaparecem, e prevalece uma paz profunda, que é a paz que transcende a compreensão. No entanto, primeiro é preciso cortar a porcaria social completamente, pois, do contrário, ela continuará distraindo as pessoas.

O homem tem que ser rico, mas não abastado. Riqueza é outra coisa. Um mendigo pode ser rico e um imperador pode ser pobre. A riqueza é uma qualidade do ser.

Alexandre, o Grande, encontrou Diógenes, que era um mendigo nu, com apenas uma lâmpada, sua única posse. E mantinha sua lâmpada acesa mesmo durante o dia. Ele, obviamente, estava se comportando de maneira estranha, e até mesmo Alexandre teve de lhe perguntar:

– Por que está mantendo essa lâmpada acesa durante o dia?

Ele levantou sua lâmpada, olhou para o rosto de Alexandre e disse:

– Estou procurando pelo homem de verdade dia e noite, e não o encontro.

Alexandre ficou chocado por um mendigo nu poder dizer esse tipo de coisa a ele, um conquistador do mundo. No entanto, ele podia ver que Diógenes era muito belo em sua nudez. Os olhos eram tão serenos, o rosto tão pacífico, suas palavras tinham tanta autoridade, sua presença era tão tranquila, calma e relaxante que, embora Alexandre tivesse se sentido insultado, não poderia ir contra ele. A presença do homem era tanta que o próprio Alexandre parecia um mendigo do lado dele. Ele escreveu em seu diário: "Pela primeira vez senti que a riqueza é algo diferente de ter dinheiro. Eu vi um homem rico."

A riqueza é a autenticidade, a sinceridade, a verdade da pessoa, o amor da pessoa, a criatividade, a sensibilidade, o estado meditativo da pessoa. Esta é a real riqueza do ser humano.

A sociedade moveu a cabeça do homem em direção às coisas mundanas, e ele esqueceu completamente que sua cabeça foi movida.

Lembro-me de uma história que aconteceu de verdade...

Na Índia, um homem dirigia uma motocicleta e, como fazia muito frio, colocou seu casaco de trás para a frente, porque sentia muito frio no peito e o vento estava cortante. Do outro lado da estrada vinha um *sardar*[2] em sua moto – os *sardars* são pessoas simples –, que, sem acreditar no que seus olhos viam, pensou: "Esse homem tem a cabeça de trás para a frente!"

Ele ficou tão amedrontado que, quando chegou perto, desequilibrou-se com sua moto contra o pobre homem, e o homem caiu no chão, quase inconsciente. O *sardar* olhou de perto e disse:

– Meu Deus, o que aconteceu com ele? A cidade está longe, o hospital está longe, mas é preciso fazer alguma coisa.

Os *sardars*, na Índia, são as pessoas mais fortes. E como o pobre homem estava inconsciente, o *sardar* forçou sua cabeça e colocou-a do lado certo, de acordo com o casaco. Naquele exato momento, um carro de polícia chegou, e os policiais perguntaram:

– O que está acontecendo?

– Vocês chegaram na hora certa. Olhe este homem, ele caiu da moto – disse o *sardar*.

– Ele está vivo ou morto? – perguntaram eles.

– Estava vivo quando sua cabeça estava em uma posição errada. Quando virei sua cabeça para a posição certa, ele parou de respirar – o *sardar* respondeu.

– Você ficou tão interessado pela cabeça que não viu que o casaco estava errado, e não a cabeça! – disseram os policiais.

– Somos pessoas pobres e simples. Eu nunca tinha visto ninguém usando um casaco cujos botões estivessem na parte de trás. Achei que tivesse acontecido algum acidente. Ele respirava até então, embora estivesse inconsciente. Virei a cabeça dele, me deu trabalho, mas quando quero fazer algo, eu faço. E fiz isso, virei a cabeça dele exatamente para a posição certa, até que estivesse alinhada com o casaco. Daí ele parou de respirar. Um cara estranho! – disse o *sardar*.

---

[2] Título respeitoso para um *sikh*.

A cabeça do homem, ou seja, sua mente, foi virada de várias formas, por muitas pessoas, de acordo com a ideia delas de como ele deveria ser. Não houve nenhuma má intenção. Seus pais o amaram, seus professores o amaram, a sociedade quer que ele seja alguém. Suas intenções foram boas, mas sua compreensão foi muito limitada. Eles esqueceram que o homem não consegue transformar um arbusto de cravos em uma roseira ou vice-versa.

Tudo o que o homem pode fazer é ajudar as rosas a crescerem mais, ficarem mais coloridas, mais perfumadas. Pode fornecer todos os produtos químicos necessários para transformar a cor e a fragrância, ou seja, o adubo, o solo apropriado, a rega adequada, nas épocas certas, mas não pode fazer com que a roseira produza flores de lótus.

E se for dada a ideia para a roseira – "Você tem que se transformar em flores de lótus"–, e é claro que as flores de lótus são bonitas e grandes, será dado um condicionamento errado que ajudará apenas a mostrar que esse arbusto nunca vai ser capaz de produzir flor de lótus. E, além disso, toda a sua energia será direcionada para um caminho errado, de modo que não irá produzir nem sequer rosas, pois de onde ela obterá a energia para produzir rosas? E quando não houver flor de lótus nem rosas, é claro que esse pobre arbusto vai se sentir continuamente vazio, frustrado, estéril e sem valor.

E isso é o que está acontecendo com os seres humanos. As pessoas estão transformando suas mentes com as melhores intenções. Em uma sociedade melhor, com pessoas mais compreensivas, ninguém há de mudar ninguém. As pessoas vão ajudar umas às outras a serem elas mesmas, pois ser você mesmo é o que há de mais rico no mundo. Poder ser ela mesma dá à pessoa tudo o que ela precisa para sentir-se realizada, tudo o que pode fazer sua vida importante, significativa. Ser você mesmo e crescer de acordo com a sua natureza fará com que o seu destino se cumpra.

Portanto, o desejo não é ruim, mas tem levado a objetivos errados. E as pessoas precisam ficar atentas para não serem manipuladas por ninguém, por melhores que sejam as intenções. É preciso precaver-se de tanta gente bem-intencionada, benfeitora, que dá constantemente conselhos para ser isso, ser aquilo. Ouça essas pessoas e seja grato a elas, pois elas não têm a intenção de causar danos; mas é o que acontece: elas provocam dados.
Ouça apenas o seu coração, pois este é o único professor.
Na verdadeira jornada da vida, a intuição é o único professor de cada um.
Vamos pensar por um instante. Vejamos o significado de *"intuition"* (intuição em português). *"Tuition"*, em português, significa "ensino, instrução". A instrução (*tuition*) é dada pelos professores, ou seja, vem de fora; e a intuição (*intuition*) é dada pela própria natureza de cada um, ou seja, vem do interior do ser humano. O homem tem seu próprio guia dentro de si. Com um pouco de coragem, o homem nunca vai sentir que é desprezível. Pode não se tornar o presidente de um país, pode não se tornar um primeiro-ministro, pode não se tornar um Henry Ford, e não há necessidade nenhuma disso! Pode se tornar um belo cantor, um belo pintor. E não importa o que faça... Pode se tornar um grande sapateiro.

Quando Abraham Lincoln tornou-se presidente dos Estados Unidos... Seu pai fora sapateiro, e todo o Senado sentiu-se um pouco envergonhado de ter o filho de um sapateiro governando as pessoas mais ricas, as pessoas da classe alta, que se achavam superiores porque tinham mais dinheiro, porque pertenciam a famílias famosas de longa data. Todos no Senado estavam, de alguma forma, constrangidos, com raiva, irritados, ninguém se sentia feliz com o fato de Lincoln ter se tornado o presidente.

Um homem, que era arrogante, burguês, levantou-se antes que Lincoln fizesse seu primeiro discurso, o discurso inaugural para o Senado, e disse:

– Sr. Lincoln, antes de começar, eu gostaria de lembrá-lo de que o senhor é filho de um sapateiro.

E todo o Senado deu risada. Eles queriam humilhar Lincoln; não podiam derrotá-lo, mas podiam humilhá-lo. Mas era difícil humilhar um homem como Lincoln.

Lincoln disse ao homem:

– Fico muito grato que tenha me lembrado do meu pai, que está morto. Vou sempre me lembrar do seu conselho. Sei que não poderei jamais ser um presidente tão grande quanto o sapateiro que meu pai foi.

Houve um silêncio total, devido à maneira como Lincoln respondeu...

E ele completou dizendo ao homem:

– Até onde eu sei, meu pai costumava fazer sapatos para sua família também. Se os seus sapatos estiverem apertando, ou se houver algum outro problema, embora eu não seja um grande sapateiro, como aprendi a arte com meu pai desde a infância, posso consertá-los. E o mesmo vale para qualquer um no Senado. se o meu pai fez os seus sapatos e eles precisarem de qualquer correção, qualquer melhoria, estou sempre à disposição, embora uma coisa seja certa: não consigo ser tão bom quanto meu pai. O toque dele era de ouro. – E lágrimas vieram-lhe aos olhos à memória de seu grande pai.

Não importa: a pessoa pode ser um presidente de terceira classe, ou pode ser um sapateiro de primeira classe. O que importa é que ela goste do que faz, e que ponha toda a sua energia nisso: que não queira ser outra pessoa; que isso seja o que ela quer ser; que concorde com a natureza, que o papel que lhe foi dado para desempenhar esse drama seja o papel correto, que ela não o troque nem mesmo com um presidente ou um imperador. Isso é riqueza verdadeira. Isso é poder verdadeiro.

Se todos os indivíduos crescem para ser o que são, será possível encontrar a Terra, como um todo, repleta de pessoas poderosas, com uma tremenda força, inteligência, compreensão e a satisfação e alegria de que chegaram em casa.[3]

A palavra ideal é uma palavra suja para mim

A palavra ideal é uma palavra suja para mim. Não tenho ideais. Os ideais deixam as pessoas loucas. Foram ideais que transformaram o mundo inteiro em um grande hospício.

O ideal quer dizer que o homem não é aquilo que deveria ser.

O ideal cria tensão, ansiedade, angústia, divide o homem e torna-o esquizofrênico. Além disso, o ideal está no futuro, enquanto o homem está aqui. E como o homem pode viver se ele não for o ideal? Primeiro ser o ideal, e, depois; começar a viver, mas isso nunca acontece. Isso não pode acontecer, pela própria natureza das coisas.

Os ideais são impossíveis, e é por isso que são ideais. Eles levam o homem à loucura e o deixam insano. Depois vem a condenação, pois ele nunca alcança o ideal. Cria-se a culpa. Na verdade, isso é o que os padres e os políticos fazem: eles querem criar a culpa nas pessoas. Para criar a culpa eles usam ideais,

---

[3] *The Transmission of the Lamp* [A transmissão da lâmpada], Capítulo 26.

esse é o mecanismo. Primeiro dão um ideal, e, depois, a culpa vem, automaticamente.

Digamos que eu afirme que ter dois olhos não é suficiente, é preciso ter três olhos. É preciso abrir o terceiro olho! Leia Lobsang Rampa: abra seu terceiro olho! E agora faça um esforço, dessa e daquela forma, fique de cabeça para baixo e repita um mantra. Mas o terceiro olho não abre, e, agora, a pessoa começa a se sentir culpada, está faltando alguma coisa... ela não é a pessoa certa. Torna-se depressiva. Esfrega com força o terceiro olho, e ele não abre.

Cuidado com todo esse absurdo. Os dois olhos que cada indivíduo tem são lindos. E se algumas têm apenas um único olho, perfeito. Basta que elas se aceitem como são. Deus as fez perfeitas, ele não deixou nada incompleto em ninguém. E se sentem que algo está incompleto, então é porque faz parte da perfeição. Elas são perfeitamente imperfeitas. Deus sabe melhor do que ninguém: somente na imperfeição existe crescimento, somente na imperfeição existe fluxo, somente na imperfeição algo é possível. Se as pessoas fossem simplesmente perfeitas, estariam mortas como uma rocha. Daí não haveria nada acontecendo, daí nada poderia acontecer. Se é que vocês me entendem, eu gostaria de lhes dizer: Deus também é perfeitamente imperfeito, pois, do contrário, já estaria morto há muito tempo. Não teria esperado Friedrich Nietzsche declarar que "Deus está morto".

O que esse Deus estaria fazendo se ele fosse perfeito? Não poderia fazer nada, não poderia ter nenhuma liberdade para fazer algo. Não poderia crescer, não haveria nenhum lugar para onde ir. Ele ficaria simplesmente preso lá. Não poderia nem mesmo cometer suicídio, pois, quando se é perfeito, não se faz coisas como essa.

É preciso que cada um se aceite como é.

E não estou interessado em nenhuma sociedade ideal, de jeito nenhum. Não estou interessado em indivíduos ideais.

Não tenho interesse em qualquer forma de idealismo.

E, para mim, a sociedade não existe, existem apenas indivíduos. A sociedade é só uma estrutura funcional, utilitária. Não se tem domínio sobre a sociedade. Alguém já conseguiu ter domínio sobre a sociedade? Alguém já conseguiu ter domínio sobre a humanidade? Alguém já conseguiu ter domínio sobre o cristianismo, o hinduísmo, o islamismo? Não, é sempre possível dominar o indivíduo, o indivíduo sólido, concreto.

Mas as pessoas pensaram em como melhorar a sociedade, em como fazer uma sociedade ideal. No entanto, essas pessoas provaram ser um desastre. Elas provocaram um grande prejuízo, uma vez que, em função de sua sociedade ideal, destruíram o autorrespeito e criaram a culpa em todo mundo.

Todo mundo é culpado, ninguém parece ser feliz da maneira que é. É possível criar culpa por qualquer coisa e, uma vez criada a culpa, a pessoa se torna poderosa. Aquele que cria a culpa no outro torna-se poderoso em relação a ele, portanto, é bom lembrar dessa estratégia, porque, depois, apenas o primeiro poderá redimir o segundo da culpa. Depois, o segundo terá que ir até o primeiro. O padre antes cria a culpa para que depois os fiéis tenham que ir à igreja. Daí, então, os fiéis têm de ir e confessar "Eu cometi esse pecado", e o padre os perdoa em nome de Deus. Primeiro o padre cria a culpa em nome de Deus e, depois, perdoa as pessoas em nome de Deus!

Vejam essa história...

Calvin foi pego por sua mãe cometendo um pecado grave, e foi mandado imediatamente para a confissão.

— Padre — disse Calvin —, eu brinquei comigo mesmo.

– Por que você fez isso?! – gritou o padre, que estava realmente bravo.

– Eu não tinha nada melhor para fazer – respondeu Calvin.

– Para a penitência, reze cinco pai-nossos e cinco ave-marias – sentenciou o padre.

Uma semana depois a mãe de Calvin pegou-o novamente e, uma vez mais, mandou-o para a confissão.

– Padre, eu brinquei comigo mesmo.

– Por que você fez isso? – perguntou o padre.

– Eu não tinha nada melhor para fazer – respondeu Calvin.

– Para a penitência, reze dez pai-nossos e cinco ave-marias.

Na semana seguinte Calvin tornou a pecar.

– Pode voltar de novo – disse a mãe. – E leve este bolo de chocolate para o bom padre.

Então, enquanto esperava em uma longa fila, Calvin acabou com o bolo. No confessionário ele disse:

– Padre, minha mãe mandou-lhe um bolo de chocolate, mas eu comi tudo enquanto aguardava.

– Por que você fez isso? – perguntou o padre.

– Eu não tinha nada melhor para fazer.

– Então por que não brincou consigo mesmo?

O padre não está interessado no que as pessoas estão fazendo, ele tem seus próprios interesses, nesse caso, seu bolo de chocolate. E, depois, as pessoas podem ir para o inferno! Então, podem fazer o que quiserem, mas onde está o bolo de chocolate?

Os padres criam a culpa, e, depois, perdoam as pessoas em nome de Deus. Transformam as pessoas em pecadoras, e depois dizem: "Agora venham para Cristo, ele é o salvador."

Não há ninguém lá para salvar as pessoas, porque, em primeiro lugar, elas não cometeram nenhum pecado. Elas não precisam ser salvas.

Não tenho interesse por nenhuma sociedade ideal. Por favor, abandonem esse sonho, pois isso tem criado grandes pesadelos no mundo. Lembrem-se: nada pode acontecer agora em termos políticos. A política está morta. Não importa em quem votem, se de direita ou de esquerda, façam isso sem ilusões. É necessário renunciar à ideia de que algum sistema pode ser o salvador, seja o comunismo, o fascismo ou o gandhismo. Nenhuma sociedade pode salvar as pessoas, e nenhuma sociedade pode ser uma sociedade ideal. E não há nenhum salvador, seja Cristo, Krishna ou Rama. É preciso simplesmente abandonar esse absurdo que as pessoas carregam sobre a culpa e o fato de serem pecadoras.

Coloque toda a sua energia [na dança] para celebrar (a vida). E daí, então, o homem *é* ideal, aqui e agora, mas não que seja necessário *tornar-se* ideal.

A ideologia, como tal, perdeu sua verdade. Na realidade, ela nunca esteve lá, em primeiro lugar. E o poder de persuadir também é algo que se foi. Algumas mentes sérias deixaram de acreditar que alguém possa estabelecer planos e, através de engenharia social, produzir uma nova utopia de harmonia social.

Estamos vivendo na era da liberdade total. Atingimos a maioridade.

A humanidade não é mais infantil, está mais madura. Estamos vivendo em um período muito socrático, porque as pessoas estão fazendo todas as perguntas importantes sobre a vida. Não comecem a desejar e ansiar por algum futuro ideal, ideia, perfeição.

Abandone todos os ideais e viva o aqui e agora.[4]

---

[4] *The Heart Sutra* [O sutra do coração], Capítulo 6.

O perfeccionismo é a raiz de toda neurose

O perfeccionismo é a raiz de toda neurose. A menos que se livre da ideia da perfeição, a humanidade nunca vai ser sã. A própria ideia da perfeição levou toda a humanidade a um estado de loucura. Pensar em termos de perfeição significa pensar em termos de ideologia, objetivos, valores, e o que se deve ou não fazer.

As pessoas têm um determinado padrão a cumprir e, se caírem desse padrão, vão se sentir extremamente culpadas, pecadoras. E o padrão tende a ser definido de maneira tal que as pessoas não consigam alcançá-lo. Se puderem alcançá-lo, não será de muito valor para o ego.

É por isso que a qualidade intrínseca do ideal perfeccionista é que ele deva ser inatingível, pois só então valerá a pena obtê-lo. É possível ver a contradição? E essa contradição cria uma esquizofrenia: as pessoas tentam fazer o impossível, sabendo perfeitamente bem que não vai acontecer, e que não pode acontecer, pela própria natureza das coisas. Se puder acontecer, então não se trata tanto de perfeição, e daí qualquer pessoa pode fazê-lo. Por consequência, não há muito alimento para o ego nisso: o ego não pode mastigar, não pode crescer. O ego precisa do impossível, mas o impossível, por sua própria natureza, não vai acontecer.

Portanto, restam apenas duas opções: a primeira é começar a se sentir culpado. Se a pessoa é inocente, simples, inteligente, vai começar a se sentir culpada, e a culpa é um estado de doença. Não estou aqui para criar culpa em ninguém. Todo o meu esforço é para ajudar as pessoas a se livrarem de toda a culpa. No momento em que elas se livram da culpa, irrompe a alegria. E a culpa está enraizada na ideia de perfeição.

A segunda opção é a seguinte: se a pessoa é astuta, então vai se tornar uma hipócrita, vai começar a fingir que obteve a perfeição. Ela enganará os outros e até mesmo tentará enganar a si mesma.

Vai começar a viver ilusões, alucinações, e isso é muito profano, muito herege, muito doentio.

Fingir, viver uma vida de pretensões, é muito pior do que a vida de um homem culpado. O homem culpado, pelo menos, é simples, mas o homem que finge, o hipócrita, o santo, o chamado sábio, o mahatma, é um trapaceiro. Ele é basicamente desumano, e é desumano consigo mesmo, porque reprime a si mesmo, uma vez que esta é a única forma de fingir.

Tudo o que ele encontrar em si mesmo que vá contra a perfeição terá que ser reprimido. Ele ficará fervendo por dentro, cheio de raiva e de fúria. Sua raiva e fúria virão para fora de várias maneiras – seja com sutileza, seja de forma indireta, elas virão à tona.

Mesmo pessoas agradáveis e boas como Jesus são cheias de raiva, fúria, e são contra coisas tão inocentes. Pode acreditar. Jesus vem acompanhado de seus seguidores, aquele bando de idiotas que chamam de apóstolos. Ele está com fome, todo aquele bando está com fome. Eles chegam a uma figueira, mas não é época de a árvore dar figos. Embora não seja culpa da árvore, Jesus fica tão irritado que condena a figueira, e a amaldiçoa. Ora, como isso é possível? Por um lado, ele diz: "Ame o teu inimigo como a ti mesmo." Por outro lado, ele não pode sequer perdoar uma figueira que não tem frutos porque não é época de dar frutos.

Essa dicotomia, essa esquizofrenia prevalece na humanidade por milhares de anos.

Ele diz "Deus é amor", porém, ainda assim Deus dirige um inferno. Se Deus é amor, a primeira coisa a ser destruída deveria ser o inferno; o inferno deveria ser imediatamente queimado, removido. A própria ideia de inferno vem de um

Deus muito ciumento. Mas Jesus nasceu judeu, viveu como judeu, morreu como judeu; ele não era cristão, e nunca ouviu a palavra "cristão". E a ideia judaica de Deus não é uma belíssima ideia. O Talmude diz (a declaração é feita nas próprias palavras de Deus): "Sou um Deus ciumento, muito ciumento. Não sou simpático! Não sou seu tio!" Esse Deus é obrigado a criar o inferno. Na verdade, para viver até mesmo no céu com um Deus assim, que não é o tio de ninguém, que não é simpático e que é ciumento, vai ser um inferno. Que tipo de paraíso alguém terá alcançado ao viver com Ele? Haverá uma atmosfera ditatorial e despótica, sem liberdade, sem amor. O ciúme e o amor não podem coexistir.

Assim, até mesmo as ditas pessoas boas causam a infelicidade humana.

Dói saber, porque o homem nunca ponderou sobre essas coisas. Nunca tentou escavar o passado, e todas as raízes de sua infelicidade estão em seu passado. E lembre-se bem de que o passado é mais dominado por Jesus, Mahavira, Confúcio, Krishna, Rama, Buda do que por Alexandre, o Grande, Júlio César, Tamerlane, Gêngis Khan, Nadirshah. Os livros de história falam sobre eles, mas eles não fazem parte do inconsciente do homem. Eles podem fazer parte da história, mas não compõem a personalidade do homem, que na verdade é formada pelas ditas pessoas boas. Com certeza, elas tiveram algumas qualidades boas, porém estas coexistiam com uma dualidade, e a dualidade, por sua vez, surgiu da ideia da perfeição.

Os jainistas dizem que Mahavira nunca transpirava. Como pode um homem perfeito transpirar? Eu posso transpirar, eu não sou um homem perfeito! E a transpiração no verão é tão bela que prefiro escolher a transpiração em vez da perfeição! Afinal, um homem que não transpira simplesmente tem um corpo de plástico, sintético, que não respira, que não é poroso.

O corpo inteiro respira, é por isso que o ser humano transpira, e a transpiração é um processo natural para manter a temperatura do corpo constantemente a mesma. Ora, Mahavira deve estar queimando por dentro como o diabo! Como ele vai conseguir manter constante a temperatura de seu corpo? Sem transpiração isso não pode ser feito, é impossível. Os jainistas dizem que, quando uma cobra feriu os pés de Mahavira, não foi sangue mas leite que escorreu de seus pés. Ora, escorrer leite só seria possível se os pés de Mahavira não fossem pés e sim seios, e um homem que tem seios nos pés deveria ser colocado em um circo!

Essa é a ideia de perfeição: um homem perfeito não pode ter uma coisa suja como o sangue, uma coisa maldita como o sangue; deve estar repleto de leite e mel. Mas imagine isso: um homem cheio de leite e mel vai feder! O leite vai coalhar e o mel vai atrair toda espécie de mosquito e mosca, e o homem vai ficar completamente coberto de moscas! Não gosto desse tipo de perfeição.

Mahavira é tão perfeito que não urina, não defeca, pois essas coisas são para os seres humanos imperfeitos. Não se pode imaginar Mahavira sentado em um vaso sanitário, é impossível, mas, então, para onde vai toda a sua merda? Então ele deve ser o homem mais enfezado do mundo. Li em publicações médicas sobre um homem, o caso mais longo de constipação: 18 meses. Mas esses médicos não estão cientes do caso de Mahavira, isso não é nada, quarenta anos! Esse é o período mais longo que qualquer homem foi capaz de controlar seu intestino. Isso é yoga real! O maior caso de constipação em toda a história do homem... e não acho que alguém vai derrotá-lo.

Essas ideias estúpidas foram perpetuadas apenas para fazer a humanidade sofrer. Ao terem essas ideias na mente as pessoas vão se sentir culpadas por tudo.

Amo este mundo porque ele é imperfeito. É imperfeito, e é por isso que está crescendo; se fosse perfeito, teria morrido. O crescimento é possível somente se houver imperfeição.

A perfeição significa um ponto final, a perfeição significa a morte definitiva, então não há nenhuma maneira de ir além dela. Gostaria que as pessoas lembrassem sempre que eu sou imperfeito, que todo o universo é imperfeito, e que amar essa imperfeição, alegrar-se com essa imperfeição, é toda a minha mensagem.[5]

Não se preocupe com a perfeição

Não se preocupe com a perfeição. Substitua a palavra "perfeição" por "totalidade". Não pense em termos de ter que ser perfeito, pense em termos de ter de ser inteiro.

A totalidade vai lhe dar uma dimensão diferente.

Esse é o meu ensinamento: o homem deve ser inteiro, deve esquecer sobre ser perfeito. O que quer que esteja fazendo, deve fazê-lo em sua totalidade, não perfeitamente, mas totalmente. E qual é a diferença? Quando uma pessoa fica com raiva, o perfeccionista dirá: "Isso não é bom, não fique com raiva, um homem perfeito nunca fica com raiva." Isso é simplesmente absurdo, porque todos sabem que Jesus ficava irritado. Ele ficava com raiva da religião tradicional, dos sacerdotes, dos rabinos. Ele ficava com tanta raiva que, sozinho, enxotava todos os cobradores de impostos do templo, com um chicote na mão. E gritava no limite de sua voz, e os cobradores ficavam com medo, pois sua raiva era muito intensa, muito passional. Não se trata apenas de um acidente o fato de que as pessoas para

---

[5] *The Goose is Out* [O ganso está fora], Capítulo 5.

as quais ele nasceu tiveram de matá-lo. Ele estava realmente bravo, estava revoltado.

Lembre-se, o perfeccionista vai dizer: "Não fique com raiva." Então o que a pessoa vai fazer? Vai reprimir sua raiva, vai engoli-la, e isso se tornará uma espécie de envenenamento em seu ser. A pessoa pode reprimir a raiva, mas depois ela vai se transformar em uma pessoa irritadiça, e isso é ruim. A raiva como um surto de vez em quando tem sua própria função, tem sua própria beleza, tem sua própria humanidade. Um homem que não é capaz de ter raiva vai ser covarde, não vai ter coragem.

Um homem que não consegue ficar com raiva também não será capaz de amar, pois ambos precisam de paixão, e é a mesma paixão. Um homem que não pode odiar não será capaz de amar, pois eles caminham juntos. Seu amor será frio. E lembre-se: um ódio quente é muito melhor do que um amor frio. Pelo menos é humano, tem intensidade, tem vida, respira.

E um homem que perdeu toda a paixão vai ser chato, insípido, morto, e sua vida como um todo estará imbuída de raiva. Ele não vai expressar isso, ele vai continuar reprimindo. Camada sobre camada, a raiva vai se acumular, e ele simplesmente será uma pessoa irritadiça. Qualquer um pode ir ver seus chamados mahatmas e santos, e se certificar de que são pessoas amargas. Eles acham que controlam sua raiva, mas o que uma pessoa pode fazer com uma raiva controlada? Pode apenas engoli-la. Para onde ela vai? Ela pertence à pessoa, é parte dela, e permanecerá contida nela, sem ser expressa.

Sempre que a raiva é expressa, a pessoa se liberta dela. E, depois da raiva, ela pode sentir compaixão novamente, depois que a raiva e a tempestade tiverem ido embora ela poderá sentir o silêncio do amor de novo. Há um ritmo entre o ódio e o amor, entre a raiva e a compaixão. Se uma delas é descartada, a outra desaparecerá. E a ironia é que tudo o que a pessoa tiver abandonado terá apenas engolido. E vai tornar-se parte do seu sistema. A pessoa vai ficar simplesmente irritada sem razão alguma, sua raiva será irracional. Vai aparecer em seus olhos, em sua tristeza, em sua melancolia, em sua seriedade. E, assim, a pessoa se tornará incapaz de celebrar.

Quando digo substituir a perfeição pela totalidade, quero dizer que, quando a pessoa estiver com raiva, que esteja totalmente com raiva. Então, basta ter raiva, raiva pura. E a raiva tem sua beleza. E o mundo será muito melhor quando o homem aceitar a raiva como parte da humanidade, como parte do jogo das polaridades. Não se pode ter leste sem ter o oeste, não se pode ter a noite sem ter o dia, assim como não se pode ter o verão sem ter o inverno.

O homem tem que aceitar a vida em sua totalidade. Há um certo ritmo, há uma polaridade.[6]

---

[6] *A revolução,* Capítulo 2.

Sucesso

Sempre sonhei em me tornar um homem mundialmente famoso, rico e bem-sucedido. Você pode me ajudar na realização do meu desejo?

Não, senhor, de jeito nenhum, nunca, porque o seu desejo é suicida. Não posso ajudá-lo a cometer suicídio. Posso ajudá-lo a crescer e ser, mas não posso ajudá-lo a cometer suicídio, não posso ajudá-lo a se destruir a troco de nada.

A ambição é um veneno. Se a pessoa quiser ser uma musicista melhor, posso ajudá-la, mas não deve pensar em termos de vir a ser famosa mundialmente. Se quiser ser um poeta melhor, posso ajudá-lo, mas não deve pensar em termos de prêmio Nobel. Se quiser ser um bom pintor, posso ajudá-lo, ajudo na criatividade. Porém, a criatividade não tem nada a ver com nome e fama, sucesso e dinheiro. E não estou dizendo que, se eles vierem, então, é preciso que a pessoa renuncie a eles; se eles vierem, tudo bem, desfrute-os. Mas não deve deixar que se transformem em motivação, porque, quando um indivíduo está tentando ser bem-sucedido, como ele pode realmente ser um poeta? Sua energia é política, como ele pode ser poético? Se um indivíduo está tentando ser rico, como ele pode ser um verdadeiro pintor? Toda a sua energia está voltada para a intenção de ser rico. Um pintor precisa de toda a sua energia na pintura, e a pintura é aqui e agora. E a riqueza pode vir em algum lugar no futuro. Pode vir e pode não vir. Não há necessidade, pois tudo é acidental: o sucesso é acidental, a fama é acidental.

Mas a felicidade não é acidental. Posso ajudar as pessoas a serem felizes, de modo que um indivíduo possa pintar e ser feliz. A pintura vir a se tornar famosa ou não, a pessoa vir a ser um Picasso ou não, não é o que importa, de jeito nenhum; mas eu posso ajudá-la a pintar de um modo tal que, enquanto estiver pintando, até mesmo um Picasso poderá sentir inveja dela. Ela pode ficar completamente perdida em sua pintura, e esse é o verdadeiro prazer.

Esses são os momentos de amor e meditação, esses são os momentos que são divinos.

Um momento divino é aquele em que a pessoa fica completamente perdida, quando seus limites desaparecem, quando, por um instante, a pessoa não é, e Deus é.

Entretanto, não posso ajudar ninguém a ser bem-sucedido. Não sou contra o sucesso; deixem-me lembrá-los mais uma vez de que não estou dizendo para as pessoas não serem bem-sucedidas, não tenho nada contra o sucesso, que é perfeitamente satisfatório. O que digo é que as pessoas não devem ser motivadas por ele, pois, do contrário, vão perder a pintura, vão perder a poesia, vão perder a música que estão cantando neste exato momento, e quando o sucesso vier, terão apenas as mãos vazias, porque ninguém pode alcançar a realização pelo sucesso.

O sucesso não pode nutrir, pois não há nutrientes nele, o sucesso é apenas ar quente.

Certa noite, eu estava lendo um livro sobre Somerset Maugham, *Conversations with Willie* [Conversas com Willie]. O livro foi escrito pelo sobrinho de Somerset Maugham, Robin Maugham. Ora, Somerset Maugham foi uma das pessoas mais famosas, bem-sucedidas e ricas de sua época, mas as memórias são reveladoras. Ouça estas palavras.

Robin Maugham escreve sobre seu tio famoso e bem-sucedido, Somerset Maugham:

> Ele foi, com certeza, o autor mais famoso em vida. E o mais triste... "Sabe", ele me disse, "estarei morto muito em breve, e não gosto nada da ideia..." – e essa declaração foi feita quando ele tinha 91 anos. "Sou muito velho", disse ele, "mas essa realidade não torna isso mais fácil para mim."
> Ele era rico, mundialmente famoso e tudo mais, e, com 91 anos, ainda estava fazendo fortuna, embora não tivesse escrito uma única palavra durante anos. Os *royalties* de seus livros ainda fluíam de todas as partes do mundo, assim como as cartas dos fãs. Naquele momento, quatro de suas peças estavam em cartaz na Alemanha. Sua peça *O circo* fora brilhantemente remontada na Inglaterra e *The constant wife* [A esposa constante] acabara de ser transformada em um musical. Um de seus romances mais famosos, *Servidão humana*, estava prestes a ser transformado em filme, o que poderia lhe render tantos milhões de dólares como aconteceu com *Chuva*, *A lua e cinco tostões* e *O fio da navalha*. Infelizmente, a única recompensa que todo o seu talento e sucesso não foi capaz de lhe dar foi a felicidade. Ele era o homem mais triste do mundo.
> Perguntei a ele: "Qual é a recordação mais feliz da sua vida?" Ele respondeu: "Não consigo me lembrar

de um único momento." Então eu olhei em volta – a sala com uma mobília bastante valiosa, pinturas e objetos de arte que o seu sucesso lhe permitira adquirir. A casa em si e o maravilhoso jardim, um cenário fabuloso à beira do Mediterrâneo, valiam 600 mil libras. Ele tinha 11 empregados, mas não era feliz.

No dia seguinte, ele examinava a Bíblia e disse: "Deparei com uma citação: *De que adianta ao homem ganhar o mundo inteiro e perder a sua alma?*" Meu tio apertou e soltou as mãos em agonia e tornou a dizer: "Saiba, meu caro Robin, que esse texto costumava ficar pendurado em frente à minha cama quando eu era criança." Depois eu o levei para caminhar no jardim, e ele falou: "Quando eu morrer, eles vão tirar tudo de mim, cada árvore, a casa toda, e cada pedaço de mobília. Não poderei nem mesmo levar uma única mesa comigo." E estava muito triste, e tremia.

Por algum tempo meu tio permaneceu em silêncio, enquanto caminhávamos por um bosque de laranjeiras. De repente, disse: "Fui um fracasso em todos os sentidos, por toda a minha vida." Tentei confortá-lo: "Você é o escritor mais famoso em vida. Com certeza, isso não significa alguma coisa?" Ele afirmou: "Quisera eu nunca ter escrito uma única palavra. O que isso me trouxe? Toda a minha vida foi um fracasso, e agora é muito tarde para mudar. É tarde demais." E lágrimas afloraram aos seus olhos.

O que o sucesso pode trazer para as pessoas? Esse homem, Somerset Maugham, viveu em vão. Ele viveu muito tempo, 91 anos, e poderia ter sido um homem muito, muito satisfeito, realizado. Mas o que o sucesso lhe dava, além do próprio sucesso? O que a riqueza, uma casa grande e serviçais puderam dar a ele, além disso?

Na análise final da vida, nome e fama são simplesmente irrelevantes. O que importa, no resumo final das coisas, é como a pessoa viveu cada momento de sua vida. Foi uma alegria? Foi uma celebração? E nas pequenas coisas, a pessoa foi feliz? Ao tomar banho, saborear um chá, limpar o chão, andar pelo jardim, plantar árvores, conversar com um amigo, ou sentar em silêncio com o amado, ou olhar para a lua, ou apenas ouvir os pássaros, a pessoa foi feliz nesses momentos? Cada instante foi um momento transformado de felicidade luminosa? Foi radiante de alegria? Isso é o que importa.

Respondendo àquela pessoa que me perguntou se posso ajudá-la na realização do seu desejo: não, de jeito nenhum, porque esse desejo é seu inimigo, e vai destruí-la. E um dia, quando deparar com aquela frase na Bíblia – "De que adianta ao homem ganhar o mundo inteiro e perder a sua alma?" –, ela vai chorar de frustração, e depois dirá: "Agora é muito tarde para mudar. Tarde demais."

Digo que, neste exato momento, não é tarde demais, alguma coisa pode ser feita: a pessoa pode mudar sua vida completamente a partir das próprias raízes. Posso ajudá-la a passar por uma mudança alquímica, mas não posso garantir no sentido mundano. Garanto todo o sucesso no mundo interior. Posso tornar as pessoas ricas, tão ricas quanto qualquer Buda. E só os Budas são ricos, pois as pessoas que têm apenas coisas mundanas em torno de si não são ricas de fato; pelo contrário, são pessoas pobres, que enganam a si mesmas e aos outros, que acreditam que são ricas. No fundo, esses indivíduos são mendigos, e não verdadeiros imperadores.

Buda chegou a uma cidade, e o rei ficou um pouco hesitante em recebê-lo. Seu próprio primeiro-ministro disse:

– Se você não for recebê-lo, pedirei demissão e, então, não irei servi-lo mais.

– Mas por quê? – perguntou o rei.

O homem era indispensável; sem ele o rei ficaria perdido, pois ele era a peça fundamental de seu poder.

– Por que você insiste? Por que devo ir receber um mendigo? – o rei quis saber.

E o primeiro-ministro, um homem idoso, disse:

– *Você* é o mendigo, *ele* é o imperador, é por isso. Você vai recebê-lo, caso contrário você provará não ser digno de servir.

O rei teve de ir. E foi, relutante. Mas quando viu Buda, tocou os pés do velho, seu primeiro-ministro, e disse:

– Você tinha razão, ele é o rei, eu sou um mendigo.

A vida é estranha. Aqui, às vezes, os reis são mendigos e os mendigos são reis. Não se deixe enganar pela aparência. Olhe para dentro. O coração é rico quando palpita de alegria, o coração é rico quando entra em harmonia com o tao, com a natureza, com a lei suprema da vida, com o *dhamma*. O coração é rico quando entra em harmonia com o todo, e essa é a única riqueza que existe. Caso contrário, um dia a pessoa vai chorar e dizer: "É tarde demais..."

Não posso ajudar uma pessoa a destruir sua vida, estou aqui para melhorá-la, estou aqui para lhe dar uma vida abundante.[1]

---

[1] *The Sun Rises in the Evening* [O sol nasce à noite], Capítulo 10.

A ideia do sucesso está torturando as pessoas

A ideia de sucesso está torturando as pessoas. A ideia do sucesso, de que as pessoas têm de ser bem-sucedidas, é a maior calamidade que já aconteceu à humanidade. O sucesso significa que elas têm que competir, têm que lutar, não importa se por bem ou por mal. Depois de ter sucesso, tudo fica bem. A questão é ter sucesso. Mesmo se a pessoa teve sucesso por meios duvidosos, uma vez bem-sucedida, qualquer coisa que ela tenha feito é aceita. O sucesso muda a qualidade de todos os atos da pessoa. O sucesso transforma meios duvidosos em bons meios.

Então, a única questão é: como obter sucesso? Como chegar ao topo? E, naturalmente, bem poucas pessoas podem atingir o topo. Se todo mundo tentar alcançar o Everest, quantas pessoas podem ficar lá? Lá não há muito espaço, e apenas um indivíduo pode ficar lá à vontade. Depois, as milhares de pessoas que também estavam se esforçando vão se sentir fracassadas, e um grande desespero se estabelecerá em suas almas. E, consequentemente, elas vão começar a se sentir negativas.

Este é um tipo errado de educação. A dita educação que deram às pessoas é completamente venenosa. As escolas, as faculdades, as universidades estão envenenado todo mundo. Estão criando sofrimento, pois são fábricas onde os infernos são fabricados, mas de uma forma tão bela que as pessoas nunca ficam cientes do que está acontecendo. O mundo inteiro tornou-se um inferno por causa da educação errada. Qualquer educação que se baseie na ideia da ambição cria o inferno na Terra, e tem sido bem-sucedida.

Todos estão sofrendo e se sentindo inferiores. Esta situação é realmente estranha. Ninguém é inferior, e ninguém é superior, porque cada indivíduo é único, não é possível fazer comparações. Aquele indivíduo é aquele indivíduo, e ele é simplesmente ele, e não pode ser ninguém mais, e também não há necessidade. E ele não precisa se tornar famoso, não precisa ser um sucesso aos olhos do mundo. Todas estas são ideias tolas.

Tudo o que a pessoa precisa é ser criativa, amorosa, consciente, meditativa... se ela sente a poesia surgindo em seu interior, deve compô-la para si, para seu cônjuge, para seus filhos, para seus amigos, e esquecer tudo sobre isso! Pode cantá-la, e se ninguém ouvir, pode cantá-la sozinha e curti-la! Pode ir até as árvores, que elas vão aplaudir e apreciá-la. Ou conversar com os pássaros e com os animais, que vão entender muito mais do que os seres humanos estúpidos que foram envenenados durante séculos com conceitos errados da vida.

A pessoa ambiciosa é patológica.[2]

Sinto que sou uma pessoa muito especial. Sou tão especial que quero ser apenas uma pessoa comum. Por favor, pode dizer algo sobre isso?

Todos pensam exatamente o mesmo. Todos, do fundo do coração, sabem que são especiais. Essa é uma peça que Deus prega nas pessoas. Quando faz um homem novo e o encaminha para baixo, em direção à Terra, Deus lhe sussurra no ouvido: "Você é especial. Você é incomparável, você é simplesmente único!"

Mas isso Deus faz com todos, e as pessoas carregam isso no fundo do coração, embora não digam em voz alta, pois têm medo de que os outros possam se sentir ofendidos. E ninguém vai se convencer com relação a isso, então, qual é a razão de di-

---

[2] *The Fish in the Sea is Not Thirsty* [O peixe no mar não é sedento], Capítulo 3.

zer tal coisa? Se uma pessoa diz a alguém "Eu sou especial", ela não consegue convencê-lo, porque ele próprio sabe que ele é especial. Como uma pessoa pode convencer alguém? Sim, talvez, às vezes, alguém possa ser convencido, pelo menos fingir que está convencido. Se ele tem algum trabalho com essa pessoa, como suborno, ele pode lhe dizer: "Sim, você é especial, você é fantástico." Mas no fundo ele sabe que negócio é negócio.

Um fanfarrão está falando ao amigo sobre três carros etc. Quando também menciona que tem duas amantes em Nova York, mas que engravidou sua secretária particular, que é encantadoramente linda e que está apaixonadíssima, e deve, portanto, levar sua deslumbrante estenógrafa loira em sua viagem de negócios para o Rio de Janeiro, para assistir ao Carnaval, o ouvinte, de repente, começa a ofegar, a afrouxar a gravata e tem um ataque cardíaco.

O fanfarrão interrompe a narrativa, pega água, dá um tapinha nas costas da vítima etc., e pergunta de modo solícito qual é o problema.

– Posso ajudá-lo?
– Sou alérgico a mentira. – O interlocutor suspira.

É melhor manter esse tipo de besteira escondido no fundo de si mesmo, porque as pessoas são alérgicas. No entanto, de certo modo, é bom que a pessoa exponha a própria mente.

Aquele que acha que é especial está sujeito a criar sofrimento para si mesmo. Se ele acha que é superior aos outros, mais sábio que os outros, então vai desenvolver um ego muito forte. E o ego é veneno, puro veneno.

E quanto mais egoísta ele se torna, mais isso dói, porque se trata de uma ferida. Quanto mais egoísta ele se torna, menos caminhos tem na vida. Fica separado da vida, e não se mantém mais no fluxo da existência, pois se tornou uma pedra no rio. Ficou gelado, perdeu todo o calor, todo o amor.

Uma pessoa especial não pode amar, porque onde é que ela vai achar uma outra pessoa especial?

Ouvi falar de um homem que ficou solteiro a vida inteira, e quando estava para morrer, aos noventa anos, um rapaz lhe perguntou:

– Você ficou solteiro a vida toda, mas nunca contou qual foi o motivo. Agora que está morrendo, pelo menos mate nossa curiosidade. Se há algum segredo, agora pode dizê-lo, porque você está morrendo, você terá ido embora. Mesmo que o segredo seja conhecido, não pode prejudicá-lo.

– Sim, é um segredo – disse o homem. – Não é que eu seja contra o casamento, mas estava procurando a mulher perfeita. Procurei e procurei, e a minha vida toda passou.

– Mas, numa terra desse tamanho, com tantos milhões de pessoas, metade dessas, mulheres, não poderia encontrar uma mulher perfeita? – indagou o rapaz.

Uma lágrima escorreu do olho do moribundo.

– Sim, encontrei uma – disse ele.

O rapaz ficou absolutamente chocado.

– Então, o que aconteceu? Por que você não se casou?

– Porque essa mulher estava procurando um marido perfeito – esclareceu o velho.

A vida fica muito difícil se a pessoa vive com essas ideias. E, sim, o ego é tão manhoso, tão ardiloso que pode lhe dar esse novo projeto: "Você é tão especial que agora deve se tornar uma pessoa comum." Porém, em sua condição comum, ela vai saber que é a mais extraordinariamente comum das pessoas. Ninguém é mais comum do que ela! Vai ser o mesmo jogo, só que camuflado.

Isso é o que as chamadas pessoas humildes fazem. Elas dizem: "Sou o homem mais humilde. Sou apenas a poeira nos seus pés." Mas isso não é o que ela quer dizer! Não se deve dizer a elas "Sim, eu sei disso", pois, para elas, isso seria imperdoável. Elas esperam que os outros digam: "Você é o homem mais humilde que já vi, você é o homem mais piedoso que já vi." Daí elas vão ficar satisfeitas, realizadas. É o ego se escondendo atrás da humildade. Não se pode abandonar o ego desse modo.

Voltando à pergunta: "Sinto que sou uma pessoa muito especial. Sou tão especial que quero ser apenas uma pessoa comum. Por favor, pode dizer algo sobre isso?"

Ninguém é especial, ou todos são especiais. Ninguém é comum, ou todo mundo é comum. O que quer que o indivíduo pense sobre si, deve, por favor, pensar o mesmo de todos os outros, pois, assim, o problema estará resolvido. Qualquer pessoa pode escolher. Se quiser a palavra "especial", pode pensar que é especial, mas daí, então, todos são especiais. Não apenas os seres humanos, mas também as árvores, os pássaros, os animais, as pedras, ou seja, toda a existência é especial, uma vez que o ser humano é proveniente dessa existência e vai se dissolver nessa existência. Porém, se ama a palavra "comum", que é uma palavra bonita e mais relaxada, então, saiba que todo mundo é ordinário. Daí, então, toda a existência é comum.

Uma coisa para ser lembrada: se a pessoa pensar sobre todos o mesmo que pensa sobre si, o ego desaparecerá. O ego é a ilusão que é criada ao se pensar sobre si mesmo de uma forma e sobre os outros, de outra. Trata-se de um pensamento duplo. Ao descartar o pensamento duplo, o ego morre por conta própria.[3]

---

[3] *The Dhammapada: The Way of the Buda* [O Dhammapada: o caminho do Buda], Vol. 1, Capítulo 4.

Como posso deixar de querer ser especial?

Porque você *é* especial, e não há necessidade de ser especial. Você *é* especial, você *é* único. Deus nunca cria nada inferior a isso.

Cada um é único, totalmente único. Não houve nenhuma pessoa como você antes, e nunca haverá uma pessoa como você novamente. Deus adotou essa forma pela primeira e última vez, portanto, não há necessidade de tentar se tornar especial, pois você já é. Se está tentando ser especial, vai se tornar comum. O próprio esforço está enraizado em um equívoco. Isso vai criar confusão, pois, quando a pessoa tenta se tornar especial, ela pressupõe que não é especial. Daí, então, já se tornou comum. Perdeu o foco.

Agora, uma vez tomado como certo que é uma pessoa comum, como é que pode se tornar especial? Você vai tentar esta e aquela maneira, e vai continuar sendo uma pessoa comum, porque sua base, sua fundação está errada. Sim, pode ir à costureira e pode encontrar vestidos mais sofisticados, pode mudar o cabelo, pode usar cosméticos, aprender algumas coisas e tornar-se mais bem-informada, pode pintar e passar a achar que é uma pintora, pode fazer algumas coisas, pode tornar-se famoso ou conhecido, mas lá no fundo você saberá que é uma pessoa comum. Todas essas coisas estão do lado de fora. Como você pode transformar sua alma comum em uma alma extraordinária? Não há nenhuma maneira.

E Deus não deu nenhuma maneira, porque ele nunca faz almas comuns, de modo que não poderia pensar sobre este problema. Ele lhe deu uma alma extraordinária, especial. Ele nunca a deu a ninguém. Isso é feito apenas para você.

O que eu gostaria de lhe dizer é que reconheça sua especialidade. Não há necessidade de obtê-la, pois ela já está presente, basta reconhecê-la. Vá para o seu eu e sinta-a. Ninguém tem as impressões digitais iguais à sua, ou seja, nem mesmo a impressão digital. Os olhos de ninguém são iguais aos seus, o som de ninguém é igual ao seu, o cheiro de ninguém é igual ao seu. Você é absolutamente excepcional. Não há uma dupla de você em lugar algum. Mesmo dois gêmeos são diferentes, ou seja, independente de serem parecidos, eles são diferentes. Eles tomam caminhos diferentes, se desenvolvem de forma diferente, obtêm diferentes tipos de individualidades.

Este reconhecimento é necessário.

Retornando à pergunta: "Como posso deixar de querer ser especial?"

Apenas ouça a verdade. Basta entrar em seu ser e ver, e o esforço para ser especial vai desaparecer. Quando se sabe que é especial, o esforço desaparece. Se quiser que eu lhe dê algumas técnicas para que você possa deixar de ser especial, então essa técnica vai causar incômodo. Mais uma vez você está tentando fazer alguma coisa, mais uma vez você está tentando se transformar em algo. Primeiro, tentava tornar-se especial, agora, tenta não se tornar especial. Tentando... tentando... melhorar, de uma forma ou de outra, mas nunca aceita a pessoa que é.

A minha mensagem é: aceite a pessoa que você é, porque Deus aceita. Deus respeita, e você não respeitou seu ser ainda. Fique muito feliz por Deus ter escolhido você para ser, por Deus ter escolhido você para existir, para ver o mundo dele, para ouvir a música dele, para ver as estrelas dele, para ver o pessoal dele, e para amar e ser amado; o que mais você quer? Alegre-se! Digo repetidas vezes: alegre-se com isso! E nessa alegria, aos poucos, vai explodir em você, como um relâmpago, que você é especial.

Mas lembre-se de que não virá como um ego que você é especial em relação aos outros. Não, nesse momento você vai saber que todos são especiais. A pessoa comum não existe.

Então, este é o critério. Se você pensa "sou especial", ou seja, mais especial do que aquele homem, mais especial do que aquela mulher, então, não compreendeu ainda. É o jogo do ego. Especial sem que haja comparação; especial sem se comparar com alguém; especial exatamente como você é.

Um professor foi visitar um mestre zen e perguntou a ele:
– Por que não sou igual a você? Este é o meu desejo. Por que não sou igual a você? Por que não fico em silêncio como você? Por que não sou sábio como você?
– Espere. Sente-se em silêncio. Observe. Observe-me e observe a si mesmo. E quando todos tiverem ido embora, se a questão ainda permanecer, eu responderei – disse o mestre.

E durante o dia inteiro as pessoas iam e vinham, e os discípulos perguntavam, e o professor ia ficando muito, muito inquieto, pois o tempo estava sendo desperdiçado. E o mestre dissera: "quando todos tiverem ido embora..."

Então veio a noite, e não havia mais ninguém. E o professor disse:
– Agora já chega. Esperei o dia todo. E quanto à minha pergunta?

E a lua estava nascendo, era noite de lua cheia.
– Você ainda não obteve a resposta? – perguntou o mestre.
– Mas você não me respondeu.

O mestre riu e afirmou:
– Respondi a muitas pessoas o dia todo. Se você tivesse observado, teria compreendido. Mas saia. Vamos para o jardim, a lua cheia está lá no jardim, e está uma bela noite.

No jardim, o mestre diz a ele:
– Olhe para esse cipreste! – E apontou para um grande cipreste, alto, que quase tocava a lua, com seus galhos entrelaçados. – Agora, olhe para esse pequeno arbusto.

— Do que você está falando? Você esqueceu a minha pergunta? — o professor exigiu, aborrecido.

— Estou respondendo a sua pergunta. Esse arbusto e esse cipreste vivem há anos no meu jardim. Nunca ouvi o arbusto perguntar para o cipreste: "Por que não sou igual a você?" E nunca ouvi o cipreste perguntar ao arbusto: "Por que não sou igual a você?" O cipreste é o cipreste e o arbusto é o arbusto, e ambos são felizes em ser eles mesmos — disse o mestre.

Eu sou eu, você é você. A comparação traz conflito. A comparação traz ambição, a comparação traz imitação.

Se a pessoa pergunta "Por que não sou igual a você?" ela vai começar a tentar ser igual a mim, e esta será a ruína de toda a sua vida: ela se tornará uma imitadora, uma cópia. E quando se é um imitador, o indivíduo perde todo o respeito por si mesmo.

É muito raro encontrar alguém que respeite a si mesmo. Por que é tão raro? Por que não há reverência pela vida, pela sua própria vida? E se não for pela própria vida, como pode ser pela dos outros? Se uma pessoa não respeita seu próprio ser, como pode respeitar a roseira, o cipreste, a lua, as pessoas? Como pode respeitar o mestre, o pai, a mãe, o amigo, a esposa, o marido? Como pode respeitar os filhos, se não respeita a si mesma?

E é muito raro encontrar uma pessoa que se respeita.

Por que é tão raro? Porque as pessoas foram ensinadas a imitar.

Desde a infância lhes disseram "Seja como Cristo" ou "Seja como Buda". Mas por quê? Por que as pessoas deveriam ser como Buda? Buda nunca foi outra pessoa. Buda foi Buda. Cristo foi Cristo. Krishna foi Krishna. Por que as pessoas deveriam ser como Krishna? Que mal elas cometeram, que pecado cometeram para que devessem ser como Krishna? Deus nunca criou um outro Krishna. Nunca criou um outro Buda, um outro Cristo. Nunca! Porque ele não gosta de criar as mesmas coisas repetidamente. Ele é um criador, ele não é adepto da linha de montagem, como os carros da Ford que continuam vindo, todos iguais, da fábrica: vem um Ford, outro Ford, outro Ford. Deus não é uma linha de montagem. Ele é um criador original: nunca cria o mesmo.

E o mesmo não vai ser valioso. Basta pensar em Jesus em meio às pessoas novamente. Ele não vai se encaixar! Estará desatualizado, será antiquado, e vai ser útil apenas em um museu, e em nenhum outro lugar.

Deus nunca repete. Mas todos sempre foram ensinados a ser como outra pessoa. "Seja igual ao fulano, o filho do vizinho... seja como o filho do vizinho. Olhe como ele é inteligente. Olhe... aquela menina, como caminha de forma graciosa. Seja igual a ela!" As pessoas sempre foram ensinadas a ser como outro alguém.

Ninguém lhes disse: "Seja você mesmo, tenha respeito pelo seu ser, pois é um presente de Deus."

Nunca se deve imitar, é o que eu digo. Nunca se deve imitar.

Seja você mesmo, pois isso você deve a Deus. Seja você mesmo! Seja você mesmo de forma autêntica, e então saberá que é especial. Deus ama muito as pessoas, e é por isso que elas são especiais! É por isso que todas as pessoas estão em primeiro lugar, do contrário, não estariam. Isso é um indicativo do imenso amor de Deus por todos.

Mas o fato de ser especial não é em comparação a alguém mais, não se trata de uma pessoa ser especial em comparação aos seus vizinhos, seus amigos, à esposa, ao marido. Ela é especial simplesmente porque é única. Ela é a única pessoa exatamente igual a ela mesma. Nesse sentido, basta ter essa compreensão para que os esforços para se tornar especial desapareçam.

Todos os esforços para que alguém se torne especial são como colocar pernas em uma cobra. Isso mataria a cobra. Por causa da comparação, alguém pode pensar em colocar pernas na cobra. "Pobre cobra, como é que ela vai andar sem pernas?" Imagine a cobra caindo nas mãos de uma centopeia. E a centopeia tem grande compaixão pela cobra: "Pobre cobra. Tenho cem pernas e a cobra não tem nenhuma. Como a coitadinha vai andar? Ela precisa de pelo menos algumas pernas." E se a centopeia põe o plano em ação e coloca algumas pernas na cobra, ela vai matar a cobra. A cobra está perfeitamente bem como ela é, não precisa ter nenhuma perna.

Você está perfeitamente bem da maneira como você é. Isso é o que chamo de respeito ao próprio ser.

E respeitar a si mesmo não tem nada a ver com ego, lembre-se. Respeitar a si mesmo não é autorrespeito. Respeitar a si mesmo é o respeito a Deus! É respeitar o criador, uma vez que você é apenas uma pintura, a pintura dele. Ao respeitar a pintura, estará respeitando o pintor.

Ao respeitar, aceitar e reconhecer, todos esses esforços tolos para ser especial desaparecem.[4]

---

[4] *I Say Unto You* [Eu vos digo], Vol. 2, Capítulo 4.

Mente

Em inglês há uma única palavra para o processo de pensamento humano.

Em inglês há uma única palavra para o processo de pensamento humano, e essa palavra é *mind* (mente). E no idioma inglês não há nenhuma palavra que possa denotar algo além do processo de pensamento. Toda a filosofia de Gautama Buda e Bodhidharma se resume a como ir além do processo de pensamento. Em sânscrito, em pali, existem palavras diferentes: *manus*, que é a raiz da palavra em inglês *mind*, e significa exatamente o processo de pensamento; e *chitta*, que significa consciência além do processo de pensamento.[1]

Qual é a natureza desta minha mente tagarela? É assim constante faz tanto tempo que nem me lembro desde quando. Quais são as origens? Sua fonte está em algum

---

[1] *Bodhidharma: The Greatest Zen Master* [Bodhidharma: o maior mestre zen], Capítulo 2.

lugar no vasto silêncio em que ela se dissolve quando estou em sua presença?

A mente é simplesmente um biocomputador. Quando a criança nasce, ela não tem mente, nenhuma tagarelice é processada nela. Leva praticamente de três a quatro anos para que seu mecanismo comece a funcionar. E é possível perceber que as meninas começam a falar mais cedo do que os meninos. Elas são as maiores tagarelas. Elas têm um biocomputador de melhor qualidade.

São necessárias informações para alimentar a mente, e é por isso que, quando a pessoa tenta se lembrar de sua vida no passado, ela emperra em algum lugar na idade de quatro anos, se for homem, ou na idade de três anos, se for mulher. Para além disso dá um branco. A pessoa esteve lá, muitas coisas devem ter acontecido, muitos incidentes devem ter ocorrido, mas parece não haver nenhuma memória a ser gravada, de modo que a pessoa não consegue lembrar. Mas é possível lembrar o passado até a idade de quatro ou cinco anos de forma muito clara.

A mente acumula seus dados a partir dos pais, da escola, de outras crianças, de vizinhos, de parentes, da sociedade, das igrejas... há fontes em tudo ao redor. E qualquer um já deve ter visto crianças pequenas que, quando começam a falar, repetem a mesma palavra diversas vezes. Que alegria! Um novo mecanismo começou a funcionar nelas.

Quando conseguem formar frases, passam a fazê-lo de forma muito alegre, repetidas vezes. Quando começam a fazer perguntas, passam então a perguntar sobre tudo. É bom lembrar que elas não estão interessadas nas respostas. Basta observar uma criança quando ela faz uma pergunta. Ela não está interessada na resposta, portanto, por favor, não se deve dar a elas uma resposta longa da *Enciclopédia Britânica*. A criança não está interessada na resposta, a criança está simplesmente desfrutando de sua própria capacidade de perguntar. Uma nova habilidade passou a existir nela.

E é assim que ela passa a acumular dados, e depois começa a ler... e mais palavras. E nessa sociedade o silêncio não paga, são as palavras que pagam, portanto, quanto mais articulada a pessoa, mais bem-paga será.

O que são os seus líderes? O que são os seus políticos? O que são os seus professores? O que são os seus padres, teólogos, filósofos, condensados em uma única coisa? Eles são muito articulados. Eles sabem como usar as palavras de forma significativa, expressiva, consistente, de modo que possam impressionar os demais.

Raramente se observa que toda a sociedade é dominada por pessoas verbalmente articuladas. Elas podem não saber nada, podem não ser sábias, podem nem mesmo ser inteligentes. Mas uma coisa é certa: elas sabem como jogar com as palavras. É um jogo, e elas aprenderam isso. E isso paga em respeitabilidade, em dinheiro, em poder, e em todos os sentidos. É por isso que todo mundo tenta, e a mente fica repleta com muitas palavras, muitos pensamentos.

E você pode ligar e desligar qualquer computador, mas não pode desligar a mente. O interruptor não existe.

Não há referência sobre quando Deus fez o mundo, e fez o homem, de ele ter feito um interruptor para a mente, de modo que a pessoa pudesse ligá-la e desligá-la. Não há nenhum interruptor, portanto, a mente permanece ligada do nascimento até a morte.

Qualquer um ficaria surpreso em saber que aqueles que entendem de computadores e que entendem o cérebro humano têm uma ideia muito estranha. Se o cérebro for tirado do crânio de um ser humano e mantido vivo mecanicamente, ele continuará tagarelando da mesma forma. Não lhe importa que agora ele não esteja mais ligado à pobre pessoa que estava sofrendo com ele; e ele ainda sonha. Agora que está conectado a máquinas, ainda sonha, ainda imagina, ainda sente medo, ainda faz projetos, tem esperanças, tenta ser isso ou aquilo. E ignora completamente que, agora, ele não pode fazer nada, pois a pessoa a quem ele costumava estar conectado não está mais lá.

Pode-se manter esse cérebro vivo por milhares de anos, ligado a dispositivos mecânicos, e ele vai continuar a tagarelar, sem cessar, as mesmas coisas, porque ainda não foi possível ensinar-lhe coisas novas. Uma vez que se possa ensinar-lhe coisas novas, o cérebro passará a repetir coisas novas.

Há uma ideia predominante nos círculos científicos: é um grande desperdício que um homem como Albert Einstein morra e seu cérebro, com ele. Se fosse possível salvar o cérebro, implantá-lo no corpo de outra pessoa, então, o cérebro continuaria funcionando. Não importa se Albert Einstein está vivo ou não, pois esse cérebro continuará a pensar sobre a teoria da relatividade, sobre as estrelas e sobre teorias. A ideia é que, da mesma forma que as pessoas doam sangue e córneas antes de morrer, elas deveriam doar seus cérebros, de modo que os cérebros pudessem ser mantidos. Se for constatado que são cérebros especiais, muito qualificados, seria puro desperdício deixá-los morrer, então, eles poderiam ser transplantados.

Algum idiota pode ser transformado em um Albert Einstein, e o idiota pode nunca vir a saber, pois dentro do crânio do homem não há nenhuma sensibilidade. Portanto, é possível trocar qualquer coisa sem que a pessoa venha a saber. Basta fazer com que a pessoa fique inconsciente e mudar qualquer coisa que se queira em seu cérebro, até mesmo o cérebro todo, e a pessoa vai acordar com o novo cérebro, com o novo tagarelar, e não vai sequer suspeitar do que aconteceu.

Esse ato de tagarelar vem da educação, e é errado, porque ela ensina apenas metade do processo, ou seja, como usar a mente. A educação não ensina como parar a mente, de forma que ela possa relaxar, pois mesmo quando a pessoa dorme a mente continua em funcionamento. A mente não conhece o sono. Setenta anos, oitenta anos, e a mente trabalha sem cessar.

Se for possível educar... e é disso que estou tentando convencer as pessoas, de que é possível. A isso se dá o nome de meditação.

É possível colocar um interruptor na mente e desligá-lo quando ela não é necessária. Ele é útil de duas formas: em primeiro lugar, ele proporciona uma paz e um silêncio à pessoa, como ela nunca conheceu antes, e, além disso, lhe proporciona um conhecimento de si mesma, o que não é possível em função da mente tagarela. A mente sempre manteve a pessoa ocupada.

Em segundo lugar, ele vai dar descanso à mente também. E se for possível dar descanso à mente, ela terá maior capacidade de fazer coisas, com mais eficiência, mais inteligência.

Assim, em ambos os lados, no lado da mente e no lado do ser, as pessoas vão ser beneficiadas. Basta aprender como fazer com que a mente deixe de funcionar, como dizer a ela: "Basta, agora vá dormir. Eu estou acordado, não se preocupe."

Use a mente quando for necessário, de modo que ela esteja fresca, jovem, cheia de energia e essência. Assim, o que quer que a pessoa diga, não serão apenas ossos secos; estará cheio de energia, cheio de autoridade, de verdade, sinceridade, e terá enorme significado. Ela pode estar usando as mesmas palavras, mas agora a mente acumulou tanto poder através do descanso que cada palavra usada fica em chamas, torna-se energia.

O que é conhecido no mundo como carisma não é nada... é simplesmente uma mente que sabe como relaxar e deixa a energia acumular, de modo que, quando fala, é poesia, quando fala, é evangelho, quando fala, não precisa apresentar nenhuma evidência ou lógica, pois apenas a própria energia é suficiente para influenciar pessoas. E as pessoas sempre souberam que há alguma coisa... embora nunca tenham sido capazes de identificar exatamente o que é que elas chamam de carisma.

Talvez seja a primeira vez que digo às pessoas o que é carisma, porque sei disso por experiência própria. Uma mente que trabalha dia e noite está sujeita a ficar fraca, entediada, inexpressiva e, de alguma forma, se arrastando. No máximo, é utilitária, ou seja, para aquele que vai comprar legumes é útil. Mas, mais do que isso, não tem nenhum poder. Assim, milhões de indivíduos que poderiam ter sido carismáticos permanecem pobres, inexpressivos, sem nenhuma autoridade e sem nenhum poder.

Se isso for possível, e é possível, aquietar a mente e só usá-la quando necessário, e de fato é possível, então, ela vem com uma força impetuosa. A mente acumula tanta energia que cada palavra pronunciada vai direto ao coração do outro. As pessoas acham que essas mentes de personalidades carismáticas são hipnóticas, mas não são. Elas são realmente muito poderosas, muito frescas... é sempre primavera. Isto é para a mente.

Para o ser, o silêncio abre um novo universo de eternidade, de imortalidade, de tudo o que se pode pensar em termos de graça, de bênção.

Daí a minha insistência de que a meditação é a religião essencial, a única religião. Nada mais é necessário. Tudo mais é ritual não essencial.

A meditação é só a essência, a própria essência. Não se pode eliminar nada dela.

E ela oferece ambos os mundos às pessoas. Dá-lhes o outro mundo, que é o divino, o mundo da religiosidade, e lhes dá este mundo também. Assim, não se é pobre. Tem-se uma riqueza, mas não proveniente do dinheiro.

Há muitos tipos de riqueza, e o homem que é rico por causa do dinheiro é o menos rico, considerando-se as categorias de riqueza. Deixe-me colocar desta maneira: o homem abastado é o homem rico mais pobre. Visto pelo lado do pobre, ele é o homem pobre mais rico. Visto pelo lado de um artista criativo, de um dançarino, de um músico, de um cientista, ele é o homem rico mais pobre. E no que diz respeito ao mundo do despertar final, ele não pode nem mesmo ser chamado de rico.

A meditação vai tornar a pessoa finalmente rica, ao lhe dar o mundo do seu ser mais íntimo, que também é relativamente rico, porque vai possibilitar a liberação dos poderes da mente para determinados talentos que ela tem. Minha experiência é que cada pessoa nasce com determinado talento e que, a menos que viva esse talento em sua plenitude, algo ficará faltando nela. Ela vai prosseguir sentindo que, de alguma forma, alguma coisa que deveria estar lá, não está.

Dê um descanso à mente! Ela precisa disso. E é tão simples: basta que você seja uma testemunha para a mente. E ela vai lhe dar as duas coisas.

Pouco a pouco a mente começa a aprender a se aquietar. E uma vez consciente de que, mantendo-se em silêncio, torna-se poderosa, as palavras dela não serão apenas palavras, elas terão um fundamento, uma riqueza e uma qualidade que nunca tiveram antes, tanto que vão diretamente como flechas. Elas ignoram as barreiras lógicas e alcançam o próprio coração.

Assim, a mente é um bom servo, de imenso poder, nas mãos do silêncio.

E o ser é o mestre, e o mestre pode usar a mente sempre que for necessário e pode desligá-la sempre que não houver necessidade.²

A mente está sempre pedindo mais. É um mendigo

A mente está sempre pedindo mais. É um mendigo. Vou contar uma parábola antiga...

Um mendigo bateu na porta do palácio. Por acaso, o rei estava saindo para sua caminhada matinal no jardim, de modo que ele próprio abriu a porta.

– Este parece ser um dia de sorte para você – disse o mendigo.

– Para mim ou para você? – indagou o rei.

– Isso será decidido no fim do dia. Sou um mendigo, e peço apenas uma coisa. Tenho essa tigela de esmolas. Pode enchê-la com qualquer coisa que você queira? – falou o mendigo.

O mendigo parecia um pouco estranho. Seus olhos eram os de um místico, e seu discurso não era o de um mendigo, e sim de um imperador. Toda a sua aura era de imensa autoridade. O rei ordenou que seu primeiro-ministro enchesse a tigela do mendigo com moedas de ouro, para que pudesse lembrar que batera na porta de um rei, e que ele foi um afortunado. O mendigo riu.

– Qual é o problema? – questionou o rei.

– À noite tudo será decidido – afirmou o mendigo, cujo comportamento era estranho, porém muito atraente também. Ele era um homem bonito.

---

² *Beyond Psychology* [Além da psicologia], Capítulo 25.

E, então, o problema começou. Quando o primeiro-ministro trouxe um saco de moedas de ouro para encher a tigela, todas desapareceram, e a tigela permaneceu vazia. Mais moedas, mais moedas... todas as moedas que estavam na tesouraria foram trazidas, e todas desapareceram. A cidade inteira reuniu-se ali, e as notícias se espalharam de forma intensa e rápida.

– Faça o que for preciso, mas traga todos os diamantes, rubis e esmeraldas e encha a tigela do mendigo – ordenou o rei.

Mas tudo desapareceu na tigela, que permaneceu vazia como nunca.

Por fim, o rei perdeu tudo. Era noite. O dia todo houve entusiasmo por toda a cidade. O rei era teimoso, mas agora não adiantava, ele não tinha mais nada para dar. Ele caiu aos pés do mendigo e lhe perguntou o segredo da tigela:

– É uma tigela mágica? É noite e você me disse repetidas vezes: "À noite, ao pôr do sol, tudo será decidido." Agora é a hora. E, de certa forma, tudo está decidido, eu fui derrotado por um mendigo. Mas você não é um mendigo comum. Tudo o que quero saber é qual é o segredo dessa tigela de esmolas.

– Não é um segredo, é algo que todo mundo sabe. Basta olhar atentamente para a tigela de esmolas. Ela é feita do crânio de um homem – esclareceu o mendigo.

– Não entendo – disse o rei.

– Ninguém entende. Dentro do crânio do homem está a mente. Despeja-se tudo nela e tudo desaparece. Ela está sempre pedindo mais, e está sempre vazia. Ela é sempre um mendigo, não se pode mudar isso. A única coisa que pode ser feita é compreendê-la e livrar-se dela – esclareceu o mendigo.

Esta é a sua situação também. Você não conseguirá satisfazer a si mesmo se ouvir a mente; no entanto, se não ouvir a mente, nesse exato momento a satisfação será toda sua. Pode-se escolher entre o sofrimento da mente... porque a mente permanecerá sempre infeliz, pedindo cada vez mais, pois esse desejo é interminável.

Tive um amigo que era um homem muito rico. Não nasceu rico, era filho de um homem pobre, e éramos amigos nessa época. Ele foi adotado por uma das famílias mais ricas da Índia, porque o casal não tinha filhos. De repente, ele se tornou o homem mais rico da Índia. Deve ter gostado disso. Ele não teria sido capaz de obter riquezas tão grandes mesmo que tivesse trabalhado por centenas de vidas. De repente, ele conseguiu isso sem qualquer esforço, no entanto, não estava feliz. Ele queria mais.

Só o dinheiro não era suficiente, ele queria tornar-se um grande líder também. E, como tinha o dinheiro, candidatou-se à eleição e tornou-se membro do Parlamento. Mas isso não foi o suficiente, mais uma vez: ele quis ser ministro. Devido ao seu dinheiro, conseguiu tornar-se vice-ministro, mas, ainda assim, não foi o suficiente.

– Quero ser ministro – disse-me ele.

– Você acha que vai ser o suficiente? – perguntei-lhe.

– Acho que sim – respondeu ele.

– Agora você acha isso. Depois que se tornar ministro, não vai pensar da mesma forma – disse-lhe eu.

Meu amigo se tornou ministro e, quando veio me ver, disse-me:

– Você tinha razão. No dia em que me tornei ministro, minha mente me falou: "Você percorreu um longo caminho. Agora, para ser o primeiro-ministro do país não está longe. Apenas mais alguns passos e você poderá se tornar o primeiro-ministro." Porém, agora estou tão tenso, tão preocupado, que não consigo dormir, não consigo desfrutar de nada. Enquanto estou comendo, penso em política. Enquanto estou fazendo amor com a minha esposa, penso no cargo de primeiro-ministro. Tudo ficou confuso. Ajude-me a encontrar um pouco de paz de espírito.

Meu conselho foi:

– Primeiro você se torna primeiro-ministro. Sua mente vai dizer: "Agora se torne presidente do país." Se você continuar a ouvir a mente, não conseguirá ter paz; por outro lado, se quiser paz, então pare de dar ouvidos à mente. E descarte todas essas coisas que obteve por dar ouvidos à mente. Como homem pobre, você era muito feliz, alegre. Você não possuía nada, mas tinha um ser bonito. Não estou dizendo para jogar fora o seu dinheiro. Só não deixe sua mente dominá-lo. Daí, então, onde quer que esteja, você estará em paz.

Se a mente da pessoa a domina, mesmo no paraíso ela vai comentar: "Este é o paraíso? Deve haver algo mais!" Todas as casas parecem muito velhas, podres e usadas, porque estão lá uma eternidade. Todas as pessoas parecem tão tristes e tão sérias, pois também estão lá uma eternidade. Tanta poeira se acumulou sobre elas, que não têm nada para fazer lá, perderam a própria dignidade. Embora tenham alcançado o paraíso, perderam sua condição humana, não podem sorrir.

O riso é proibido no paraíso, sabia? Nenhuma escritura do mundo, de nenhuma religião, diz que o humor é uma qualidade religiosa; só eu digo isso. Ninguém está disposto a permitir o humor na religiosidade. Alguém pode imaginar o que aqueles santos mortos, secos como um osso, estarão fazendo no paraíso? Eles não podem amar, não podem jogar cartas, não podem nem mesmo jogar uma partida de futebol. Também não podem ver televisão, pois é algo sem virtude, não podem beber nem mesmo uma xícara de chá, não podem ter um intervalo para um café, e trabalho de jeito nenhum... Seus dias são vazios, suas noites são vazias, eles devem estar ansiosos para voltar para a Terra. Pelo menos na Terra eles eram adorados como santos, mas no paraíso ninguém os adora, porque todo mundo é santo.

Mas ninguém pode voltar do paraíso. Tem uma entrada, mas não existe nenhuma saída. Portanto, antes de entrar no paraíso é preciso pensar duas vezes, pois vai ser o último ato, depois, não tem retorno. O paraíso praticamente entra no próprio túmulo das pessoas. Mas na certa a mente vai dizer: "Esse não é o paraíso. Descubra! Procure pelo paraíso. Isso parece ser algum deboche, o diabo deve estar por trás disso. Parece ser uma grande piada chamar isso de paraíso." Mesmo no paraíso a mente do ser humano não permitirá que ele tenha paz: paz e mente não combinam.

Um dos rabinos mais famosos dos Estados Unidos, Joshua Liebman, escreveu um livro famoso intitulado *Peace of Mind*. Eu enviei a ele uma carta dizendo: "O que quer que você saiba sobre a mente, parece ser lixo. Você nem sequer sabe que *peace of mind* [traduzido ao pé da letra: paz da mente] é uma contradição de termos, e esse é o título do seu livro. O título deveria ser: *Peace or Mind* [paz ou mente]."

Ele deve ter ficado chocado com minha carta, pois nunca respondeu. Escrevi para ele novamente. "Essa covardia não é boa por parte de um rabino. Ou altere o título ou me dê uma explicação." Ele nem mudou o título nem me deu qualquer explicação, e apenas perguntei uma coisa simples. *Peace of mind* [paz da mente, ao pé da letra]... esse tipo de coisa não existe.

Ou existe paz e não há mente, ou existe mente e não existe paz. O título correto seria *Peace or Mind* [tradução ao pé da letra: paz ou mente]. Mas ele não pode mudá-lo, porque esse é o tema do livro: paz da mente e como alcançá-la. Ele mostra métodos e maneiras de como alcançar a paz da mente. A mudança do título não se adequaria ao conteúdo do livro.

É possível que ele entenda que o estou colocando em uma situação difícil, pois, ao mudar o título, o livro não vai mais expressar o que está no título. O autor vai ter que reescrever todo o livro, e ele não pode reescrever todo o livro, porque não entende que a mente é a fonte de todas as suas tensões, ansiedades e preocupações. Ela não pode estar em paz, isso é impossível.

Toda a essência das experiências do Oriente em espiritualidade há milhares de anos se resume a: paz ou mente. A escolha é de cada um. A paz é um fenômeno muito normal, muito comum, muito simples, e todos a vivenciam. No entanto, no que diz respeito à mente, continuam a pensar: "Deve haver algo mais. Não pare. Continue a procurar."

A pessoa precisa dizer à mente: "Cale-se!" É a sua mente, e você tem o direito de mandá-la se calar, e de dizer que não vai se incomodar com suas bobagens cada vez mais...

Desfrute de todas as coisas que você tem, porque quanto mais as desfruta, mais elas crescem. Este é o paradoxo: a mente pede cada vez mais e se torna cada vez mais preocupada.

Sem a mente a pessoa vive a paz, vive o amor, vive o silêncio. E, ao vivê-la, a paz torna-se cada vez mais profunda. Aos poucos, a felicidade passa a ter asas, passa a tornar-se uma bênção, uma beatitude, uma bem-aventurança.[3]

---

[3] *Socrates Poisoned Again After Twenty-Five Centuries* [Sócrates envenenado outra vez após 25 séculos], Capítulo 28.

Você sempre fala contra a mente, que as pessoas devem descartá-la, devem dizer a ela que se cale, e que ela não é necessária na busca da verdade. Para que serve a mente? Ela é de fato totalmente maliciosa?

A mente é uma das coisas mais importantes na vida do ser humano, mas apenas como servo, não como mestre. No momento em que a mente se torna o mestre surgem os problemas e, em seguida, ela substitui o seu coração, seu ser, e assume a posse total sobre a pessoa. Daí, em vez de seguir as ordens da pessoa, a mente começa a dar ordens a ela.

Não estou dizendo para destruir a mente. Ela é o fenômeno mais evoluído da existência. Estou dizendo: "Tome cuidado para que o servo não se torne o mestre."

Lembre-se: seu ser vem primeiro, seu coração em segundo, sua mente em terceiro, esta é a personalidade equilibrada de um ser humano autêntico.

A mente é lógica... imensamente útil e, no mercado, as pessoas não podem existir sem a mente. E eu nunca falei que não se deve usar a mente no mercado. Deve-se usá-la, sim. No entanto, as pessoas devem usar a mente, e não ser usadas por ela. E a diferença é grande...

É a mente que proporciona às pessoas toda a tecnologia, toda a ciência, e é por isso mesmo que ela reivindica ser o mestre de seu ser. É aí que começa a maldade, pois ela fecha completamente as portas do coração.

O coração não é útil, não tem nenhum propósito a cumprir. É exatamente como uma rosa. A mente pode dar o pão, mas não pode dar a alegria. Não pode fazer com que a pessoa sinta-se feliz na vida. É muito séria, não pode tolerar risadas. A vida sem risada fica abaixo dos padrões humanos e, consequentemente, torna-se sub-humana, porque só o homem, em toda a existência, é capaz de dar risada.

O riso indica consciência e seu maior crescimento. Os animais não podem rir, as árvores não podem rir, e as pessoas que permanecem enjauladas na mente, ou seja, os santos, os cientistas, os ditos grandes líderes, não podem rir também. Eles são todos muito sérios, e a seriedade é uma doença. É o câncer da alma, e é destrutivo.

E em função de o ser humano estar nas mãos da mente, toda a criatividade dela fica a serviço da destruição. As pessoas estão morrendo de fome, e a mente está tentando acumular mais armas nucleares. As pessoas estão famintas, e a mente está tentando chegar à lua.

A mente não tem nenhuma compaixão. Para a compaixão, para o amor, para a alegria, para o riso... é preciso um coração, liberto da prisão da mente.

O coração tem um valor superior, embora não tenha nenhuma utilidade no mercado, uma vez que o mercado não é um templo, não é significativo na vida de ninguém. O mercado tem o valor mais baixo de todas as atividades dos seres humanos.

Jesus está certo quando diz: "O homem não pode viver apenas do pão." Mas a mente só pode fornecer o pão. O ser humano pode sobreviver, mas sobreviver não é vida. A vida precisa de algo mais, como dança, música, alegria.

Portanto, quero que as pessoas coloquem tudo no devido lugar: o coração deve ser ouvido primeiro, se houver algum tipo de conflito entre a mente e o coração. Assim, em qualquer conflito entre o amor e a lógica, o amor tem que ser determinante, não a lógica. A lógica não pode fornecer nenhuma seiva à pessoa, pois é seca. Ela é boa em cálculo, é boa em matemática e tecnologia científica, no entanto, não é boa em relações humanas, nem no crescimento do potencial interior do indivíduo.

Acima de seu coração está o seu ser. Assim como a mente é a lógica e o coração é o amor, o ser é a meditação. Ser é conhecer a si mesmo. E ao conhecer a si mesmo você conhece o próprio significado da existência.

Conhecer o ser é trazer uma luz para a escuridão do mundo interior e, a menos que a pessoa seja iluminada por dentro, nenhuma luz exterior tem utilidade. Dentro da pessoa há somente escuridão, escuridão abissal, inconsciência, e todas as suas ações vão surgir dessa escuridão, dessa cegueira.

Portanto, quando digo qualquer coisa contra a mente, não me entenda mal. Não estou contra a mente, e não quero que as pessoas a destruam.

Quero que as pessoas se transformem em uma orquestra. Os mesmos instrumentos musicais podem gerar um barulho infernal se não souberem como criar uma sinfonia, como criar uma síntese, como colocar as coisas nos devidos lugares.

O ser deve ser o derradeiro... não há nada além disso, é parte de Deus dentro do ser humano. O ser vai lhe dar aquilo que nem a mente nem o coração podem dar, que é o seu silêncio. Ele vai lhe dar paz. Ele vai lhe dar serenidade. Ele vai lhe dar beatitude e, finalmente, a sensação de ser imortal. Conhecendo-se o ser, a morte se torna uma ficção e a vida cria asas para a eternidade. Não se pode dizer ao homem que desconhece o seu próprio ser para ter vitalidade de fato. Ele pode ser um mecanismo útil, um robô...

As pessoas devem procurar o seu ser e a sua existência através da meditação. E devem compartilhar seu êxtase através do amor e do coração.

É disso que se trata o amor: compartilhar a felicidade, compartilhar a alegria, compartilhar a dança, compartilhar o êxtase.

A mente tem sua própria função no mercado, mas quando a pessoa chega a sua casa, sua mente não deve continuar a tagarelar. Da mesma forma que se tira o casaco, o chapéu, os sapatos, deve-se dizer para a mente: "Agora fique quieta, este não é o seu mundo." Isso não é ser contra a mente. Na verdade, é dar descanso a ela.

Em casa, com a esposa, com o marido, com os filhos, com os pais, com os amigos, a mente não é necessária. Há a necessidade de se ter um coração transbordante. Se não houver um amor transbordante em uma casa, ela nunca será um lar, será somente um domicílio. E se a pessoa em seu lar puder encontrar alguns momentos para a meditação, para vivenciar o próprio ser, ela elevará a casa ao pico mais alto: o de ser um templo.

A mesma casa... para a mente é só uma casa, enquanto para o coração ela se transforma em um lar e, para o ser, torna-se um templo. A casa permanece a mesma, e é a pessoa que passa pelas mudanças, ou seja, sua visão muda, sua dimensão muda, seu modo de compreender e olhar para as coisas muda. E a casa que não compreende todos os três é incompleta, é pobre.

Um homem que não tem todos os três, em profunda harmonia, tendo a mente a serviço do coração, o coração a serviço do ser, e o ser pertencente à inteligência difundida por toda a existência... As pessoas chamam a isso de Deus, mas eu gosto de chamá-lo de divindade. Não tem nada acima.[4]

A mente é minha ou foi implantada por outros?

A mente está dentro de cada um, mas, de fato, é uma projeção da sociedade dentro do indivíduo. A mente não pertence a ele.

---

[4] *The Razor's Edge* [O fio da navalha], Capítulo 25.

Nenhuma criança nasce com uma mente. Ela nasce com um cérebro. O cérebro é o mecanismo e a mente é a ideologia. O cérebro é alimentado pela sociedade, e toda sociedade cria uma mente de acordo com seus próprios condicionamentos. É por isso que há tantas mentes no mundo. A mente hindu, com certeza, é separada da mente cristã, assim como a mente comunista, com certeza, é separada da mente budista.

Entretanto, cria-se uma ilusão de que a mente pertence ao indivíduo, de forma que ele passa a agir de acordo com a sociedade, seguindo a sociedade, mas se sente como se funcionasse por conta própria. Este é um dispositivo muito ardiloso.

George Gurdjieff costumava contar uma história...

Um mago nas montanhas tinha muitas ovelhas, e para evitar ter que contratar funcionários e não ter que tomar conta das ovelhas e sair à procura delas todos os dias, quando se perdessem na floresta, ele hipnotizou todas as ovelhas, e contou a cada uma diferentes histórias. Ele forneceu mentes diferentes para cada ovelha.

Para uma delas ele disse: "Você não é uma ovelha, você é um homem, portanto, não precisa ficar com medo de um dia ser morta, sacrificada, como outra ovelha, pois elas são apenas ovelhas. Então, você não precisa ficar preocupada em relação ao retorno para casa." Para outra, ele disse: "Você é um leão, e não uma ovelha." Para outra ainda: "Você é um tigre." E desde esse dia o mago sentiu-se à vontade: as ovelhas passaram a se comportar de acordo com a mente que lhes foi dada.

Ele poderia matar uma ovelha, pois todos os dias ele costumava matar ovelhas para seu próprio sustento e de sua família, e as ovelhas que acreditavam que eram leões ou homens ou tigres simplesmente olhavam e davam risadinhas: "Isso é o que acontece com as ovelhas." E não tinham medo, não como nos velhos tempos.

Antes, quando ele matava uma ovelha, todas ficavam tremendo, com medo: "Amanhã vai ser o meu dia. Quanto tempo consigo viver?" E é por isso que elas costumavam fugir para a floresta, para evitar o mago. Mas agora ninguém estava fugindo mais. Havia tigres, havia leões... foram implantadas nelas todos os tipos de mentes.

A mente do indivíduo não é a mente dele, isto é fundamental que seja lembrado. Sua mente é um implante da sociedade na qual ele nasceu acidentalmente. Se um indivíduo nascesse em um lar cristão, mas fosse imediatamente transferido para uma família muçulmana e criado pelos muçulmanos, não teria a mesma mente, teria uma mente totalmente diferente daquilo que se pode imaginar.

Bertrand Russell, um dos gênios da nossa época, se esforçou para se livrar da mente cristã, não porque ela fosse cristã, mas simplesmente porque lhe foi dada por outros. Ele queria ter sua própria perspectiva das coisas. Ele não queria ver as coisas pelas lentes dos outros. Russell queria entrar em contato com a realidade de forma imediata e direta. Ele queria ter sua própria mente.

Portanto, não era uma questão de estar contra a mente cristã. Se ele fosse hindu, teria feito o mesmo; se ele fosse muçulmano, teria feito o mesmo; se ele fosse comunista, teria feito o mesmo.

A questão é se a mente é própria do indivíduo ou se é implantada por outros, pois os outros implantam uma mente no indivíduo que não serve a ele, mas serve aos propósitos dos outros.

A pessoa é preparada pelos pais, pelos professores, pelos sacerdotes, pelo sistema educacional, para ter um determinado tipo de mente, e a vida inteira ela continua a viver através desse tipo de mente. Essa é uma vida emprestada. E é por isso que há muito sofrimento no mundo: porque ninguém está vivendo de forma autêntica, ninguém está vivendo seu próprio eu, está simplesmente seguindo ordens que lhe foram implantadas.

Bertrand Russell se esforçou e escreveu um livro intitulado *Por que não sou cristão*. Mas em uma carta para um amigo ele escreveu: "Embora eu tenha escrito o livro, embora eu não acredite que sou cristão, pois descartei essa mente, lá no fundo... Um dia, perguntei a mim mesmo: 'Quem é o maior homem da história?' Racionalmente, sei que é Gautama Buda, mas eu não poderia colocar Gautama Buda acima de Jesus Cristo. Naquele dia, percebi que todos os meus esforços tinham sido em vão. Ainda sou cristão. Racionalmente, sei que Jesus Cristo não pode ser comparado a Gautama Buda, mas é só uma questão racional. Emocionalmente, sentimentalmente, não posso colocar Gautama Buda acima de Jesus Cristo. Jesus Cristo permanece no meu inconsciente, e ainda afeta minhas atitudes, minhas abordagens, meu comportamento. O mundo acha que não sou mais cristão, mas eu sei... Parece difícil se livrar dessa mente! Eles a cultivaram com tal perspicácia, com tal habilidade."

E é um processo longo. Ninguém nunca pensa sobre isso. Um homem vive no máximo 75 anos, e durante 25 anos ele tem que estar em escolas, faculdades, universidades, ou seja, um terço da vida é dedicado ao cultivo de uma determinada mente. Bertrand Russell falhou porque não tinha conhecimento de como se livrar dela. Ele estava lutando, mas tateava no escuro.

Há determinados métodos de meditação que podem afastar as pessoas da mente, e é muito fácil se quiserem abandoná-la.

No entanto, sem primeiro separá-las da mente é impossível abandoná-la. Quem vai abandonar quem?

Bertrand Russell está lutando com metade de sua mente, contra a outra metade, e ambas são cristãs – é impossível.

Mas a sociedade quer que os indivíduos simplesmente sejam uma cópia, nunca um ser original.

A estratégia para criar uma mente na pessoa é repetir determinadas coisas de forma contínua. E se uma mentira é repetida continuamente, ela começa a se transformar em verdade, tanto que é bem possível que se esqueça de que era uma mentira no princípio.

Adolf Hitler passou a mentir para o povo alemão que todo o sofrimento do país era devido aos judeus. Agora isso é algo muito absurdo, é como se alguém dissesse que todo o sofrimento do país é causado pelas bicicletas, de modo que, se todas as bicicletas forem destruídas, todo o sofrimento desaparecerá.

Na verdade, os judeus eram a própria espinha dorsal da Alemanha, eles haviam criado toda a riqueza da Alemanha. E não tinham nenhuma outra nação, de modo que qualquer nação, onde quer que estivessem, era a nação deles. Não tinham nenhuma alternativa em suas mentes, não podiam trair, e estavam fazendo todas as coisas que qualquer outro alemão vinha fazendo para o bem-estar do país.

Porém, em sua autobiografia, Adolf Hitler escreve: "Não importa o que se diz, porque não há tal coisa como verdade. A verdade é uma mentira que foi repetida tantas vezes que se esquece de que é uma mentira." Assim, de acordo com ele, a única diferença entre a verdade e a mentira é que a mentira é fresca e a verdade é velha; de outro modo, não há nenhuma diferença. E ele parece ter algum discernimento nisso.

Por exemplo, o cristianismo, o hinduísmo, o islamismo, essas três religiões repetem para seus filhos: "Há um Deus."

O jainismo, o budismo, o taoísmo, três outras religiões, dizem: "Não há Deus." O primeiro grupo de três religiões tem uma determinada mente. Toda a vida desses indivíduos é preenchida com a concepção de Deus, inferno, céu, oração. O segundo grupo de três religiões não tem oração porque não há ninguém para quem orar, não existe nenhum Deus. Nem surge questionamento.

[Agora] metade do mundo é comunista. Eles não acreditam nem mesmo na alma do homem, e é dito a toda criança, repetidas vezes, que o homem é matéria, que quando o homem morre, ele simplesmente morre, e que nada permanece, que não há nenhuma alma e que a consciência é um subproduto. Assim, metade da humanidade repete isso como uma verdade.

Adolf Hitler não pode ser acusado de ser totalmente absurdo. Parece ser real o fato de que, se alguém repetir alguma coisa para as pessoas, elas vão, aos poucos, começar a acreditar. E se for repetido ao longo dos séculos, torna-se uma herança.

A mente do indivíduo não é dele.

E a sua mente não é jovem, ela é secular: 3 mil anos de idade, 5 mil anos de idade. É por isso que toda sociedade teme que alguém crie uma dúvida em relação à mente.

Esse é o meu crime: criar uma dúvida no indivíduo em relação à sua mente. E quero que você entenda que você não é a sua mente, e que sua busca deve ser para encontrar a própria mente. Estar sob o impacto de outra pessoa é permanecer psicologicamente um escravo. E a vida não é para ser uma escravidão. É para saborear a liberdade.

Existem coisas verdadeiras, mas, com essa mente, a pessoa nunca saberá, pois essa mente é cheia de mentiras, repetidas século após século. É possível encontrar a verdade quando se coloca a mente completamente de lado e se olha para a existência com outros olhos, como uma criança recém-nascida. Dessa forma, qualquer coisa que se vivencie é verdade. E, mantendo-se em constante alerta para impedir que os outros interfiram no seu crescimento interior, chega um momento em que a pessoa se torna tão sintonizada com a existência, tão única com a existência...

Apenas essa experiência é uma experiência religiosa. Não é judia, não é cristã, não é hindu. Como alguma experiência pode ser judia, hindu ou muçulmana? Ninguém vê sua insignificância. A pessoa come alguma coisa e diz que está deliciosa, mas é cristã, hindu ou budista? A pessoa prova alguma coisa e diz que é doce, mas é comunista? É materialista ou espiritualista? Essas questões não fazem sentido. É simplesmente doce, é simplesmente delicioso.

Quando a pessoa sente a existência imediatamente, sem nenhum mediador, sem ter nenhuma mente dada por outra pessoa, prova algo que a transforma, que a torna iluminada, desperta, que a leva ao pico mais alto da consciência.

Não existe realização maior. Não existe satisfação maior. Não existe um relaxamento mais profundo. A pessoa chegou em casa. A vida torna-se uma alegria, uma música, uma dança, uma celebração.[5]

---

[5] *Beyond Psychology* [Além da psicologia], Capítulo 39.

Identificação

Identificar-se com algo que você não é: essa é a estrutura do ego.

Identificar-se com algo que você não é: essa é a estrutura do ego. Ego significa identificar-se com algo que a pessoa não é.

O que quer que ela seja, não é necessário identificação. Ela não precisa se identificar com isso: ela já é isso.

Portanto, sempre que houver qualquer identificação, quer dizer identificação com outra coisa que a pessoa não é. Ela pode ser identificada com o corpo, com a mente. Porém, no momento em que é identificada, ela se perde de si mesma. Isso é o que significa ego. É como o ego é formado e se torna cristalizado.

Sempre que alguém diz "eu" é porque há identificação com algo, seja um nome, uma forma, um corpo, um passado, seja com a mente, com pensamentos, com memórias. Somente quando há alguma identificação profunda é que a pessoa pode afirmar "eu". Se a pessoa não se identificar com nenhuma outra coisa e puder permanecer consigo mesma, então, ela não pode dizer "eu", pois o "eu" é descartado.

O "eu" significa identidade.

A identidade é a base de toda a escravidão: basta ser identificada para estar em uma prisão.

A própria identidade se torna a prisão do indivíduo. É preciso que ele se mantenha não identificado e seja quem ele é para que a liberdade seja possível. Então, é isso o que quer dizer escravidão: o ego é a escravidão, a ausência de ego é a liberdade. E esse ego não é nada mais do que estar identificado com algo que o indivíduo não é. Por exemplo, todos se identificam com o próprio nome embora tenham nascido sem nome algum. Depois, o nome se torna tão importante que o indivíduo pode morrer por causa do próprio nome.

O que é um nome? No entanto, no momento em que o indivíduo é identificado, o nome se torna muito significativo. E todo mundo nasce sem nome algum, simplesmente sem nome. Ou, ainda, o indivíduo toma forma, e todo mundo se identifica com a própria forma. Todo dia todos ficam em frente ao espelho. O que estão vendo? A si próprios? Não. Nenhum espelho pode espelhar o indivíduo, e sim a forma com a qual ele está identificado. A estupidez da mente humana é tamanha que, apesar de a forma mudar todos os dias, de modo constante, ninguém nunca se desilude.

Quando o adulto era criança, qual era a sua forma? Quando ele estava no útero da mãe, qual era a sua forma? Quando ele estava na semente de seus pais, qual era a sua forma? Será que ele consegue reconhecer o óvulo no útero da mãe, caso seja reproduzida uma imagem para ele? Será que ele conseguiria reconhecê-lo e dizer "Esse sou 'eu'"? Não, mas ele deve ter sido identificado com esse óvulo em algum lugar no passado... Ele nasceu e, se o primeiro grito puder ser reproduzido para ele, será que vai ser capaz de reconhecê-lo e dizer "Este é o meu grito"? Não, mas era dele, e ele deve ter sido identificado com esse grito.

Se um álbum puder ser produzido diante de um moribundo... Uma forma em constante mudança. Embora exista uma continuidade, a cada momento acontece uma mudança... O corpo muda completamente, totalmente, a cada sete anos, e nada permanece o mesmo, nem uma única célula. Apesar disso, todos ainda acham que: "Esta é a minha forma, esta sou eu." E a consciência não tem forma. A forma é apenas algo exterior que vai mudando e mudando e mudando, tal como roupas.

Essa identificação é o ego. Se o indivíduo não estiver identificado com algo, com um nome ou com uma forma ou qualquer coisa, então, onde está o ego? Nesse caso, o indivíduo é, e ainda assim ele não é. Consequentemente, ele está em sua pureza absoluta, mas sem ego. É por isso que Buda chamou o "eu" de "não eu"; de *anatta*, de *anatma*. Buda disse: "Não existe ego, então, não se pode chamar a si nem mesmo de *atma*. Você não pode chamar a si mesmo de 'eu', não existe 'eu'. O que há é a existência pura." Essa existência é a liberdade.[1]

Às vezes, quando os lados sombrios da minha mente vêm à tona, isso realmente me assusta. É muito difícil para mim aceitar que esses são exatamente os polos opostos dos lados luminosos. Sinto-me sujo, culpado e indigno. Quero enfrentar todas as facetas da minha mente e aceitá-las porque ouço você dizer com frequência que a aceitação é a condição para transcender a mente. Você pode falar sobre aceitação, por favor?

A coisa básica a ser entendida é que a pessoa não é a mente, nem o lado brilhante, nem o lado sombrio. Se ela se identifica

---

[1] *That Art Thou* [Esse é você], Capítulo 3.

com a parte bonita, então, é impossível se desidentificar da parte feia, pois elas são dois lados da mesma moeda. É possível ter o todo ou jogá-lo fora por inteiro, mas não se pode dividi-lo.

Toda a ansiedade do homem vem de ele querer escolher aquela parte que tem aparência bonita, luminosa; ele quer escolher apenas os dias ensolarados e deixar as nuvens escuras para trás. Porém, ele não sabe que os dias ensolarados não podem existir sem as nuvens escuras. As nuvens escuras são absolutamente necessárias para que os dias ensolarados se destaquem.

A escolha gera ansiedade.

Escolher é criar problema para si mesmo.

Ficar sem escolha significa: a mente está lá e tem um lado sombrio e um lado brilhante. E daí? O que isso tem a ver com o indivíduo? Por que ele deveria se preocupar com isso?

No momento em que a pessoa está escolhendo, toda a preocupação desaparece. Surge uma grande aceitação de que é assim que a mente tem que ser, de que essa é a natureza da mente, e de que não é problema da pessoa, pois ela não é a mente. Se a pessoa fosse a mente, não haveria nenhum problema. Porém, depois, quem escolheria e quem pensaria em transcender? E quem tentaria aceitar e entender a aceitação?

A pessoa fica separada, totalmente separada.

Ela é apenas uma testemunha, nada mais.

No entanto, ela é uma observadora que se identifica com qualquer coisa que ache agradável, e esquece que aquilo que é desagradável vem logo atrás, como uma sombra. Ela não se sente incomodada com o lado agradável, ela desfruta dele. O problema surge quando o polo oposto reclama; daí a pessoa fica dilacerada.

Mas foi ela que começou todo o problema. Ao deixar de ser apenas uma testemunha, ela passou a ser identificada. A história bíblica da queda é apenas uma ficção. Mas esta é a queda real: deixar de ser uma testemunha para se identificar com algo e perder o seu testemunho.

É só tentar de vez em quando deixar a mente ser o que quer que ela seja. No entanto, lembre-se de que você não é ela. E vai ter uma grande surpresa. Como você está menos identificado, a mente começa a se tornar menos poderosa, pois o poder dela vem da sua identificação; e ela suga o seu sangue. Porém, quando você começa a ficar distante e afastado, a mente começa a encolher.

O dia em que a pessoa está completamente desidentificada da mente, mesmo que seja por um único momento, há a revelação: a mente simplesmente morre, ela não está mais presente. Onde a mente estava tão repleta, onde era tão contínua – dia sim, dia não, desperta, adormecida, a mente estava lá –, de repente, não está mais. E ao seu redor está tudo vazio, não há nada.

E com a mente desaparece o "eu". Depois, há somente uma determinada qualidade de consciência, sem nenhum "eu" nela. No máximo, pode-se chamá-la de algo semelhante a "não ser", mas não "não eu". Para ser ainda mais exato, é "não estar", porque mesmo com o "não ser" ainda existe alguma sombra do "eu". No momento em que se conhece o "não estar", torna-se universal.

Com o desaparecimento da mente, desaparece o "eu". E tantas coisas que eram importantes ou problemáticas para você desaparecem. Ela estava tentando resolvê-las e elas estavam se tornando cada vez mais complicadas, tudo era um problema, tudo gerava uma ansiedade, e pareceria não haver saída.

Gostaria de lembrar o leitor da história "O ganso está fora". Ela diz respeito à mente e ao "não estar" do indivíduo.

O mestre diz ao discípulo para meditar sobre um *koan*:[2] um pequeno ganso é colocado em uma garrafa, alimentado e nutrido. O ganso vai ficando cada vez maior, e preenche a garrafa inteira. Agora está muito grande, e não consegue sair pela boca da garrafa, pois a boca é pequena demais. E o *koan* é que o discípulo tem que tirar o ganso da garrafa, sem destruí-la, e sem matar o ganso.

Ora, é incompreensível.

O que se pode fazer? Por um lado, o ganso está grande demais, e não é possível tirá-lo a menos que se quebre a garrafa, mas isso não é permitido. Por outro, pode-se tirá-lo, matando-o, mas isso significa que o discípulo não se preocupa se o ganso vai sair vivo ou morto, o que também não é permitido.

Dia sim, dia não, o discípulo medita, não encontra nenhuma saída, pensa nesta e naquela maneira, mas, na verdade, não há nenhuma saída. Cansado, completamente exausto, de repente, uma revelação... de repente, ele compreende que o mestre não pode estar interessado na garrafa e no ganso, e que eles devem representar alguma outra coisa. A garrafa é a mente, o indivíduo é o ganso... e, com testemunho, é possível. Sem estar na mente, o indivíduo pode se identificar tanto com a mente que ele começa a sentir que está nela!

Ele corre para o mestre para dizer que o ganso está fora. E o mestre diz: "Você entendeu. Agora mantenha-o fora. Ele nunca esteve dentro."

Ao lutar com o ganso e a garrafa, não há como resolver a situação. É a percepção de que "Isso deve representar alguma ou-

---

[2] Sentença ou pergunta de caráter enigmático e paradoxal utilizada em práticas de meditação do zen-budismo com o objetivo de promover a dissolução do raciocínio lógico e conceitual por parte do praticante e conduzi-lo à iluminação.

tra coisa, pois, do contrário, o mestre não poderia dá-la a mim. E o que pode ser?", porque toda a função entre o mestre e o discípulo, todo o negócio tem a ver com a mente e com a consciência.

A consciência é o ganso que não está na garrafa da mente. Mas as pessoas acreditam que ele está dentro dela e perguntam a todos como tirá-lo. E há idiotas que vão ajudá-las, com técnicas, a tirá-lo da garrafa. Chamo-os de idiotas porque eles não compreenderam nada.

O ganso está fora, nunca esteve dentro, portanto, a questão de trazê-lo para fora não se aplica.

A mente é apenas uma procissão de pensamentos que passa em frente do indivíduo na tela do cérebro. O indivíduo é um observador. No entanto, começa a se identificar com coisas bonitas, e que são subornos. E, uma vez pego nas coisas bonitas, também é pego nas coisas feias, pois a mente não pode existir sem a dualidade.

A consciência não pode existir com dualidade, e a mente não pode existir sem a dualidade.

A consciência é não dual, a mente é dual.

Então, basta observar. Não ensino soluções quaisquer. Ensino *a* solução:

Basta voltar um pouco e observar.

Crie uma distância entre você e a mente.

Se for bom, bonito, delicioso, alguma coisa que você gostaria de desfrutar de perto, ou se for feio, permaneça o mais distante possível. Observe isso exatamente do modo como assiste a um filme. Embora as pessoas se identifiquem até mesmo com filmes.

Eu assistia, quando era jovem... Fiquei sem assistir a nenhum filme por um longo tempo. Mas já vi pessoas chorando,

lágrimas caindo, sem que nada estivesse acontecendo! O bom é que é escuro na sala de cinema, o que as poupa de ficar envergonhadas. Comentei com meu pai em uma dessas situações:
– Você viu? O sujeito do seu lado estava chorando!
– A sala inteira estava chorando. A cena era tão... – respondeu ele.
– Mas – disse eu – só tem uma tela, nada mais. Ninguém foi morto, não tem nenhuma tragédia acontecendo, é só a projeção de um filme, são apenas imagens em movimento na tela. E as pessoas riem, e as pessoas choram, e por três horas elas ficam quase perdidas. Tornam-se parte do filme, identificam-se com algum personagem...
– Se você está levantando questões sobre as reações das pessoas, então, você não pode apreciar o filme – disse meu pai.
– Posso apreciar o filme, mas não quero chorar, não vejo nenhum prazer nisso. Posso vê-lo como um filme, mas não quero me tornar parte dele. Essas pessoas estão todas se tornando parte dele – aleguei.

O ser humano se identifica com qualquer coisa. As pessoas se identificam com pessoas e, depois, criam sofrimento para si mesmas. Identificam-se com coisas, e, depois, ficam infelizes se essa coisa está ausente.

A identificação é a causa raiz da infelicidade dos seres humanos. E toda identificação é uma identificação com a mente.

Dê um passo para o lado, deixe a mente passar.

E em breve será possível perceber que não há problema algum, o ganso está fora. Não é preciso quebrar a garrafa, e também não é preciso matar o ganso.[3]

---

[3] *Beyond Psychology* [Além da psicologia], Capítulo 19.

Qual é a melhor maneira de lidar com o medo? Isso me afeta de várias formas... de um vago desconforto ou nó no estômago até um pânico atordoante, como se o mundo estivesse para acabar. De onde ele vem? Para onde ele vai?

É a mesma questão que eu acabei de responder. Todos os medos são subprodutos da identificação.

O homem ama uma mulher e, com o amor, vem o medo na mesma proporção: ela pode deixá-lo, ela pode já ter deixado alguém para ficar com ele. Há um precedente, e talvez ela faça o mesmo com ele. O medo existe, ele sente um nó no estômago. Está apegado demais.

Não se pode pegar um fato simples, como, por exemplo: o homem veio sozinho ao mundo, e esteve aqui ontem, sem essa mulher, perfeitamente bem, sem nenhum nó no estômago. E amanhã, se essa mulher se for... qual é a necessidade do nó no estômago? O homem sabe como viver sem ela, e vai ser capaz de ficar sem ela.

O medo de que as coisas possam mudar amanhã... Alguém pode morrer, esse homem pode ir à falência, podem lhe tirar o emprego. Há diversas coisas que podem mudar. Ele está oprimido por medos e temores, e nenhum deles é válido, porque ontem ele também estava cheio de todos esses medos, desnecessariamente. As coisas podem ter mudado, mas ele ainda está vivo. E o ser humano tem enorme capacidade de se adaptar a qualquer situação.

Dizem que somente o homem e as baratas têm essa capacidade enorme de adaptação. É por isso que, onde quer que se encontrem homens, encontram-se baratas, e onde quer que se encontrem baratas, encontram-se homens. Eles andam juntos, eles têm certa semelhança. Mesmo em lugares distantes, como o Polo Norte e o Polo Sul... Quando o homem viajou para esses lugares, de repente, descobriu que havia levado baratas consigo, e elas ficaram perfeitamente saudáveis, viveram e se reproduziram normalmente.

Olhando-se ao redor da Terra pode-se ver que, embora o homem viva em diversos climas, várias situações geográficas e diferentes situações políticas e religiosas, ele consegue viver. E vive há séculos... as coisas vão mudando, e ele vai se adaptando.

Não há nada a temer. Mesmo que o mundo acabe, e daí? Todos vão acabar junto com o mundo. Você acha que ficará em uma ilha e que o mundo vai terminar, deixando-o sozinho? Não se preocupe. Pelo menos você terá algumas baratas como companhia!

Qual é o problema se o mundo acabar? Já me perguntaram várias vezes. Mas qual é o problema? Se o mundo acabar, acabou. Não vai criar nenhum problema, porque não vamos estar aqui, vamos terminar junto com ele, e não haverá ninguém com quem se preocupar. Será realmente a maior libertação do medo.

O fim do mundo significa o fim de todos os problemas, o fim de toda perturbação, o fim de todo nó no estômago. Não vejo o problema. Mas eu sei que todos têm muito medo.

Mas a questão é a mesma: o medo é parte da mente. A mente é covarde, e tem de ser covarde, porque não tem nenhuma essência, é vazia e oca, tem medo de tudo. E, basicamente, tem medo de que um dia o indivíduo tenha consciência. Isso vai ser realmente o fim do mundo!

Não é o fim do mundo, mas o fato de o indivíduo tornar-se consciente, e chegar a um estado de meditação em que a mente tenha de desaparecer, é o medo básico da mente. É por causa desse medo que a mente mantém as pessoas distantes da meditação, torna-as inimigas de pessoas como eu, que estão tentando difundir a meditação, alguma forma de conscientização e testemunho. Elas se tornam antagônicas a mim – não sem motivo, pois o medo delas tem fundamento.

O indivíduo pode não estar ciente disso, mas sua mente realmente teme chegar perto de qualquer coisa que possa criar maior conscientização. Esse vai ser o início do fim da mente. Vai ser a morte da mente.

Porém, para o indivíduo, não há medo. A morte da mente será o renascimento dele, o início da vida realmente. Ele deve ficar feliz, deve alegrar-se com a morte da mente, porque não pode existir maior liberdade. Nada mais pode dar ao ser humano asas para voar em direção ao céu, nada mais pode fazer com que todo o céu seja dele.

A mente é uma prisão.

A consciência está em sair da prisão, ou em perceber que nunca esteve na prisão, mas apenas pensando que estava. Todos os medos desaparecem.

Estou vivendo no mesmo mundo, mas nunca senti nenhum medo, nem por um único momento, porque nada pode ser tirado de mim. Posso ser morto, mas estarei vendo isso acontecer, de modo que o que está sendo morto não sou eu, não é a minha consciência.

A maior descoberta da vida, o tesouro mais precioso, é da consciência. Sem isso o ser humano está fadado a ficar no escuro, cheio de medo. E vai continuar criando novos medos, não há fim para isso. Viverá com medo, morrerá com medo, e nunca será capaz de experimentar a liberdade. E a liberdade foi seu potencial o tempo todo. A qualquer momento o ser humano poderia tê-la reivindicado, mas nunca reivindicou.

É sua a responsabilidade.[4]

---

[4] *Beyond Psychology* [Além da psicologia], Capítulo 19.

Poder

Durante toda a minha vida me interessei pelo poder e pelo reconhecimento que posso tirar dele. Agora, isso parece muito limitado e mesquinho. No entanto, sinto também que existe um tipo mais autêntico de poder, que não depende das outras pessoas ou de suas reações, e que se encontra mais dentro de mim mesmo. Pode, por favor, falar sobre a minha atração por isso?

Essa questão exige um exame minucioso e profundo, porque posso dizer "sim" para isso e também posso dizer "não". Não vou dizer "sim", e a grande probabilidade é para o "não". E vou explicar os motivos.

É assim que a mente joga com todas as pessoas. Está dito na questão: "*Durante toda a minha vida me interessei pelo poder e pelo reconhecimento que posso tirar dele.*" Trata-se de um reconhecimento verdadeiro, sincero. Muitas das pessoas orientadas para o poder não estão nem mesmo conscientes disso, seu desejo de poder permanece praticamente inconsciente. Os outros podem vê-lo, mas eles próprios não conseguem enxergar.

Esse desejo pelo poder é a grande doença que assola o homem. E todos os sistemas educacionais, todas as religiões, todas as culturas e sociedades servem como apoio total a essa doença.

Todos querem que seu filho seja o maior homem do mundo. Basta ouvir mães falando sobre seus filhos, como se todas tivessem dado à luz Alexandre, o Grande, Ivan, o Terrível, Joseph Stálin, Ronald Reagan...

Sete bilhões de pessoas estão correndo em direção ao poder. É preciso compreender que esse enorme desejo de poder é resultante de um vazio interior.

Aquele que não está orientado para o poder é um homem realizado, satisfeito, confortável, em casa, como ele é. Seu próprio ser é de uma gratidão imensa para com a existência, e ele não faz mais nenhum pedido. O que quer que lhe tenha sido dado, ele nunca pediu. É um presente puro, proveniente da abundância da existência.

E estes são dois caminhos separados: um é o desejo de poder e o outro, o desejo de dissolução.

A presente pergunta é: "*Agora, isso parece muito limitado e mesquinho.*" Não apenas limitado e mesquinho, mas também doente e feio. A própria ideia de ser poderoso sobre as outras pessoas significa tirar sua dignidade, destruir sua individualidade, forçá-las a serem escravas. Só uma mente feia pode fazer isso.

Continuando a questão: "... *sinto também que existe um tipo mais autêntico de poder, que não depende das outras pessoas ou de suas reações, e que se encontra mais dentro de mim mesmo.*" Há alguma verdade no que você está dizendo, mas não se trata de sua experiência.

Há, com certeza, um poder que não tem nada a ver com a dominação sobre os outros, mas o poder de uma flor abrindo suas pétalas... alguém já viu esse poder, essa glória? Alguém já viu o poder de uma noite estrelada, e que não domina ninguém? Alguém já viu o poder da menor folha dançando ao sol, na chuva, com sua beleza, sua grandeza, sua alegria? Não tem nada a ver com ninguém mais. Ela não precisa nem mesmo ter alguém para vê-la.

Essa é a verdadeira independência. E traz o indivíduo para a fonte de seu ser, de onde sua vida surge a cada momento. Mas esse poder não deve ser chamado de poder, porque cria confusão.

A própria palavra "poder" significa "sobre alguém". Mesmo as pessoas de grande esclarecimento não foram capazes de enxergar. Na Índia existe uma religião, o jainismo... a palavra jaina significa "o conquistador". O significado original, com certeza, é o que é citado na pergunta formulada: o poder que surge dentro do homem como uma pétala que abre e a flor que libera seu aroma. Porém, procurei fundo na tradição do jainismo. Quando eles chamam um homem de "conquistador", também dizem a seu respeito que ele conquistou a si mesmo. Alguém tem que ser conquistado.

Eles mudaram o nome de Mahavira, seu nome era Vardhamana. Mahavira significa "o grande conquistador", o grande homem vitorioso. Mas a própria ideia de que Mahavira conquistara a si mesmo, se reduzida a simples termos psicológicos, significa que ele pode ficar nu na chuva, no frio, que ele pode permanecer faminto, em nome do jejum, continuamente, durante meses. Em 12 anos de disciplina e preparação, ele comeu por apenas um ano, e durante 11 anos passou fome. Não de forma contínua, ou seja, durante um mês permaneceria com fome e, em seguida, um dia comeria; durante dois meses permaneceria com fome e, depois, durante alguns dias, ele comeria. Entretanto, em 12 anos, o número de vezes que ele comeu chegaria a um total de apenas um ano. Durante 11 anos ele torturou seu corpo.

É preciso uma percepção profunda para compreender que não há diferença alguma em torturar os outros ou a si mesmo, exceto que o outro pode se defender. Pelo menos há essa possibilidade. Se alguém começa a torturar a si mesmo, não há ninguém para defendê-lo. A pessoa pode fazer o que quiser com o próprio corpo. Isso é simplesmente masoquismo. Não é, a meu ver, encontrar a fonte do seu eu interior.

Portanto, eu não gostaria de chamar a isso de poder, porque a palavra está contaminada.

Gostaria de chamar a isso de paz, amor, compaixão... pode-se escolher a palavra. Mas o poder esteve nas mãos de pessoas violentas, se foram violentas com outros ou consigo mesmas, não importa. Acho que as pessoas que foram violentas com os outros eram mais naturais, e que as pessoas que foram violentas consigo mesmas eram absolutamente psicóticas. No entanto, aquelas que se torturaram, tornaram-se santas. Toda a sua contribuição para o mundo é uma disciplina de como torturar a si mesmas.

Há santos que dormiram em uma cama de espinhos. Eles ainda estão lá. Pode-se encontrá-los em Varanasi. Pode ser um bom exibicionismo, mas é feio e tem de ser condenado. Essas pessoas não devem ser respeitadas. São criminosas, porque estão cometendo um crime contra um corpo que não pode sequer ir ao tribunal.

Assim, a segunda parte da questão tem de ser muito bem-compreendida, pois, do contrário, o seu primeiro desejo, o de estar intrigado com o poder, estará lá novamente, com um disfarce diferente. Agora, é preciso começar a se esforçar para encontrar o poder sobre si mesmo. E é isso que parece ser.

Consta da pergunta: "... *[o] poder, que não depende das outras pessoas ou de suas reações, e que se encontra mais dentro de mim mesmo.*" Até a referência a outras pessoas e às suas reações significa que ele não está pensando de uma forma diferente. Primeiro, havia um interesse em que as pessoas lhe dessem reconhecimento, que ele fosse um homem poderoso, um conquistador do mundo, um ganhador do Prêmio Nobel, ou algum outro tipo de estupidez. Mas nem todo mundo pode ser Alexandre, o Grande. Nem todo mundo pode se tornar ganhador do Prêmio Nobel ou ser maior, em algum sentido, do que outros.

Isso toma um rumo: o indivíduo encontra-se em uma situação em que isso não é possível, ou talvez haja muita concorrência e ele será esmagado, pois há pessoas muito maiores, muito mais perigosas na competição. Então, é melhor se retirar para dentro de si mesmo e tentar encontrar um poder que não tenha referência com outras pessoas, que seja independente de outras pessoas. Mesmo esse tanto de conexão é suficiente para eu concluir que agora esse indivíduo está partindo para outra viagem do mesmo tipo. Primeiro, ele tentava dominar os outros, agora, tentará dominar a si mesmo. Isso é o que as pessoas chamam de disciplina.

Lembro-me da famosa fábula de Esopo. Chegou a época de mangas, e uma raposa tenta alcançar as mangas maduras, mas elas estão nos galhos mais altos. O salto que a raposa dá não é suficiente para pegá-las. Ela tenta algumas vezes e, depois, ao perceber a dificuldade, olha ao redor para ver se alguém a está observando. Um coelhinho estava assistindo a toda a cena. A raposa vai embora, sem demonstrar derrota, mas o coelho pergunta: "Tia, o que aconteceu?" A raposa diz ao coelho: "Meu filho, aquelas mangas ainda não estão maduras."

Ao mudar o desejo de poder, você não deve ser como na fábula de Esopo. É preciso, primeiro, entender de onde surgiu o desejo de poder. Ele é resultante do vazio do indivíduo, da inferioridade.

A única maneira certa de ser libertado desse desejo feio de dominar é entrar no próprio vazio, para ver exatamente o que é isso. A pessoa escapou disso através de suas viagens de poder. Agora, é preciso que coloque toda a sua energia não para se torturar, não para praticar alguma disciplina de masoquismo, mas simplesmente para entrar em seu nada: o que é isso?

E lá florescem rosas, em seu nada. Lá é possível encontrar a fonte da vida eterna. A pessoa não está mais nas garras de um complexo de inferioridade e não tem nenhuma referência às outras pessoas.

Ela encontrou a si mesma.

Aqueles que estão intrigados com o poder estão se afastando e ficando longe de si mesmos. Quanto mais longe suas mentes forem, mais vazias ficarão. No entanto, as palavras como "vazio" e "nada" foram condenadas, e as pessoas aceitaram a ideia. Em vez de explorar a beleza do nada... É o silêncio absoluto. É a música sem som. Não há alegria que se possa comparar a isso. É a felicidade pura.

Devido a essa experiência, Gautama Buda chamou seu encontro final consigo mesmo de nirvana. Nirvana significa "nada". E, uma vez que a pessoa esteja à vontade com o seu nada, todas as tensões, todos os conflitos e todas as preocupações desaparecem. Encontrou-se então a fonte da vida que não conhece a morte.

No entanto, gostaria de lembrar: não se deve chamar a isso de "poder". Chame de amor, de silêncio, de felicidade, porque aquele "poder" foi tão contaminado no passado que até mesmo a palavra precisa de grande purificação. E ela oferece conotações erradas.

Esse mundo é dominado por pessoas que são basicamente inferiores, mas que estão tentando encobrir a inferioridade com algum tipo de poder, qualquer tipo de poder. E criam muitas maneiras. Sem dúvida, nem todo mundo pode ser o presidente de um país, então, o país é dividido em estados. Daí, muitos podem ser governadores e ministros-chefes. Depois, dividem o trabalho do ministro-chefe, de modo que muitos podem ser ministros de gabinete e, inferiores a estes, muitos podem ser ministros de estado. Toda essa hierarquia é constituída de gente que sofre de complexo de inferioridade. Do peão mais baixo ao presidente, todos estão doentes da mesma doença.

As pessoas comuns, naturalmente, não têm o poder. Elas apenas observam as pessoas poderosas de longe e pensam: "Se eu também tivesse recebido essa honra, esse reconhecimento, também seria alguém. Eu deixaria minhas pegadas nas areias do tempo." Tornam-se intrigadas com o poder. Mas basta olhar para aqueles [como Gautama Buda] que nasceram no poder e renunciaram a ele para ver que é um exercício de extrema futilidade. A pessoa ainda permanece a mesma por dentro. Mesmo que tenha bilhões de dólares, isso não vai provocar nenhuma mudança em seu interior.

Somente a mudança, a transformação dentro de si, é que trará a paz. A partir da paz virá o amor, dessa paz virão a dança, as músicas, a criatividade. Mas apenas evite a palavra "poder".

Exatamente neste momento o leitor está pensando nisso. Pensar não vai ajudar. Pensar é perfeitamente bom quando se quer competir no mundo pelo poder, pelo dinheiro, pelo prestígio, pela respeitabilidade. Entretanto, no tocante a definir o seu ser, a mente é absolutamente inútil. Portanto, todo o esforço aqui é para ajudá-lo a ir da mente para a meditação, dos pensamentos para o silêncio.

Uma vez que você prova do seu ser interior, toda a ganância, todo o desejo por dinheiro, pelo poder, simplesmente evaporam. Não há comparação. Você terá encontrado o próprio Deus dentro de si. E o que mais se pode desejar?[1]

A força de vontade é ensinada a todos como um grande valor

A força de vontade é ensinada a todos como um grande valor. A toda criança se diz para ter força de vontade. E a força de vontade é algo contra a espontaneidade, de modo que não se pode ficar à vontade em uma situação repousante. Será que as flores têm que fazer muito para florescer? As árvores têm uma ação vigorosa para crescer? Não há nenhuma ação.

Lao Tsé costumava dizer: "Olhe para as árvores, olhe para os rios, olhe para as estrelas, e você vai entender a 'ação sem ação'."

Com certeza, o rio está fluindo em direção ao oceano, mas não se pode chamar isso de ação, porque não há nenhuma vontade forçando-o para ir em direção ao oceano. Ele é muito tranquilo, não tem pressa, não tem urgência, não tem nem mesmo o anseio de que deva chegar, não disputa com outros rios que possam, talvez, chegar à frente dele. Ele simplesmente segue, cantando e dançando sua dança pelas montanhas, pelos vales, pelas planícies, sem se preocupar se atinge o objetivo ou não. Cada momento é tão belo e precioso! Quem se preocupa com o amanhã?

A força de vontade é usada para criar uma personalidade falsa na pessoa.

---

[1] *Om Mani Padme Hum* [mantra budista que significa "da lama nasce a flor de lótus"], Capítulo 24.

A força de vontade é outro belo nome para a entidade feia chamada ego.

Um dos grandes psicólogos do século XX, Alfred Adler, baseou toda a sua análise psicológica no simples fato de que todos os problemas do homem são provenientes da vontade de poder. Ele quer tornar-se alguém, alguém especial, alguém superior aos outros, alguém mais santo que os outros. Não importa se está no mercado ou no mosteiro, a luta é para estar no topo.

Quanto mais o homem luta, mais ele é bem-sucedido, e mais distante fica de seu próprio ser, porque se torna cada vez mais tenso, cada vez mais preocupado. A vida torna-se uma agonia constante, em função do medo do fracasso. Mesmo que seja bem-sucedido, o medo de que alguém possa afastá-lo para longe de sua posição... Um homem que vive para alcançar algo pode nunca ter paz.

Assim, de um lado, criou-se essa ficção de ação vigorosa. Talvez as pessoas pensem que a meditação exige uma ação vigorosa. É preciso apenas relaxamento. É preciso abandonar a própria mente, esquecer que há qualquer futuro, permitir que este momento seja suficiente por si só, e que o próximo momento vai cuidar de si mesmo.

Aquele que puder se alegrar neste momento será capaz de se alegrar mais no momento que está chegando, porque se tornará cada vez mais experiente em ser alegre, em dançar, em cantar. E vai ficar cada vez mais seguro de si, a ponto de não precisar ser outra pessoa. Quem quer que a pessoa seja, vai ser capaz de desfrutar do êxtase supremo, sem ser rica, sem estar no poder, sem ser mundialmente famosa, sem ser uma celebridade.

Você pode ser um zé-ninguém e, ainda assim, todos os tesouros da existência podem lhe pertencer, porque eles não estão fora de você. Você desconhece sua própria riqueza interior.[2]

---

[2] *The Razor's Edge* [O fio da navalha], Capítulo 29.

Por favor, fale sobre o abuso de poder.

Existe um ditado famoso de um filósofo inglês: "O poder corrompe, o poder absoluto corrompe completamente."

Não concordo com ele. Minha análise é totalmente diferente. Todos são cheios de violência, ganância, raiva, paixão, mas ninguém tem poder, de modo que todos permanecem santos. Para ser violento é preciso ser poderoso. Para satisfazer a ganância é preciso ser poderoso. Para realizar as paixões é preciso ser poderoso.

Portanto, quando o poder bate à porta de alguém, todos os seus cães adormecidos começam a latir. O poder torna-se um alimento para o indivíduo, uma oportunidade. Não que o poder corrompa, o homem é que é corrompido. O poder apenas faz sua corrupção irromper. O homem pode desejar matar alguém, mas não tem o poder de matar, no entanto, se tiver o poder, ele vai matar.

Não é o poder que corrompe o homem, o homem é que carrega a corrupção dentro de si. O poder apenas lhe dá a oportunidade de fazer o que quiser.

O poder nas mãos de um homem como Gautama Buda não vai corrompê-lo, pelo contrário, vai ajudar a humanidade a elevar sua consciência. O poder nas mãos de Genghis Khan destrói a todos, estupra mulheres, queima pessoas vivas. Aldeias inteiras são queimadas, as pessoas não têm permissão para sair. Não é poder... esse homem, Genghis Khan, devia estar carregado com todos esses desejos dentro de si.

É quase como quando a chuva chega e diferentes plantas começam a crescer, mas plantas diferentes têm flores diferentes. Independente do que esteja oculto em suas sementes, e de sua potencialidade, o poder lhes dá uma chance, pois a maioria dos seres humanos está vivendo de forma tão inconsciente que, quando chega ao poder, todos os seus instintos inconscientes têm chance de serem realizados. Daí, então, não se importam se pessoas vão morrer, se pessoas serão envenenadas...

A pergunta é sobre o abuso de poder. O poder é utilizado de forma abusiva porque o homem tem desejos feios, que são herança dos animais.

Em um mundo melhor, as primeiras coisas devem ser... Perde-se praticamente um terço da vida na educação das crianças. Nesse um terço da vida, parte do tempo deve ser utilizada para limpar o inconsciente delas, de modo que, ao se formarem na universidade, tenham algum poder em algum lugar, ou seja, alguém vai se tornar comissário de polícia, alguém vai se tornar governador, alguém vai ser primeiro-ministro, e se não tiverem nada em seu inconsciente que seja venenoso e destrutivo, não há a possibilidade de o poder ser abusivo. Quem vai abusar dele? O poder é neutro.

O poder, em si, é neutro. Nas mãos de um homem bom, vai ser uma bênção. Por outro lado, nas mãos de um homem inconsciente, vai ser uma maldição. Porém, há milhares de anos o poder é condenado, sem se pensar que ele, na verdade, não tem de ser condenado. As pessoas é que têm de ser purificadas de todos os instintos horríveis que estão escondidos dentro delas, porque todas vão ter um tipo ou outro de poder.

Não tem que ser um grande poder. A pessoa pode simplesmente estar sentada em uma estação de trem vendendo bilhetes, mas isso também lhe dá poder. O passageiro está parado no balcão, e a vendedora sequer olha para ele pela janela. Ela continua folheando o arquivo, e pode-se ver que não está preocupada com o arquivo, quer apenas estabelecer o lugar dela. Até mesmo o peão que está sentado do lado de fora do escritório do cobrador comporta-se como se fosse o presidente do país. Isso significa que não é uma questão de onde a pessoa está. Onde quer que esteja, ela terá algum tipo de poder.

Aurangzeb, um dos imperadores da Índia, era tão impaciente que não podia esperar pela morte do pai, ou ficar mais velho, para que pudesse sucedê-lo. Então, aprisionou o próprio pai e se tornou o imperador do país. Seu pai permanecera ocupado a vida toda. Agora, sentado na cela da prisão, enviou uma mensagem para o filho: "Pelo menos arrume trinta meninos, para que eu possa lhes ensinar o sagrado Alcorão."

E o comentário que Aurangzeb fez aos seus cortesãos é muito significativo. Ele disse: "Aquele velho não quer perder o poder. Agora, ele não é mais o imperador. Mas trinta alunos... ao ensinar-lhes o sagrado Alcorão, ele voltará a ter o poder sobre aquelas crianças pequenas."

Os psicólogos dizem que as pessoas que têm medo de competir na vida e de se tornarem poderosas escolhem um caminho mais simples: tornam-se professores em escolas. Crianças pequenas... e podem persegui-las, bater nelas e, embora seja ilegal, isso acontece por todo o país.

Um dia desses, eu estava lendo um relato de que há casos encontrados... mas o governo continua a ocultar esses fatos. Pela primeira vez o governo admitiu, em função de ter se tornado demasiado sério, que professores chegaram a bater com tanta força nas crianças que algumas ficaram surdas de forma permanente.

Um menino... o próprio pai o acorrentou, e por quase dez anos ele permaneceu acorrentado, preso a um pilar da casa. Quase se tornou um animal. Não pode ficar de pé, move-se apenas de quatro e, devido ao fato de ter sido forçado a viver no escuro, perdeu a visão.

Até mesmo os pais usam o poder. Os professores usam o poder, maridos usam o poder, esposas usam o poder. Não importa onde o indivíduo esteja.

Se a humanidade vier a compreender as profundas raízes psicológicas e mudar o inconsciente do homem de modo que não haja sementes, o poder poderá continuar a chover, mas não haverá flores de corrupção. Caso contrário, o poder será sempre mal-utilizado. E não se pode tomar o poder das mãos das pessoas, uma vez que alguém deve ser a mãe, alguém deve ser o pai, alguém deve ser o professor.

O único caminho é purificar o inconsciente dos indivíduos com a meditação, preencher o ser interior com luz.

Só a meditação proporciona à pessoa um coração puro, que não pode ser corrompido. Com isso, o poder nunca pode ser corrompido e, então, o poder pode ser uma bênção, e vai ser criativo. Depois, a pessoa vai fazer algo para tornar a vida mais amável, mais acolhedora, para tornar a existência um pouco mais bela. Mas esse grande dia ainda não chegou, e ao se esforçar para esse grande dia chegar, a pessoa vai deparar com todas as pessoas viciadas em poder que estarão contra ela.

Já me perguntaram várias vezes: "Por que o mundo inteiro é contra você?"

Todos são viciados em poder, e estou tentando transformar o homem em um conjunto de serenidade: paz, silêncio, amor e êxtase.[3]

Por que as mulheres gostam de ser atraentes para os homens e, ao mesmo tempo, se ressentem de seus desejos sexuais?

Há uma estratégia política nisso. As mulheres gostam de ser atraentes porque isso lhes dá poder. Quanto mais atraentes, mais

---

[3] *The Razor's Edge* [O fio da navalha], Capítulo 6.

poderosas são em relação aos homens. E quem não quer ser poderoso? A vida inteira as pessoas lutam para serem poderosas.

Por que as pessoas têm desejo por dinheiro? Porque traz poder. Por que querem ser o primeiro-ministro ou o presidente de um país? Porque traz poder. Por que querem respeitabilidade, prestígio? Porque traz poder. Por que querem se tornar santo? Porque traz poder.

As pessoas estão em busca do poder de diferentes maneiras. E não foi deixado nenhum outro recurso para as mulheres serem poderosas a não ser o corpo. É por isso que elas têm contínuo interesse em ficar cada vez mais atraentes.

Nunca observaram que a mulher moderna não se preocupa muito em ser atraente? Por quê? Porque ela está entrando em outros tipos de política de poder. A mulher moderna está saindo da antiga escravidão. Ela vai lutar com o homem nas universidades pelos diplomas, vai competir no mercado, vai competir na política. Ela não precisa se preocupar muito em parecer atraente.

O homem nunca se incomodou muito em parecer atraente. Por quê? Isso foi deixado completamente para as mulheres. Para elas este foi o único recurso para alcançar algum poder. E para os homens havia tantos outros recursos que parecer atraente parecia um pouco afeminado, maricas. Isso é para mulheres.

Mas não foi sempre assim. Houve um tempo em que as mulheres eram tão livres quanto os homens. Então, os homens costumavam ficar interessados em ser atraentes tanto quanto as mulheres. Basta olhar para Krishna, sua imagem, com belas túnicas de seda, com uma flauta, com toda espécie de ornamentos, brincos, uma bela coroa feita de penas de pavão. Basta olhar para ele! Ele parece tão bonito.

Aqueles eram os dias em que homens e mulheres eram absolutamente livres para fazer o que quisessem. Depois veio uma longa era sombria, em que as mulheres eram reprimidas. Isso aconteceu por causa dos padres e seus chamados santos. Esses santos sempre tiveram medo das mulheres, porque a mulher parece ser tão poderosa que seria capaz de destruir a santidade em questão de minutos.

Dizem que a mãe, durante 25 anos, tenta fazer de seu filho um sábio, e depois vem uma mulher que em dois minutos faz dele um idiota. É por isso que as mães nunca podem perdoar as noras. Nunca! Levou 25 anos para a pobre mulher idosa dar alguma inteligência àquele homem, e em dois minutos tudo se foi! Como é que ela pode perdoar essa mulher?

Foi por causa dos santos que as mulheres foram condenadas, porque eles tinham medo de mulheres. As mulheres têm de ser reprimidas. E, em função de terem sido reprimidas, todas as fontes para competir e fluir na vida foram levadas embora. E elas foram deixadas com apenas uma única coisa: o corpo.

"Por que as mulheres gostam de ser atraentes para os homens?", perguntam-me. É por isso, é porque é seu único poder. E quem não quer ser poderoso? Para aquele que não entende que o poder traz apenas sofrimento, o poder é destrutivo, violento, e é apenas por meio do entendimento que o desejo de poder desaparece. Quem não gosta de ser poderoso?

E você pergunta: "... mas por que elas também se ressentem de seu desejo sexual mesmo quando querem ser atraentes para os homens?" Pela mesma razão. A mulher permanece poderosa apenas quando fica dependurada na frente do homem como uma cenoura, nunca disponível e sempre disponível, tão perto e tão longe. Apenas então ela é poderosa. Se ela cai imediatamente no colo dele, o poder se vai. E depois que o homem explora a sexualidade dela, depois que ele a usa, ela está acabada, ela não tem mais poder sobre ele. Portanto, ela o atrai e, no entanto, mantém-se distante. Ela o atrai, ela o provoca, ela o seduz, e quando ele chega perto dela, ela simplesmente diz "não"!

Agora isso é uma questão de simples lógica. Se ela diz "sim", o homem a reduz a um mecanismo, e a usa. E ninguém quer ser usado. É o outro lado da mesma política do poder. Poder significa a capacidade de usar o outro, e no momento em que uma pessoa usa a outra, seu poder desaparece e ela fica reduzida à impotência.

Nenhuma mulher quer ser usada. E os homens fazem isso há séculos. O amor tornou-se algo feio. Deveria ser a maior glória, mas não é, pois o homem tem usado a mulher, e ela se ressente e resiste, naturalmente. Ela não quer ser reduzida a uma mercadoria.

É por isso que se veem maridos abanando o rabo em torno das esposas e as esposas em uma atitude que as coloca acima de todo esse absurdo, mais santas do que eles. As esposas continuam fingindo que não estão interessadas em sexo, sexo feio. Elas têm tanto interesse quanto os homens, mas o problema é o seguinte: elas não podem demonstrar interesse, do contrário os maridos imediatamente as reduzem à impotência e passam a usá-las.

Por isso é que elas têm interesse em tudo mais, em ser muito atraentes para os maridos e, depois, se negar a eles. Esse é o prazer do poder. Atrair o homem, e olha que ele é atraído quase como se fosse por cordas, e depois lhe dizer "não", reduzindo-o à impotência absoluta. E ele fica abanando o rabo como um cachorro. É assim que a mulher gosta.

Esta é uma condição horrível. Não deveria ser assim. Esta é uma condição horrível porque o amor foi reduzido à política de poder. Isto tem que ser mudado. É preciso criar uma nova humanidade, e um novo mundo, em que o amor não seja uma questão de poder de jeito nenhum. É preciso, pelo menos, deixar o amor fora da política de poder; podemos deixar o dinheiro, a política, podemos deixar tudo, mas precisamos deixar o amor fora disso.

O amor é algo muito valioso, não se deve transformá-lo em uma mercadoria. No entanto, foi isso o que aconteceu.

O recruta acabara de chegar a um posto da Legião Estrangeira no deserto, e perguntou ao cabo o que os homens faziam como recreação.

O cabo sorriu com sabedoria e disse:

– Você vai ver.

– Bem, você tem mais de cem homens nesta base e não vejo uma única mulher – disse o rapaz, intrigado.

– Você vai ver – repetiu o cabo.

Naquela tarde, trezentos camelos foram levados para o curral. A um sinal, os homens pareceram enlouquecer. Eles saltaram para dentro do curral e começaram a fazer sexo com os camelos.

O recruta viu quando o cabo passou apressado por ele e lhe agarrou o braço.

– Vejo o que você quer dizer, mas não compreendo – afirmou o recruta. – Deve ter trezentos daqueles camelos e apenas cerca de cem de nós. Por que todo mundo está com pressa? Um homem não pode agir com calma?

– O quê?! – exclamou o cabo, espantado. – E ficar preso a um feio?

Ninguém quer ficar preso com alguém feio, mesmo que seja um camelo. Consequentemente, quem quer ficar preso a uma mulher feia? A mulher tenta de todas as maneiras ser bonita, pelo menos parecer bonita. E, depois que o homem fica preso às seduções da mulher, ela começa a fugir dele, porque esse é o jogo. Se o homem começa a fugir da mulher, ela vai chegar perto dele, vai começar a segui-lo. No momento em que o homem começar a segui-la, ela passará a fugir. Este é o jogo! Isso não é amor, isso é desumano. Entretanto, isso é o que está acontecendo e o que tem acontecido ao longo dos séculos.

Cuidado! Toda pessoa tem uma dignidade enorme, e ninguém pode jamais ser reduzido a uma mercadoria, a um objeto. É preciso respeitar os homens e as mulheres, pois todos são divinos.

E esqueça a velha ideia de que é o homem que faz amor com a mulher. Isso é tão estúpido! Dá a impressão de que o homem é o executor, enquanto a mulher está lá apenas para cumprir algo que tem de ser feito. Mesmo na linguagem, é o homem que faz amor, é o homem que é o parceiro que age, enquanto a mulher está lá, em uma condição de receptividade passiva. Isso não é verdade.

Ambos estão fazendo amor um com o outro, ambos são executores, ambos são participantes, e a mulher à sua própria maneira. A receptividade é a sua maneira de participar, mas é uma participação, tanto quanto a do homem.

E o homem que não pense que apenas ele está fazendo algo para a mulher: ela também está fazendo algo para ele. Ambos estão fazendo algo de muito valioso um para o outro. Os dois estão se oferecendo um ao outro, estão compartilhando entre si suas energias. Estão se oferecendo um ao outro no templo do amor, no templo do deus do amor. É o deus do amor que possui a ambos. É um momento muito sagrado. Homem e mulher estão caminhando em uma terra santa. E depois haverá uma qualidade totalmente diferente para o comportamento das pessoas.

É bom ser belo. É desagradável parecer ser belo. É bom ser atraente, mas é desagradável ter que manobrar para ser atraente. Essa manobra é artimanha. E as pessoas são naturalmente belas! Não há necessidade de nenhuma maquiagem. Toda maquiagem é horrível. Faz com que a pessoa fique cada vez mais feia. A beleza está na simplicidade, na inocência, em ser natural, em ser espontâneo. E quando a pessoa é bonita, não deve usar essa beleza como política de poder, isso é profanação, isso é sacrilégio.

A beleza é um dom de Deus. As pessoas podem compartilhá-la, mas não devem usá-la de forma alguma para dominar, para possuir o outro. E o amor vai se tornar uma oração, e a beleza vai se tornar uma oferenda a Deus.[4]

---

[4] *Philosofia Perennis* [Filosofia perene], Vol. 2, Capítulo 4.

Política

Fomos programados para ser ambiciosos

Fomos programados para ser ambiciosos. E é aí que entra a política. Não é só no mundo comum da política, ela polui até mesmo a vida comum do indivíduo. A criança ainda pequena começa a sorrir para a mãe, para o pai, um sorriso falso. Embora não exista uma profundidade por trás disso, a criança sabe que sempre que sorri ela é recompensada. Aprendeu a primeira regra de como ser um político. Ela ainda está no berço e já lhe ensinaram política.[1]

Portanto, é preciso entender que a política...

Portanto, é preciso entender que a política não é só aquela que se conhece pelo nome. Sempre que alguém coloca em prática uma série de poderes, isso é política. Não importa se diz respeito ao Estado, ao governo e assuntos como esse...

---

[1] *The Path of the Mystic* [O caminho do místico], Capítulo 42.

Para mim a palavra "política" é muito mais abrangente do que geralmente se considera.[2]

O homem tem colocado em prática, ao longo da história, uma estratégia política sobre as mulheres.

O homem tem colocado em prática, ao longo da história, uma estratégia política sobre a mulher: a de que ela é inferior a ele. E ele a convenceu disso. E havia razões para que a mulher fosse impotente e tivesse que ceder a essa ideia horrível, que é absolutamente absurda. A mulher não é nem inferior nem superior ao homem. Ambos são duas categorias da humanidade, e não podem ser comparados. A comparação em si é idiota, portanto, querer comparar é querer criar problema.

Por que a mulher foi proclamada inferior pelo homem em todo o mundo? Porque essa foi a única forma de mantê-la em regime de escravidão, de torná-la escrava.

Era mais fácil. Se ela fosse igual, haveria problema, e é por isso que ela tinha de ser condicionada à ideia de que era inferior. E as razões dadas são as seguintes: ela tem menos força muscular, sua altura é menor, ela não produziu nenhuma filosofia, nenhuma teologia, ela não fundou nenhuma religião, não havia mulheres que fossem artistas, musicistas, pintoras importantes. Isso mostra que ela não tem inteligência, que não é uma intelectual, ela não está preocupada com os problemas mais elevados da vida, sua preocupação é muito limitada: ela é apenas dona de casa.

Ora, optando-se por comparar dessa forma, fica fácil convencer a mulher de que ela é inferior. Mas essa é uma forma

---

[2] *From Misery to Enlightenment* [Do sofrimento à iluminação], Capítulo 7.

muito ardilosa. Há também outros aspectos a serem comparados. A mulher pode dar à luz uma criança, o homem não pode. Ele certamente é inferior, ele não pode se tornar mãe. A natureza não deu a ele essa grande responsabilidade, por saber que ele é inferior. A responsabilidade é para o superior. A natureza não deu a ele um útero. Na verdade, a função do homem no parto de uma criança não é nada mais do que a de dar uma injeção, uma prática muito momentânea.

A mãe tem de carregar a criança por nove meses e assumir todas as dificuldades de carregá-la. Não é uma tarefa fácil. E ainda dar à luz uma criança... é quase como se alguém estivesse passando pela morte. Depois, ela fica envolvida com a educação da criança por vários anos seguidos. No passado, então, ela dava à luz vários filhos, continuamente. Que tempo sobrou para ela para se tornar uma grande musicista, uma poeta, uma pintora? Será que lhe foi dado algum tempo para isso? Ela estava constantemente grávida ou tomando conta das crianças a quem dera à luz. Ela estava tomando conta da casa, para que o homem pudesse refletir sobre coisas mais elevadas.

Apenas por um dia, por 24 horas, o homem deve mudar suas tarefas: deve deixar a mulher refletir, criar poesia ou música, enquanto, por 24 horas, ele toma conta das crianças, da cozinha, da casa. E depois ele saberá quem é superior. Bastam 24 horas para provar a ele que tomar conta de muitos filhos é simplesmente estar em um hospício.

E basta um dia fazendo a comida para a família e para convidados para que o homem saiba que, em 24 horas, experimentou o inferno. Daí ele vai esquecer a ideia de que é superior, porque durante 24 horas ele não vai pensar, sequer por uma fração de segundo, sobre teologia, filosofia, religião.

Vamos pensar sobre isso de outras maneiras: a mulher tem menos força muscular porque durante milhões de anos não lhe foi dado o tipo de trabalho que desenvolve músculos. Estive em aldeias aborígenes, na Índia, em que a mulher tem músculos, e o homem, não. Portanto, não é um fenômeno natural, e sim algo histórico. Porém, como por tanto tempo não se exigiu que as mulheres fizessem trabalho braçal, o corpo feminino, aos poucos, perdeu naturalmente a capacidade de desenvolvimento muscular.

Mas é preciso ponderar sob outros ângulos também. A mulher tem mais resistência que o homem. Ora, isso é um fato constatado em termos médicos. As mulheres adoecem menos do que os homens, e vivem mais do que os homens: cinco anos a mais. É muita estupidez da sociedade ter decidido que o marido deve ter quatro ou cinco anos a mais do que a esposa; isso é para provar que o marido é mais experiente, mais vivido, para manter sua superioridade intacta. Mas não está certo em termos médicos, pois a mulher vai viver cinco anos a mais. Se for para pensar dessa forma, então, o marido deve ser cinco anos mais jovem do que a esposa, de modo que eles possam morrer na mesma época, quase ao mesmo tempo.

Por um lado, o marido tem que ser quatro ou cinco anos mais velho, e, por outro, a mulher não tem permissão de se casar novamente, em quase todas as culturas e sociedades. É um avanço que tem sido concedido a ela. Como não se permita que se case, ela, então, vai viver pelo menos dez anos de viuvez. Isso é doentio, do ponto de vista médico, pois a aritmética está simplesmente errada. Por que impor dez anos de viuvez a uma pobre mulher? O melhor teria sido que a esposa fosse cinco anos mais velha, e o homem, consequentemente, cinco anos mais jovem. Isso teria liquidado todo o problema. Eles morreriam quase ao mesmo tempo. Não haveria necessidade de existirem viúvos e viúvas nem os problemas decorrentes disso.

Ora, se formos considerar que a mulher vive cinco anos a mais do que o homem, então, quem é o superior? Se ela adoece menos, tem mais resistência, então, quem é o superior? As mulheres cometem 50% menos suicídio do que os homens. A mesma proporção vale para a loucura: as mulheres enlouquecem 50% menos do que os homens. Bem, esses fatos nunca foram considerados. Por quê?

Por que o homem tem de cometer o dobro de suicídio em relação às mulheres? Parece que ele não tem paciência com a vida. Ele é impaciente demais, ansioso demais, com expectativa elevada, e quando as coisas não acontecem ao modo dele, ele se sente acabado. Ele se frustra com muita facilidade. Isso demonstra uma fraqueza: ele não tem coragem de enfrentar os problemas da vida. O suicídio é um passo covarde. É fugir dos problemas, é deixar de resolvê-los.

A mulher tem mais problemas, ou seja, os dela e os que o homem cria para ela. Ela tem o dobro de problemas, e, ainda assim, consegue enfrentá-los com coragem. E os homens continuam a dizer que a mulher é fraca. Por que os homens enlouquecem duas vezes mais que as mulheres? Isso simplesmente mostra que o intelecto dele não é feito de material resistente – ele estala a qualquer hora.

Mas por que insistem continuamente que a mulher é inferior? É política. É um jogo de poder.[3]

---

[3] *From Misery to Enlightenment* [Do sofrimento à iluminação], Capítulo **7**.

Ouvi você dizer muitas vezes que os políticos e os padres estão explorando e enganando as pessoas, como se eles fossem uma raça diferente vinda do espaço sideral, forçados por nós. A meu ver, no entanto, esses políticos e padres saíram de nosso meio, de modo que somos totalmente responsáveis por suas ações, e reclamar deles pode significar reclamar de nós mesmos. Não se trata de um político e de um padre escondidos em cada um de nós? Poderia comentar, por favor?

Os políticos e os padres, com certeza, não vêm do espaço sideral, de fato, eles crescem entre nós. Nós também temos o mesmo desejo de poder, a mesma ambição de ser mais santo do que os outros. Eles são as pessoas mais bem-sucedidas, quando consideradas essas ambições e esses desejos.

Sem dúvida, somos responsáveis, mas é um círculo vicioso. Não somos os únicos responsáveis. Os políticos e padres bem-sucedidos continuam a condicionar as novas gerações para as mesmas ambições, são eles que fazem a sociedade, que cultivam sua mente e seu condicionamento. Eles também são responsáveis, e são mais responsáveis do que as pessoas comuns, pois elas são vítimas de todos os tipos de programas que lhes são impostos.

A criança vem ao mundo sem nenhuma ambição, sem nenhuma sede de poder, sem nenhuma ideia de que ela é mais elevada, mais santa ou superior. Com certeza, ela não pode ser responsável. Aqueles que a educam, ou seja, os pais, a sociedade, o sistema educacional, os políticos, os padres, a mesma gangue prossegue estragando todas as crianças. É claro que, quando for a vez dela, ela vai estragar... e é por isso que é um círculo vicioso. A partir de onde rompê-lo?

Insisto em condenar os padres e os políticos porque é aí que o círculo pode ser destruído. Condenar criancinhas que chegam ao mundo não vai ajudar. Condenar as massas comuns também não vai ajudar, porque elas já foram condicionadas e já são exploradas. Elas sofrem e são infelizes. No entanto, nada as acorda, dormem profundamente. O único ponto em que as condenações devem se concentrar é sobre aqueles que têm o poder, porque eles têm o poder de contaminar as futuras gerações. Se puderem ser interrompidos, será possível ter um novo homem.

Sei que todo mundo é responsável. Aconteça o que acontecer, de um jeito ou de outro, todo mundo tem parte nisso. Porém, para mim, o importante é saber em quem bater, de modo que se possa evitar o círculo vicioso para a nova geração de crianças. A humanidade tem girado em torno disso por séculos. É por isso que não condeno as massas comuns, não condeno as pessoas em geral. Condeno aqueles que agora se encontram em uma posição em que, se relaxarem um pouco, no que diz respeito aos seus interesses estabelecidos, e olharem para a massa miserável da humanidade, é possível realizar uma transformação, ou seja, em que o círculo pode ser rompido. Escolho, propositadamente, os políticos e os padres.

Sei que todos são responsáveis, mas nem todos são poderosos o suficiente para romper o círculo, e é por isso que dou em cima dos padres e dos políticos. Talvez eles nunca tenham tido medo de um único homem antes, mas agora eles têm medo de mim. Eles não querem que eu entre em nenhum país do mundo. Os padres estão por trás dos políticos, que estão fazendo normas e leis para que eu seja impedido.

Nossa comunidade nos Estados Unidos foi destruída pelos políticos, mas, por trás dos políticos, estavam os cristãos fundamentalistas, o grupo mais ortodoxo dos padres cristãos. O próprio Ronald Reagan é um cristão fundamentalista. E ser um cristão fundamentalista significa ser absolutamente ortodoxo. Ele acredita que cada palavra da Bíblia é santa, e que vem da própria boca de Deus. E tanto os padres quanto os políticos são muito vulneráveis, não têm nenhum chão sob seus pés. Basta um bom choque e eles estarão acabados. E, uma vez acabados, a sociedade vai poder experimentar a liberdade.

Vamos poder educar as crianças de um modo mais humano, sem condicionamento, com inteligência, olhando para a Terra como um todo, sem cristãos, sem hindus, sem muçulmanos, sem indianos, sem chineses, sem americanos. As nações e as religiões são criações dos padres e dos políticos. Uma vez que os padres e os políticos estejam acabados, as religiões e as nações também estarão acabadas.

E um mundo livre de religiões e livre de nações será um mundo humano, sem guerras, sem ter que lutar desnecessariamente por coisas que ninguém viu...

É tão estúpido que por milhares de anos as pessoas foram se matando em nome de Deus. Nenhuma delas viu, nenhuma delas tem qualquer prova, nenhuma delas tem qualquer evidência. E elas sequer se sentem envergonhadas, porque ninguém fez, olhando diretamente nos olhos, a pergunta... E vão a cruzadas, jihads, guerras religiosas, e destroem todos aqueles que não acreditam no dogma delas, porque o dogma delas é divino e todos os outros dogmas são criação do diabo.

Elas estão tentando servir a humanidade matando gente. Sua intenção é libertar essas pessoas das garras do diabo. Mas o mais estranho é que toda religião acha que a outra é criada pelo diabo. E, com isso, a luta continua.

Os políticos estão lutando guerra após guerra. E para quê? Não vejo razão. Se a Terra não tem fronteiras, então por que fazer esses mapas e desenhar linhas?

Um dos meus professores era um homem muito inteligente. Um dia ele chegou com alguns pedaços de cartolina. Cortou todo o mapa do mundo em pequenos pedaços, colocou-os em cima da mesa e perguntou: "Alguém pode vir até aqui e organizá-lo na ordem certa?" Muitos tentaram, mas não conseguiram.

Apenas um menino, ao ver que ninguém conseguia e que todos estavam colocando os pedaços juntos para formar o mapa, olhou para um pedaço do lado inverso. Em seguida, virou todos os pedaços ao contrário e descobriu a imagem de um homem. Ele organizou a imagem do homem, o que foi muito fácil, e aquela foi a solução. De um lado, foi montado o homem, do outro, o mapa do mundo.

Talvez o mesmo seja verdade em relação ao mundo real... Se pudermos preparar o homem, o mundo estará preparado. Se for possível tornar o homem silencioso, tranquilo, amoroso, as nações vão desaparecer, as guerras vão desaparecer, toda a política suja vai desaparecer. E é bom lembrar que toda política é suja, e que não existe nenhum outro tipo.

Mas é preciso combater aqueles que têm o poder. Atingir o pobre homem comum não vai ajudar, porque ele não tem poder, ele é vítima. Mesmo que seja possível mudá-lo, não vai ser uma grande mudança. Entretanto, se for possível abolir a conspiração entre religião e política, padres e políticos, será realmente uma grande mudança, uma revolução, a única revolução necessária e que ainda não aconteceu.[4]

---

[4] *Beyond Psychology* [Além da psicologia], Capítulo 26.

O que você tem a dizer sobre política?

O que eu tenho a dizer? Eu a amaldiçoo. É a calamidade que nos fez viver durante séculos no sofrimento. A política é absolutamente desnecessária. No entanto, os políticos não vão permitir que ela se torne desnecessária, porque, com isso, eles perdem suas presidências, suas Casas Brancas, seus Kremlins, seus cargos de primeiro-ministro.

A política não é necessária, está realmente fora de moda. Foi necessária porque as nações lutavam constantemente. Em 3 mil anos, houve 5 mil guerras.

Se as linhas de fronteira, que existem somente no mapa, e não na Terra, forem simplesmente dissolvidas, quem é que vai se preocupar com política? Sim, haverá um governo mundial, mas esse governo será apenas funcional. Não haverá nenhum prestígio nisso, pois não haverá concorrência com ninguém. Se esta ou aquela pessoa é o presidente mundial, e daí? Elas não são superiores a ninguém.

Um governo funcional significa o modo como as ferrovias são conduzidas. Quem se importa com quem é o presidente das ferrovias? Significa, também, o modo como o correio é administrado, e se é administrado de forma perfeita. Quem se importa com quem é o diretor-geral dos correios?

As nações têm que desaparecer e, com o desaparecimento delas, a própria política também desaparece. Ela comete suicídio. O que permanece é uma organização funcional que se preocupa. Ela pode ser rotativa como um Rotary Club, de modo que, às vezes, é dirigido por um homem negro, às vezes, por uma mulher, às vezes, por um chinês, às vezes, por um russo, às vezes, por um norte-americano, e assim segue, como uma roda.

Talvez não se deva dar mais de seis meses a uma pessoa, pois mais do que isso é perigoso. Assim, durante seis meses o indivíduo é presidente e, depois, vai embora, para sempre. E nenhuma pessoa deve ser escolhida novamente. É pura pobreza de inteligência que se continue escolhendo a mesma pessoa para presidente repetidas vezes. Será que ninguém vê isso como pobreza de inteligência? Não existe nenhuma pessoa inteligente? Só se tem um idiota para dar continuidade?

No mundo, também não há necessidade de partidos políticos. Os indivíduos devem decidir individualmente. Não há necessidade de nenhum partido político, é algo muito destrutivo na democracia. Embora as pessoas digam que a democracia não pode existir sem partidos políticos, eu digo que ela não pode existir se os partidos políticos existirem, pois eles têm seus próprios interesses.

Cada indivíduo é livre para concorrer a qualquer cargo ou para votar em qualquer pessoa que ache certo. E quem quer que seja eleito pode ser muito mais sábio do que os presidentes e os primeiros-ministros. Talvez, devido ao fato de essa pessoa ficar lá por apenas seis meses, ela não possa desperdiçar seu tempo inaugurando essa universidade, aquela ponte, essa estrada, e todo tipo de absurdo, e perder tempo. E o Parlamento simplesmente discute assuntos absolutamente insignificantes, como se tivessem a eternidade em suas mãos. Um pequeno projeto leva anos para ser aprovado.

Um homem que tem apenas seis meses não pode permitir essa estupidez. Ele vai escolher assessores científicos, especialistas em diferentes campos de atuação. Por exemplo, em economia, ele vai encontrar todas as melhores mentes econômicas do mundo para assessorá-lo. Ele não tem muito tempo. Ele não pode dar prosseguimento com políticos de quinta categoria que só sabem a arte de mentir e nada mais. Ao ter que decidir sobre educação, pedirá o conselho dos grandes educadores do mundo. Porém, neste exato momento, coisas estranhas acontecem...

Tenho apenas uma única fórmula a dar ao homem: um mundo único.[5]

---
[5] *The Last Testament* [O último testamento], Vol. 1, Capítulo 3.

Violência

Todos os ditadores do mundo são criados por nós.

Todos os ditadores do mundo são criados por nós, porque queremos alguém para nos dizer o que fazer. Há um motivo muito sutil para isso: quando alguém diz ao outro o que fazer, ele não tem nenhuma responsabilidade sobre se isso está certo ou errado. Essa pessoa é isenta de responsabilidade, não tem que pensar a respeito, não tem que se preocupar com isso. Toda a responsabilidade vai para aquele que ordena ao outro o que fazer.

Indivíduos como Adolf Hitler, Joseph Stálin ou Ronald Reagan não estão em suas posições de poder devido às suas qualidades. Estão porque milhões de pessoas querem que lhes digam o que fazer, pois, sem ninguém que lhes ordene o que fazer, elas ficam perdidas.

É o povo que cria os ditadores.

Adolf Hitler era praticamente louco, mas uma nação, uma das nações mais inteligentes do mundo, que criou uma grande tradição de filósofos, pensadores, teólogos de primeira categoria... Ainda no século XX, a Alemanha produziu pessoas como

Martin Heidegger, que talvez seja o maior filósofo deste século, mas ele também era um seguidor de Adolf Hitler.

Parece quase incompreensível que um homem com as qualidades de Martin Heidegger... Analisei todos os filósofos do mundo, e Martin Heidegger parece ter uma genialidade, uma originalidade muito grande na abordagem das coisas a partir de direções completamente novas, mas ele era um seguidor de Adolf Hitler e o apoiava. Fiquei me perguntando qual poderia ser a razão. E toda a nação apoiou aquele louco.

A razão é que ninguém quer ter nenhuma responsabilidade. Porém, no momento em que a pessoa perde sua responsabilidade, por achar que é um fardo e que alguém deve assumi-la, perde também sua individualidade, perde também sua liberdade.

A responsabilidade do homem não está separada de sua liberdade, de sua individualidade. Depois de abandonar sua responsabilidade nos ombros de outra pessoa, o homem se reduz à insignificância. Claro, agora ninguém vai culpá-lo se algo der errado, mas ele perdeu sua alma.

As pessoas condenam os ditadores, mas ninguém pensa em termos psicológicos, em como os ditadores são criados, em quem os cria. Todos os povos os criam, e os criam na esperança de que eles assumam a responsabilidade. No entanto, não estão cientes de que, com a responsabilidade, também vai a liberdade, a individualidade, a democracia, a liberdade de pensamento ou de expressão, tudo.

O homem perde sua alma no momento em que coloca sua responsabilidade nas mãos de outra pessoa. E há pessoas que gostam de dominar, de dar ordens, e estas são pessoas insanas.

Portanto, é uma situação estranha. O homem quer ser desobrigado de responsabilidade e, é claro, há algumas pessoas que estão preparadas para assumir todas as responsabilidades, porque estão assumindo toda a liberdade do homem. Estão assumindo todos os direitos dele e sua própria individualidade, e são pessoas cujo único desejo é o poder. Elas têm um tipo diferente de insanidade, mas parece ser muito fácil de ajustar. Parece haver um determinado sincronismo entre as pessoas que querem se ver livres da responsabilidade, sem saber que estão se livrando de sua própria alma, e as outras pessoas insanas, que amam somente uma coisa: o poder.[1]

Você pode falar sobre violência?

O homem é um dilema porque é uma dualidade. O homem não é um ser único: ele é o passado e o futuro. O passado significa o animal e o futuro significa o divino. E entre os dois está o presente, entre os dois está a existência do homem, dividida, separada em direções diametralmente opostas.

Se o homem olhar para trás, ele é um animal. É por isso que a ciência não consegue acreditar que o homem seja alguma coisa mais que não apenas outro animal; afinal, a ciência investiga somente o passado. Charles Darwin e outros estão certos de que o homem nasce dos animais. É verdade em relação ao passado, mas não em relação à totalidade do homem.

A religião olha para o possível, aquilo que pode acontecer e ainda não aconteceu. A ciência disseca a semente e não consegue achar nenhuma flor lá. A religião é visionária, sonha e é capaz de enxergar o que ainda não aconteceu: a flor. É claro, não pode ser encontrada, aquela flor não pode ser encontrada dissecando-se a semente. Ela precisa de um grande insight, não capacidade de analisar, mas algum voo intuitivo, alguma abor-

---

[1] *The Invitation* [O convite], Capítulo 10.

dagem poética. Ela precisa de um sonhador verdadeiro, que possa enxergar aquilo que ainda não aconteceu.

A religião olha para o possível e acha que o homem não é um animal, e sim divino: o homem é Deus. E ambos são verdadeiros. O conflito é infundado. O conflito entre a ciência e a religião é fútil. As direções, os métodos de trabalho, os campos de atuação de ambas são totalmente diferentes.

A ciência sempre reduz tudo à fonte, enquanto a religião sempre pega um voo em direção ao objetivo. O homem é tanto um quanto o outro, e é por isso que ele é um dilema, uma ansiedade constante: ser ou não ser, ser isto ou ser aquilo?

O homem pode encontrar a paz somente de duas maneiras: ou ele volta a ser um animal, e aí vai ser um ser único, aí não haverá divisão, aí novamente haverá paz, silêncio, harmonia... E é por isso que milhões de pessoas tentam ser animais de formas diferentes.

A guerra dá uma oportunidade para o homem se tornar animal, e é por isso que a guerra tem grande atração. Em três mil anos de história o homem lutou cinco mil guerras e, de forma contínua, em um lugar ou outro, a guerra prossegue. Não passa nem mesmo um único dia em que o homem não mate outros homens. Por que tamanho prazer em destruir, em matar? A razão, no fundo, está na psicologia do homem.

No momento em que a pessoa mata, de repente, ela é um ser único, porque se torna um animal novamente, e a dualidade desaparece.

É por isso que, em assassinato, em suicídio, há uma enorme força magnética.

O homem não pode ser persuadido ainda a deixar de ser violento.

A violência explode. Mudam-se os nomes, mudam-se os slogans, mas a violência permanece a mesma. Pode ser em nome da religião, em nome de uma ideologia política ou qualquer coisa absurda, como uma partida de futebol ou de críquete – qualquer coisa basta para que as pessoas se tornem violentas.

As pessoas têm tanto interesse na violência que, se não puderem fazer pelas próprias mãos, em função de ser arriscado e temerem as consequências, elas encontrarão maneiras indiretas para serem violentas. Em um filme, ou na TV, a violência é uma obrigação, pois, sem violência, ninguém vai querer ver o filme. Ao ver violência e sangue, de repente, a pessoa se lembra de seu passado animal, não se lembra de seu presente, e esquece completamente o seu futuro. Ela se torna seu passado.

Ela se identifica, e o que está acontecendo na tela, de alguma forma, se torna sua própria vida. Não é mais uma espectadora. Naqueles momentos, torna-se uma participante, cria uma conexão.

A violência exerce grande atração.

A sexualidade também exerce grande atração, porque somente nos momentos sexuais é que a pessoa pode se tornar única, pois, do contrário, ela permanece duas, dividida, e a ansiedade e a angústia persistem.

Violência, sexo, drogas, todos eles ajudam, pelo menos temporariamente, a retroceder, a se tornar totalmente animal. Mas isso não pode se tornar um estado permanente.

É preciso que se entenda uma lei fundamental: nada pode retroceder. No máximo, pode-se fingir, no máximo, pode-se enganar, mas nada pode voltar para trás, porque o tempo não se move para trás. O tempo sempre vai em frente. Não se pode transformar um jovem em uma criança, e não se pode transformar um velho em um jovem, isso é impossível. A árvore não pode regredir à condição da semente original, é impossível.

A evolução é contínua, e não há nenhuma forma de evitá-la ou forçá-la a regredir.

Por isso, todos os esforços dos homens para se tornar animais e encontrar a paz estão fadados ao fracasso. Eles podem ficar embriagados com bebida alcoólica ou drogados por meio de outras drogas, como maconha, LSD, podem ficar completamente submersos. Por algum tempo, todas as preocupações desaparecem, temporariamente eles não fazem mais parte de uma existência problemática, por um determinado momento eles se movem em uma dimensão totalmente diferente, mas somente por algum tempo.

No dia seguinte, pela manhã, eles estarão de volta, e quando estiverem de volta, o mundo vai ser mais feio do que era antes, e a vida vai ser um problema maior do que era antes. Isso porque, enquanto estiveram intoxicados, inconscientes, adormecidos pela droga, os problemas foram crescendo. Os problemas foram ficando cada vez mais complicados. Enquanto pensavam que tinham estado além dos problemas, os problemas iam se enraizando em seu ser, em seu inconsciente.

Amanhã, mais uma vez, os homens estarão de volta ao mesmo mundo, que vai parecer mais feio em comparação à paz que tinham alcançado pela minimização, pela intoxicação, pelo esquecimento. Comparado àquela paz, o mundo vai parecer ainda mais perigoso, mais complexo, mais assustador. E, então, a única maneira de evitar isso é: aumentar as doses da droga. Mas isso também não ajuda por muito tempo. E essa não é a maneira de resolver o dilema. O dilema permanece, persiste.

A única maneira é crescer em direção ao divino, o único caminho é para a frente. A única forma é tornar-se aquilo que é o potencial de cada um, a única forma é transformar o potencial em realidade.

O homem é Deus em potencial e, a menos que se torne um Deus real, não haverá nenhuma possibilidade de satisfação.

As pessoas tentaram isso também: como se tornar divino?

E, ao se tornar divino, o que fazer com o animal?

A solução mais simples que apareceu repetidamente ao longo dos séculos é a seguinte: reprimir o animal. É a mesma solução. Ou, então, reprimir o divino, através da violência, através do sexo, através das drogas, ou seja, esquecer o divino. Esta é uma solução, embora nunca seja bem-sucedida, não possa ter êxito, pois, pela própria natureza das coisas, está fadada a fracassar. Então, a segunda sugestão que vem à mente é a seguinte: reprimir o animal, esquecer o animal, mas manter animal no fundo e não olhar para ele. Jogá-lo no fundo do porão do inconsciente, de modo que a pessoa não possa deparar com ele no seu dia a dia, de modo que não o veja.

O homem pensa quase da mesma forma que o avestruz. O avestruz acha que ele não pode ver o inimigo, que o inimigo não existe. Por isso, quando o avestruz depara com o inimigo, simplesmente fecha os olhos. Ao fechar os olhos, acha que, naquele momento, não há mais inimigo, porque não pode vê-lo.

Isso é o que tem sido feito, ao longo dos séculos, por 99% das pessoas religiosas. No 1% restante deixo os Budas, os Krishnas, os Kabirs. Os 99% das pessoas religiosas não fazem nada além de um exercício de avestruz, um exercício de total futilidade.

Reprimir o animal! Mas o homem não pode reprimir o animal, porque o animal tem uma energia enorme. O animal foi todo o seu passado e tem milhares de anos. Ele tem raízes profundas no homem, e este não pode se ver livre dele tão facilmente, apenas num piscar de olhos. Estará sendo simplesmente estúpido.

E o animal é a base do homem, é sua própria fundação. O homem nasce como um animal, e não é diferente de nenhum outro animal. Pode parecer diferente, mas não é, pois o fato de ter nascido homem não o torna diferente. Sim, o homem tem um tipo diferente de corpo, mas não muito diferente. Tem um tipo diferente de inteligência, mas não muito diferente. A diferença é apenas de quantidade, não de qualidade.

Agora, a pesquisa moderna em plantas mostra que até mesmo as plantas são inteligentes, sensíveis, alertas, conscientes. O que dizer sobre os animais? Alguns pesquisadores afirmam que até os metais têm um tipo de inteligência própria. Assim, a diferença entre o homem e o elefante, entre o homem e o golfinho, entre o homem e os macacos não é de qualidade, é apenas de quantidade, apenas de graduação.

O ser humano tem um pouco mais de inteligência, só isso. Não é muita diferença, pelo menos não uma diferença que faça alguma diferença.

A mudança qualitativa acontece somente quando um homem se torna completamente desperto, quando um homem se torna um Buda – aí, sim, acontece a diferença de fato. Daí ele não é mais um animal, ele é simplesmente divino. Mas como chegar a isso?

Aqueles 99% de pessoas religiosas têm feito algo completamente errado, ou seja, têm seguido exatamente a mesma lógica. A mesma lógica que é seguida pelas pessoas violentas, pelas pessoais sexuais, pelos alcoólatras. O mesmo tipo de lógica: esqueça o animal. Muitas técnicas foram desenvolvidas para esquecer o animal: entoar mantras para que se esqueça o animal, tornar-se ocupado enquanto se entoa o mantra, e seguir repetindo: "Rama, Rama, Rama, Rama." Repetir tão rápido que a mente como um todo fique repleta da vibração desta única palavra: "Rama." Essa é simplesmente uma forma de evitar o animal, embora ele esteja lá.

Pode-se prosseguir entoando o "Rama" durante séculos... o animal não vai ser alterado por meio de um truque tão simples. Não se pode enganar o animal. Vai permanecer apenas uma religiosidade muito superficial. Basta raspar qualquer homem religioso para se encontrar o animal dentro dele, e basta raspar um pouco. Não é nem superficial a chamada religiosidade. É apenas um fingimento, somente uma formalidade, um ritual social.

O homem vai à igreja, o homem lê a Bíblia, o homem lê o Gita, o homem entoa mantras, o homem faz orações, mas é tudo formal. O coração não está na ação. E o animal dentro dele ri dele e o ridiculariza. Ele conhece o homem perfeitamente bem, quem ele é, onde ele está. E sabe como manipulá-lo. O homem pode prosseguir com seus mantras por horas, mas quando uma mulher bonita passa, de repente, toda a entoação desaparece e ele esquece tudo sobre Deus. Só o cheiro da padaria... e tudo se foi. "Hare Krishna Rama...", tudo se foi.

Qualquer coisinha que seja é suficiente! O homem é insultado e há raiva, o animal está pronto para se vingar e o homem está furioso. Na verdade, as pessoas religiosas ficam mais zangadas do que quaisquer outras pessoas, porque estas não se reprimem. Além disso, as pessoas religiosas são mais pervertidas sexualmente do que as demais, porque as outras não se reprimem. Os sonhos das pessoas religiosas têm que ser observados, porque durante o dia elas se reprimem, mas o que acontece à noite, quando estão dormindo?

Mahatma Gandhi escreveu que, mesmo aos setenta anos, ele ainda tinha sonhos sexuais. Com setenta anos, por que sonhos sexuais? Ele esclareceu: "Durante o dia tornei-me disciplinado, e o dia inteiro nem mesmo um único pensamento sobre sexo vem a mim. Porém, à noite, estou inconsciente, de modo que toda a disciplina e todo o controle desaparecem."

A visão de Sigmund Freud é muito valiosa: para saber sobre um homem é preciso conhecer seus sonhos, e não sua vida acordado. A vida enquanto o homem está acordado é pseudo.

Sua vida real se declara em seus sonhos, porque os sonhos são mais naturais, uma vez que não há repressão, não há disciplina, não há controle. Por isso, a psicanálise não se importa com a vida desperta. Basta observar a razão: a vida enquanto a pessoa está acordada é tão pseudo que a psicanálise não acredita nela de jeito nenhum. É inútil. A psicanálise penetra nos sonhos, porque os sonhos são muito mais verdadeiros do que a chamada vida em que se está acordado.

É irônico que a vida em que se está acordado, que é tida como a vida real, não seja considerada pelos psicanalistas como real, e sim mais irreal do que os sonhos. Os sonhos são muito mais reais, porque a pessoa não está lá para distorcê-los, uma vez que está em sono profundo, a mente consciente está adormecida e o inconsciente é livre para dizer o que quiser. E o inconsciente é a sua mente verdadeira, pois ele é somente um décimo da mente total, enquanto o inconsciente é nove décimos, ou seja, nove vezes mais poderosa, nove vezes maior do que a mente consciente.

E o que a pessoa faz quando luta com a sua sexualidade, com a sua raiva, com a sua ganância? Continua jogando-as no inconsciente, na escuridão do porão, e achando que, ao deixar de vê-las, está se livrando delas. No entanto, não está se livrando...

Os 99% das pessoas religiosas continuam a reprimir e, sempre que reprimem alguma coisa, isso se aprofunda e torna-se uma parte maior em seus seres. Consequentemente, isso começa a afetá-las de maneiras tão sutis que elas podem nem mesmo perceber isso. E aquilo que foi reprimido adota rotas muito tortuosas: não pode vir de formas diretas porque, se vier diretamente, as pessoas podem reprimi-lo. Então, ele vem de maneiras tão sutis, maneiras tão tortuosas, de maneiras tão enganosas, com máscaras, que as pessoas nem reconhecem que isso é sexualidade.

Pode, inclusive, usar máscaras de oração, de amor, de ritual religioso. Porém, se a pessoa for lá no fundo, e se permitir se expor a alguém que pode observar e que entende do funcionamento interno da mente, vai se surpreender com o fato de se tratar da mesma energia que passa por diferentes canais. Tem que passar por diferentes canais, porque nenhuma energia pode jamais ser reprimida.

Que seja compreendido de uma vez por todas: nenhuma energia pode jamais ser reprimida.

A energia pode ser transformada, mas nunca reprimida.

A verdadeira religião consiste em alquimia, em técnicas e métodos de transformação.

A verdadeira religião consiste não em reprimir o animal, mas em purificá-lo, elevá-lo ao divino, usando-o como veículo para seguir em direção ao divino. Ele pode se tornar um veículo poderosíssimo, porque é energia.

O sexo pode ser usado como uma grande energia, pode ser usado como veículo até a própria porta de Deus. No entanto, se a pessoa o reprime, vai ficar cada vez mais enrolada...

Se a pessoa reprime o sexo, fica irritada, pois toda a energia que se transformaria em sexo se transforma em raiva. E é melhor fazer sexo do que ficar irritado. No sexo pelo menos há algo de amor, enquanto na raiva há apenas pura violência, nada mais.

Se o sexo é reprimido, a pessoa se torna violenta – em relação aos outros ou a si mesma. Estas são as duas possibilidades: ou vai se tornar sádica e torturar os outros, ou vai se tornar masoquista e torturar a si mesma. Mas haverá tortura.

Sabe, ao longo dos séculos, os soldados nunca tiveram permissão para ter relações sexuais. Por quê? Porque, se os soltados tivessem permissão para ter relações sexuais, não reuniriam raiva suficiente dentro de si, violência suficiente dentro de cada um. O sexo para eles seria uma liberação, eles se tornariam mansos, e uma pessoa mansa não pode lutar. Deixe que o soldado tenha fome de sexo para que ele seja obrigado a lutar melhor. Na verdade, a violência dele é um substituto para sua sexualidade.

E Sigmund Freud está certo novamente quando diz que todas as armas são nada mais do que símbolos fálicos: a espada, a faca, a baioneta, não são nada além de símbolos fálicos. O soldado não teve permissão para entrar no corpo de alguém, no corpo de alguma mulher. Agora ele está louco para entrar, agora ele é capaz de fazer qualquer coisa. Um grande desejo pervertido entrou em seu ser agora. Sexo reprimido: ele gostaria de entrar no corpo de alguém por meio uma baioneta, por meio de uma espada...

Ao longo dos séculos, o soldado foi forçado a reprimir seus desejos sexuais.

No século XX, observamos a ocorrência de um fenômeno. Os soldados norte-americanos são os soldados mais bem-equipados do mundo em termos científicos e tecnológicos, mas mostraram ser mais fracos do que quaisquer outros soltados. No Vietnã, um país pobre, durante anos a fio, eles tentaram e tiveram que aceitar a derrota. Por quê? Pela primeira vez na história o soldado norte-americano esteve sexualmente satisfeito, e este foi o problema. O primeiro soldado na história que esteve sexualmente satisfeito, que não passou por carência sexual. E não conseguiu vencer. Um país pobre como o Vietnã, um país pequeno como o Vietnã! Foi um milagre para aqueles que não entendem de psicologia, foi um milagre. Com toda a tecnologia, com toda a ciência moderna, com todo o poder... e o soldado norte-americano não foi capaz de fazer nada.

Mas isso não é novo, trata-se de uma verdade antiga. Toda a história da Índia comprova isso. A Índia é um país grande, um dos maiores, ao lado apenas da China, o segundo maior país do mundo, e foi conquistado muitas vezes por países menores. Turcos, mongóis, gregos, qualquer um chegou e o país foi imediatamente derrotado, conquistado. Qual foi o motivo? E aquelas pessoas que chegaram para conquistar eram pessoas pobres, famintas.

Minha própria análise da história indiana é que, no passado, a Índia não era reprimida sexualmente. Aqueles foram os tempos em que se construíram templos, como o Khajuraho, o Konarak, o Puri, e a Índia não era reprimida sexualmente. Apesar dos poucos ditos mahatmas, a maior parte do país era sexualmente satisfeita, havia doçura, qualidade amorosa, encanto. Era difícil para a Índia ter que lutar. Para quê? Basta pensar um instante: aquele que quiser lutar vai ter que deixar de fazer sexo por alguns dias. Pode perguntar a Muhammad Ali e a outros boxeadores: antes da luta, durante alguns dias, eles têm de se tornar celibatários. É uma obrigação! Pode perguntar aos competidores olímpicos: antes de participarem de competições olímpicas, durante alguns dias, eles têm de deixar de fazer sexo. Isso dá um impulso, dá uma grande violência, torna os competidores capazes de lutar. Eles correm mais rápido, atacam mais rápido, porque a energia está fervendo por dentro. Daí o soltado ter sido reprimido.

Basta permitir que todos os exércitos do mundo sejam satisfeitos sexualmente para que haja paz. Basta permitir que as pessoas tenham satisfação sexual para que haja menos conflitos entre hindus e muçulmanos, menos cruzadas cristãs e muçulmanas, e todo esse absurdo vai desaparecer.

Se o amor se espalhar, a guerra desaparecerá – os dois não podem coexistir.

A repressão é o caminho: a transformação é o caminho.

As pessoas não devem reprimir nada.

Se a sexualidade está lá, não deve ser reprimida, pois, do contrário, cria-se uma nova complexidade, que vai ser mais difícil resolver...

Para aqueles que forem capazes de vir para a sexualidade natural, espontânea, as coisas serão muito simples, de um modo que nem se pode imaginar. E, depois, a energia resultante é natural, e essa energia natural não cria nenhum obstáculo para a transformação. Por isso, eu digo: do sexo para a superconsciência...

A transformação pode acontecer somente se, primeiro, a pessoa aceitar o seu ser natural.

O que quer que seja natural é bom. Sim, é possível obter mais, mas isso só será possível se a pessoa aceitar sua natureza como um todo, se acolhê-la, se não se sentir culpada em relação a ela. Ser culpado, sentir-se culpado, é não ser religioso. No passado, foi dito exatamente o contrário: as pessoas devem se sentir culpadas para que sejam religiosas. E eu digo: sintam-se culpados e nunca serão religiosos.

Abandonem a culpa!

O homem é tudo aquilo que Deus fez dele. O homem é tudo aquilo que a existência fez dele.

O sexo não é criação do homem: é um presente de Deus.[2]

---

[2] *The Fish in the Sea is not Thirsty* [O peixe no mar não é sedento], Capítulo 13.

Terapia

Por que o abraço é uma ferramenta terapêutica tão incrivelmente eficaz? Eu costumava achar que clareza, inteligência e análise eram o caminho, mas isso é tudo lixo em comparação ao abraço.

O homem precisa ser necessário. É uma das necessidades mais fundamentais dos seres humanos. Se uma pessoa não tiver carinho, ela começa a morrer.

A menos que uma pessoa sinta que é importante para alguém, pelo menos para alguém, toda a sua vida se torna insignificante.

Por isso, o amor é a maior terapia que existe.

O mundo precisa de terapia porque nele está faltando amor.

Em um mundo realmente repleto de amor nenhuma terapia será necessária, de jeito nenhum, pois o amor será o suficiente, mais do que suficiente. O abraço é apenas um gesto de amor, de calor humano, de carinho. A própria sensação do calor que flui da outra pessoa derrete muitas doenças no ser humano, derrete o ego frio e gelado. Faz com que o homem volte a ser criança.

Os psicólogos sabem bem que se uma criança não for abraçada e beijada ela sentirá falta de carinho. Assim como o corpo precisa de alimento, a alma precisa de amor. É possível suprir todas as necessidades básicas de uma criança, dar a ela todos os confortos físicos, mas, se faltam abraços, ela não vai crescer e se tornar um ser humano completo. No fundo, ela vai permanecer triste, sem carinho, negligenciada, ignorada. Ela recebeu cuidados, mas não recebeu carinho.

Observou-se que se uma criança não é abraçada, ela começa a encolher, e pode até mesmo morrer, apesar de tudo mais lhe ter sido fornecido. No que diz respeito ao corpo, foram tomados todos os cuidados, mas a criança não recebeu nenhum amor. Ficou isolada e tornou-se desligada da existência.

O amor é nossa conexão, o amor é nossa raiz.

Assim como o homem respira – pois para o corpo é absolutamente essencial, e se parar de respirar ele deixa de existir –, da mesma forma o amor é a respiração interior. A alma vive por meio do amor.

A análise não vai fazer isso. A inteligência e a clareza, o conhecimento e a formação acadêmica não vão fazer isso. A pessoa pode saber tudo o que existe sobre terapia, pode tornar-se um especialista, porém, se não souber a arte do amor permanecerá apenas na superfície do milagre da terapia.

No momento em que começar a sentir pelo paciente, por aquele que está sofrendo... de cem casos, noventa pessoas estão sofrendo, basicamente, porque não foram amadas. Se a pessoa começa a sentir a necessidade de amor do paciente, e se puder preencher essa necessidade, haverá uma mudança quase mágica na condição dele.

O amor é, certamente, o fenômeno mais terapêutico.

Sigmund Freud tinha muito medo disso, tanto assim... abraçar estava fora de questão, ele não estava nem mesmo preparado para enfrentar o paciente, pois, ao ouvir sobre o seu sofrimento, ao ouvir seus pesadelos interiores, ele poderia começar a se sentir indulgente. Seus olhos poderiam ficar marejados, lágrimas poderiam começar a fluir, ou, talvez, em um momento de descuido, ele poderia segurar a mão do paciente.

Ele tinha tanto medo de algum relacionamento de amor entre o terapeuta e o paciente que criou um certo artifício: o paciente tem que se deitar no divã e o psicanalista tem que sentar atrás do divã, de modo que eles não se encarem.

E é bom lembrar de uma coisa: é de frente um para o outro que o amor cresce. O amor entre os animais não pode crescer porque eles fazem amor sem se encarar, de modo que não há amizade, não há relacionamento de parentesco. Depois que terminam o ato sexual, seguem seus caminhos, separadamente, sem nem mesmo dizer um "obrigado", um "adeus" ou "vejo você em breve"! Os animais não são capazes de criar amizade, família, sociedade, pelo simples fato de que, quando fazem amor, não olham nos olhos um do outro, não olham na cara um do outro, como se o ato de amor fosse algo praticamente mecânico. Não há nenhum elemento humano nisso.

O homem criou toda a dimensão de todos os tipos de relacionamento porque ele é o único animal que faz amor frente a frente com o parceiro. Por isso, os olhos começam a se comunicar, por isso, as expressões faciais se tornam uma linguagem sutil. Daí as mudanças de humor e de emoções, ou seja, a alegria, o êxtase, o brilho orgástico e o aumento da intimidade.

A intimidade é necessária, é um requisito básico.

Por isso, é bom fazer amor com a luz acesa, não na escuridão, ou pelo menos à meia-luz, uma luz de vela. Fazer amor no escuro é algo animal dentro de si evitando encarar o outro... uma estratégia para evitar.

Sigmund Freud tinha muito medo do amor, ele tinha medo do seu próprio amor reprimido. Tinha medo de que ele pudesse entrar em algum emaranhamento, envolvimento. Ele queria apenas ficar de fora, para não se envolver com a pessoa, para não se tornar parte de seu interior, para não entrar nas águas profundas e permanecer apenas como um observador científico, indiferente, imparcial, frio, distante. Ele queria criar a psicanálise como se fosse uma ciência. Não é uma ciência, nunca vai ser uma ciência! É uma arte, e é muito mais próxima do amor do que da lógica.

Mas o verdadeiro psicanalista não vai evitar se aprofundar no interior do paciente, ele vai assumir o risco. É arriscado, pois está entrando em águas turbulentas. Ele pode se afogar; afinal, ele também é humano! Ele pode se ver em apuros, pode criar algum problema para si mesmo, mas esse risco tem que ser assumido.

É por isso que eu amo muito Wilhelm Reich. Ele é o homem que transformou a cara de toda a psicanálise ao se envolver com o paciente. Descartou o divã, descartou essa indiferença imparcial. Ele é um revolucionário muito maior do que Sigmund Freud. E Sigmund Freud, que realmente tinha medo de suas próprias repressões, permaneceu convencional.

Aquele que não tem medo das próprias repressões pode ajudar bastante. Se não tiver medo do próprio inconsciente, se tiver resolvido alguns de seus problemas, pode ajudar muito se envolvendo no mundo do paciente, tornando-se um participante em vez de manter-se apenas como um observador.

Na verdade, em função de os psicanalistas terem seus próprios problemas, às vezes até mais do que o próprio paciente, pode-se compreender o medo de Sigmund Freud. No que me diz respeito, eu gostaria de fazer uma declaração categórica sobre isso: a menos que um indivíduo esteja realmente desperto, iluminado, ele não pode ser um terapeuta autêntico, um terapeuta de verdade.

Somente um Buda pode ser um terapeuta de verdade, porque ele não tem problemas herdados. Ele pode se fundir e mesclar com o paciente, pois, para ele, na verdade, o paciente não é nenhum paciente.

Essa é a diferença entre a relação que existe entre um paciente e seu terapeuta e a relação entre um discípulo e um mestre. O discípulo não é um paciente, o discípulo é uma pessoa querida, um ente querido. O mestre não é apenas um observador, ele se tornou um participante. Eles perderam suas entidades separadas, tornaram-se uma única entidade, e essa unicidade ajuda.

Abraçar é apenas um gesto de unicidade, e até mesmo o gesto ajuda.

Então, a pessoa que perguntou está certa. Ela perguntou: "Por que o abraço é uma ferramenta terapêutica tão incrivelmente eficaz?"

Ele é, e é só um gesto. Se isso é verdade, e não é apenas um gesto, pois o coração também está nele, pode ser uma ferramenta mágica, pode ser um milagre. Pode transformar toda a situação de forma imediata.

Algumas coisas sobre isso devem ser entendidas. Uma delas é: a ideia de que a criança morre e o homem se torna adolescente, depois, o adolescente morre e o homem se torna jovem, depois, o jovem morre e se torna um indivíduo de meia-idade, e assim sucessivamente, e assim por diante, está errada. A criança nunca morre, nada morre. A criança está lá, sempre está lá, envolta em outras experiências, envolta na adolescência, depois, na juventude, depois, na meia-idade, depois, na velhice, mas a criança está sempre lá.

O ser humano é exatamente como uma cebola, camada sobre camada, mas se a cebola for descascada, logo serão encontradas camadas mais frescas por dentro. Basta ir mais fundo para encontrar cada vez mais camadas frescas. O mesmo vale para o homem: ao ir fundo nele sempre é possível encontrar a criança inocente, e entrar em contato com essa criança inocente é terapêutico.

O abraço proporciona um contato imediato com a criança. Se ao abraçar alguém com calor humano, amor, esse não for somente um gesto impotente, se for significativo, importante, verdadeiro, se o coração estiver fluindo através desse abraço, entra-se imediatamente em contato com a criança, com a criança inocente. E quando a criança inocente vem à tona, mesmo que por um único momento, faz uma grande diferença, pois a inocência dela é sempre saudável e por inteiro, não é corrompida. Chega-se ao núcleo mais íntimo da pessoa, onde nenhuma corrupção jamais entrou; chega-se ao núcleo virgem, e só de fazer com que o núcleo virgem pulse novamente com vida já é o suficiente. Com esse abraço você dá início e desencadeia um processo de cura.

Toda criança é tão fresca, tão viva, tão cheia de entusiasmo que sua própria vivacidade a torna saudável.

Se você puder tocar a criança no paciente, de alguma forma... e o abraço é simplesmente uma das coisas mais importantes.

A análise é o caminho da mente, o abraço é o caminho do coração. A mente é a causa de todas as doenças e o coração é a fonte de toda cura.[1]

---

[1] *The Wild Geese and the Water* [Os gansos selvagens e a água], Capítulo 4.

Um homem entra no consultório de um psiquiatra.

Um homem entra no consultório de um psiquiatra e diz:

— Doutor, vou sair da minha mente. Fico pensando que sou uma zebra. Toda vez que me olho no espelho, meu corpo inteiro está coberto com listras pretas.

O psiquiatra tenta acalmá-lo:

— Fique tranquilo, tudo ficará bem — diz ele. — Respire fundo, vá para casa e tome estes comprimidos, tenha uma boa noite de sono e garanto que as listras pretas vão desaparecer completamente.

Então, o pobre homem vai para casa, e retorna dois dias depois, dizendo:

— Doutor, eu me sinto ótimo. Tem alguma coisa para as listras brancas?

Mas o problema continua.

Depois que isso aconteceu, alguém trouxe um jovem louco para mim. O jovem estava com uma ideia maluca de que moscas tinham entrado em seu corpo, através do nariz ou da boca, durante o sono, e que elas continuavam rodopiando dentro dele. Então, é claro que ele estava com um problema sério. Ele se virava de um lado para o outro e não podia sequer sentar, justamente por causa daqueles dervixes rodopiantes dentro dele, e não conseguia dormir. Uma agonia contínua. O que fazer com esse rapaz? Então, eu lhe disse:

— Deite-se na cama, tenha um bom descanso de dez minutos e faremos tudo o que puder ser feito.

Eu o cobri com um lençol para que ele não pudesse ver o que estava acontecendo, e corri por toda a casa para pegar algumas moscas. Foi difícil, porque eu nunca tinha feito isso antes, mas minha experiência de pegar pessoas ajudou.

De alguma forma, consegui apanhar três moscas. Coloquei-as em uma garrafa, trouxe-as para o jovem, fiz uns movimentos tipo abracadabra sobre ele, depois mandei que ele abrisse os olhos, e mostrei-lhe a garrafa.

Ele olhou para a garrafa e disse:

– Sim, você pegou algumas, mas só as menores. As grandes ainda estão lá, e elas são enormes.

Agora ficara difícil. Onde eu iria obter tais moscas grandes?

– Estou muito, muito grato a você. Pelo menos você me livrou das menores, mas as grandes são realmente muito grandes – disse o jovem.

As pessoas continuam. Se alguém as ajuda de um lado, elas vão trazer o mesmo problema do outro, como se houvesse uma certa necessidade de profundidade. Tente entender isso.

Viver sem qualquer problema é muito difícil, quase humanamente impossível. Por quê? Porque o problema é uma distração para a pessoa. O problema dá uma ocupação a ela. O problema dá uma ocupação a ela sem ter propriamente um negócio. O problema envolve a pessoa. Se não houver nenhum problema, a pessoa não vai ser capaz de se apegar à periferia de seu ser. Ela vai ser sugada pelo centro.

E o centro de seu ser está vazio. É exatamente como o eixo de uma roda. A roda inteira se move sobre o eixo vazio. Seu núcleo mais profundo está vazio, não tem nada, não existe, *shunyam* [espaço vazio], é nulo, é como um abismo. A pessoa tem medo desse vazio, portanto, ela continua a se agarrar à borda da roda ou, no máximo, se for um pouco ousada, agarra-se aos parafusos, mas nunca se move em direção ao eixo. Ela começa, então, a sentir medo, sentir-se insegura.

Os problemas ajudam a pessoa. Com algum problema para resolver, como é possível ir para dentro de si mesmo? As pessoas vêm a mim e dizem: "Queremos ir para dentro de nós mesmos, mas há problemas." Elas acham que, por causa dos problemas, não podem se interiorizar. Na verdade, é exatamente o oposto: elas estão criando problemas porque não querem ir para dentro de si.

É preciso deixar que esse entendimento se torne tão profundo em seu ser quanto possível: os problemas são, todos eles, falsos.

Continuo respondendo aos problemas das pessoas apenas para ser educado. Eles são todos falsos, basicamente insignificantes, mas ajudam-nas a evitar a si mesmas. Eles as distraem. É o que parece. Como alguém pode entrar? Há tantos problemas a serem resolvidos primeiro. Mas basta que um problema seja resolvido para que outro surja imediatamente. E, ao olhar, observar, é possível ver que o outro problema tem a mesma qualidade do primeiro. Ao tentar resolvê-lo, um terceiro surge, que é imediatamente substituído.

Deixe-me contar uma anedota.

– Vocês, adolescentes, são uma ameaça. Vocês não têm nenhum senso de responsabilidade – diz o psiquiatra a seu paciente. – Esqueça as questões materiais e pense em outras coisas, como ciências, matemática etc. Como você está em matemática?

– Não muito bem – responde o paciente.

– Vou lhe dar um teste para sua informação concreta. Agora, me dê um número – disse o psiquiatra.

– Sete, seis, três, quatro, quatro, sete. É o telefone da loja onde minha namorada trabalha.

– Não quero o número do telefone, apenas um número comum – pediu o psiquiatra.

– Tudo bem. Então, 37.

— Está melhor. Agora um outro número, por favor — solicitou o psiquiatra.
— Vinte e dois.
— E mais uma vez — pediu o psiquiatra.
— Trinta e sete.
— Muito bem, muito bem. Veja, você pode fazer com que sua mente trabalhe em outras direções, se quiser — esclareceu o psiquiatra.
— Correto: 37-22-37! Cara, que medidas!

De volta à namorada. Se não através do número de telefone, então, através das medidas. E assim por diante, *ad infinitum*.
É preciso olhar para o essencial. Por que as pessoas querem criar problemas, em primeiro lugar? Realmente há problemas?
Será que as pessoas já fizeram a pergunta mais importante para si mesmas? Que é a seguinte: "Realmente há problemas ou eu os estou criando, e me habituei a criá-los, e os mantenho como companhia, e me sinto sozinho se não houver problemas?" Elas até gostariam de ser infelizes, mas não gostariam de se sentir vazias. As pessoas até se agarram aos seus sofrimentos, mas não estão prontas para se tornarem vazias.
Vejo isso todos os dias. Vem a mim um casal. Os dois estão brigando há anos, dizem que faz 15 anos que brigam. Casados há 15 anos e brigando e criando um inferno para o outro, continuamente. Então, por que não se separam? Por que permanecem agarrando o sofrimento? Ou muda ou separa. De que adianta desperdiçar a vida inteira deles? Mas eu posso ver o que está acontecendo.
Eles não estão dispostos a ficar sozinhos. Pelo menos o sofrimento lhes proporciona companhia. E eles não sabem, agora, se eles se separarem, como vão lidar com suas vidas. Eles se adaptaram a um padrão particular de conflito, raiva, rabugice,

briga, violência, de modo constante. Aprenderam o truque desse padrão. Agora, eles não sabem como estar em outra situação, com uma outra pessoa, que tenha uma personalidade diferente. Como estar com alguma outra pessoa? Eles não sabem mais nada. Aprenderam uma linguagem particular de sofrimento. Agora, eles sentem habilidade, eficiência nisso. Para andar com uma pessoa nova vai ser preciso começar as coisas do zero. Após 15 anos de permanência em um determinado negócio, a pessoa começa a ter medo de mudar para outro.

Ouvi falar sobre um grande astro de cinema que foi a um psiquiatra e disse:
– Não tenho talento para música, não tenho talento para atuar. Não sou um homem bonito. Meu rosto é feio, minha personalidade é muito pobre. O que devo fazer? – E ele é um ator famoso.
– Mas por que você não deixa de atuar? Se acha que não tem nenhum talento, nenhuma genialidade, e que este não é o trabalho que você pretendia desempenhar, por que não sai dessa profissão? – perguntou o psiquiatra.
– O quê?! Depois de vinte anos trabalhando nisso e de quase ter me tornado um astro famoso?!

A pessoa investe em suas desgraças também. Observe. Quando um problema se vai, apenas observe e verá que o verdadeiro problema imediatamente mudará para alguma outra coisa. É como se a cobra deslizasse para fora da pele velha, sem deixar de existir. (O "Por quê?" é a cobra. Ela estava preocupada quando a pessoa estava chorando. Agora o choro parou, e a pessoa está rindo. A cobra deslizou para fora da pele velha. Agora o problema é "Por quê?". Alguém pode imaginar uma vida sem nenhum "Por quê?"?)

Por que as pessoas fazem da vida um problema? A vida é tão bela, por que não vivê-la agora mesmo? Chorar é um gesto de vida. Rir também é um gesto de vida. Às vezes a pessoa fica triste, é um gesto de vida, um estado de espírito. Belo. Às vezes você está feliz, transbordando de alegria e dançando, e isso também é bom e belo. Qualquer coisa que aconteça, é preciso que as pessoas a aceitem, acolham-na e permaneçam com ela. Depois vão perceber, aos poucos, que abandonaram o hábito de fazer perguntas e criar problemas na vida.

E quando não se criam problemas, a vida revela todos os seus mistérios. Ela nunca se abre diante de uma pessoa que vive questionando. A vida está pronta para se revelar à pessoa se ela não fizer disso um problema. Se fizer disso um problema, o próprio ato de criar o problema fecha seus olhos. Daí, a pessoa se torna agressiva com a vida.

Essa é a diferença entre o esforço científico e o esforço religioso. O cientista é como um homem agressivo, que tenta arrancar as verdades da vida, que força a vida a entregar as verdades, com uma arma, com violência. Um homem religioso não se posiciona diante da vida com uma arma, questionando-a.

O homem religioso simplesmente relaxa com a vida, flutua com ela, e a vida, por sua vez, revela muitas coisas para o homem religioso que nunca vai revelar ao cientista. O cientista sempre vai recolher as migalhas caídas da mesa. O cientista nunca estará ali como um convidado.

Aqueles que vivem a vida, que a acolhem, aceitam-na com alegria, sem questionamento, porém com confiança, são os convidados.[2]

---

[2] *Yoga: a ciência da alma*, Vol. 9, Capítulo 6.

O que é neurose e qual é a cura para isso?

A neurose nunca foi tão epidêmica no passado quanto agora. Está praticamente tornando-se um estado normal da mente humana. Ela tem de ser entendida.

O passado foi mais saudável espiritualmente, e o motivo foi que a mente não era alimentada com tantas coisas ao mesmo tempo, a mente não ficava sobrecarregada. A mente moderna é sobrecarregada, e aquilo que deixa de ser assimilado gera neurose. É como se a pessoa continuasse a comer e a entupir o estômago. Aquilo que não é digerido pelo corpo vai ser venenoso. E o que se come é menos importante do que aquilo que se ouve e que se vê. A partir dos olhos, dos ouvidos, de todos os sentidos, recebem-se muitas coisas, a cada momento. E não há tempo extra de assimilação. É como se alguém estivesse constantemente sentado à mesa de jantar, comendo, comendo, 24 horas por dia.

Esta é uma situação da mente moderna: ela está sobrecarregada, são muitas coisas sobrecarregando-a. Não é nenhuma surpresa a mente entrar em colapso. Há um limite para cada mecanismo. E a mente é um dos mecanismos mais sutis e delicados.

A pessoa realmente saudável é aquela que leva 50% de seu tempo para assimilar suas experiências – 50% de ação, 50% de inércia, este é o equilíbrio certo; 50% de pensamento, 50% de meditação, esta é a cura.

A meditação não é nada além de um tempo em que a pessoa pode relaxar completamente dentro de si, em que ela fecha todas as suas portas, todos os seus sentidos, para o estímulo exterior. Ela desaparece do mundo. Esquece do mundo como se ele não existisse mais, sem jornais, sem rádio, sem televisão, sem gente.

O indivíduo está sozinho em seu ser mais íntimo, relaxado, confortável.

Nesses momentos, tudo o que acumulou foi assimilado. Aquilo que não tem valor é jogado fora. A meditação funciona como uma faca de dois gumes: de um lado, assimila tudo o que é nutritivo e, do outro, rejeita e joga fora tudo o que é lixo.

Mas a meditação desapareceu do mundo. Nos velhos tempos, as pessoas eram naturalmente meditativas. A vida não tinha complicações, e as pessoas tinham tempo suficiente para simplesmente sentar e não fazer nada, ou olhar para as estrelas, ou observar as árvores, ou ouvir os pássaros. As pessoas tinham intervalos de passividade profunda. Naqueles momentos, as pessoas se tornavam cada vez mais saudáveis e inteiras.

A neurose significa que a pessoa está carregando uma carga tão grande na mente que está provocando sua morte. Ela não consegue se mover. Não há dúvida quanto à fuga de sua consciência. Ela não consegue sequer se arrastar, o peso é muito grande. E o peso continua a crescer a cada momento. E a pessoa entra em colapso. É muito natural.

Algumas coisas para que fique entendido. A neurose é o rato que tenta indefinidamente sair pelo beco sem saída, e não aprende. Sim, o não aprender é neurose, esta é a primeira definição. A pessoa continua tentando sair pelo beco sem saída.

A pessoa está irritada. Quantas vezes as pessoas já ficaram irritadas? E quantas vezes já se arrependeram de ficar irritadas? Ainda assim, basta haver um estímulo para que a reação delas seja novamente a mesma. Não aprenderam nada. As pessoas são gananciosas, e a ganância cria cada vez mais infelicidade. Todo mundo sabe que a ganância nunca deu felicidade a ninguém, mas as pessoas ainda são gananciosas, continuam gananciosas. Ninguém aprendeu.

A não aprendizagem cria a neurose, ou seja, é a neurose.

Aprendizado significa assimilação. A pessoa experimenta algo e depois descobre que aquilo não funciona. Em seguida, descarta aquilo. Move-se em outra direção, tenta outra opção. Isso é sábio, é inteligente. Bater a cabeça contra a parede, onde sabe perfeitamente bem que não há nenhuma porta, é neurose.

As pessoas estão ficando cada vez mais neuróticas, porque continuam tentando o beco sem saída, continuam tentando aquilo que não funciona. O homem que é capaz de aprender nunca se torna neurótico, não consegue. Ele vê imediatamente quando há uma parede. Ele abandona a ideia toda. Começa a passar para outras dimensões. Há outras opções disponíveis. Ele aprendeu algo.

Dizem que Edison estava tentando uma experiência em que fracassara setecentas vezes. Seus colegas ficaram desesperados. Três anos foram perdidos e ele continuava tentando novas formas, repetidas vezes. E toda manhã ele retornava com grande entusiasmo, o mesmo entusiasmo do primeiro dia. E três anos foram desperdiçados.

Um dia, seus colegas se reuniram e disseram a ele:

– Não conseguimos entender. Falhamos setecentas vezes. Está na hora de abandonar a experiência.

Edison teria dito:

– O que querem dizer com "falhamos"? Aprendemos que as setecentas opções eram opções erradas. Foi uma grande experiência! Hoje não vou tentar o mesmo experimento, pois descobri um outro. Estamos chegando mais perto da verdade. Quantas maneiras falsas podem existir? Deve haver um limite. Se houver mil maneiras falsas, então, setecentas já foram descartadas, restam apenas trezentas. E, depois, chegaremos ao ponto certo.

Isto é aprendizagem. Tentar uma experiência e, ao ver que ela não dá certo, tentar uma opção e, ao ver que esta não funciona, o homem sábio a abandona. O tolo se apega a ela. O tolo chama a isso de consistência. O tolo diz: "Fiz isso ontem e vou fazer isso hoje também. E farei amanhã." Ele é teimoso, cabeça-dura. Ele diz: "Como é que posso deixá-la? Investi tanto nisso! Não posso mudar isso!" Então, ele prossegue insistindo naquilo, e sua vida inteira é desperdiçada. E, à medida que a morte se aproxima, ele fica desesperado, sem esperança. No fundo ele sabe perfeitamente que vai fracassar. Fracassou tantas vezes! E ainda está tentando a mesma coisa, sem ter aprendido nada. Isso gera a neurose.

O homem que é capaz de aprender nunca vai se tornar neurótico.

Um discípulo nunca vai se tornar neurótico. Um "discípulo" significa aquele que é capaz de aprender. Nunca se torna suficientemente bem-informado, está sempre em processo de aprendizagem.

A necessidade de ter muito conhecimento deixa as pessoas neuróticas. Não é por acaso que professores, filósofos, psiquiatras, estudiosos enlouquecem com facilidade. Eles aprenderam e chegaram à conclusão de que não há mais o que aprender. No momento em que decide que não há mais o que aprender a pessoa para de crescer.

Parar de crescer é neurose – esta é a segunda definição.

O mundo era muito diferente no passado, é óbvio. O equivalente a cerca de seis semanas de estímulos sensoriais, há seiscentos anos, é o que hoje obtemos em um dia. O equivalente a seis semanas de estímulos, informações, hoje se adquire em um único dia, ou seja, cerca de quarenta vezes a pressão para aprender e se adaptar. O homem moderno tem de ser capaz de aprender mais do que o homem jamais aprendeu antes, porque há mais o que aprender agora.

O homem moderno tornou-se capaz de se adaptar a novas situações todos os dias, porque o mundo está mudando muito rapidamente. É um grande desafio.

Um grande desafio, se aceito, vai ajudar bastante na expansão da consciência. Ou o homem moderno vai ser totalmente neurótico ou o homem moderno vai ser transformado pela própria pressão. Depende de como ele lida com isso. Uma coisa é certa: não tem como voltar atrás. Os estímulos sensoriais vão continuar a crescer cada vez mais. O homem obterá cada vez mais informações, e a vida mudará em um ritmo cada vez mais rápido. E ele terá de ser capaz de aprender coisas novas, de se adaptar a coisas novas.

No passado, o homem vivia em um mundo praticamente estático. Tudo era estático. O homem deixaria o mundo exatamente como seu pai deixara para ele. Não teria mudado nada absolutamente. Nada havia mudado. Não havia motivo para aprender muito. Um pouco de aprendizado era o suficiente. E, com isso, o ser humano tinha espaços em sua mente, espaços vazios que ajudavam as pessoas a permanecerem sãs. Agora não há mais espaço vazio, a menos que alguém o crie intencionalmente.

A meditação é necessária mais do que nunca nos dias de hoje.

A meditação é tão necessária que é quase uma questão de vida ou morte.

No passado, a meditação era um luxo, tanto que poucas pessoas, como um Buda, um Mahavira, um Krishna, se interessavam por isso. Outros mantinham-se naturalmente em silêncio, eram naturalmente felizes e sãos. Não havia a necessidade de se pensar em meditação, pois, de forma inconsciente, eles estavam meditando. A vida se movia de forma tão silenciosa, tão devagar, que até as pessoas mais estúpidas eram capazes de se adaptar a ela. Agora, a mudança é extremamente rápida, com uma velocidade tal que até os mais inteligentes se sentem incapazes de se adaptar. A cada dia a vida é diferente, e as pessoas têm que aprender de novo, têm de aprender repetidas vezes.

Nunca podem parar de aprender agora, e tem que ser um processo para toda a vida.

Até a hora da própria morte vão ter que continuar a ser aprendizes, pois só assim poderão permanecer sãs, e evitar a neurose. E a pressão é grande – quarenta vezes maior.

Como não sucumbir a essa pressão? A pessoa precisará ter momentos meditativos, de modo intencional. Se uma pessoa não meditar pelo menos uma hora por dia, então a neurose não ocorrerá por acaso, será criada por ela própria.

Durante uma hora a pessoa deve desaparecer do mundo em seu próprio ser. Durante uma hora ela deve ficar tão sozinha que nada penetre nela, nenhuma memória, nenhum pensamento, nenhuma imaginação, uma hora sem nenhum conteúdo em sua consciência, e isso vai rejuvenescê-la e recarregá-la. Isso vai liberar novas fontes de energia nela, de modo que ela venha a estar de volta no mundo mais jovem, mais revigorada, com maior capacidade de aprender, com mais admiração em seus olhos, com mais reverência em seu coração – como uma criança novamente.

Essa pressão de aprender e o velho hábito de não aprendizagem estão levando as pessoas à loucura. A mente moderna é realmente sobrecarregada, e não há tempo para digeri-la, para assimilá-la dentro do próprio ser. É aí que a meditação entra e se torna mais significativa do que nunca.

Sem dar tempo para que a mente descanse em meditação, as pessoas reprimem todas as mensagens que vão sendo despejadas nela constantemente. Elas se recusam a aprender, dizem que não têm tempo. Então, as mensagens começam a acumular. Se elas não têm tempo suficiente para ouvir as mensagens que a mente recebe de forma contínua, elas começam a se acumular, assim como arquivos que se acumulam em cima da mesa, pilhas de cartas que se acumulam na mesa, porque não houve tempo suficiente para lê-las e respondê-las. É exatamente assim que a mente se torna atravancada: são tantos arquivos à espera de serem analisados, tantas cartas a serem lidas, a serem respondidas, tantos desafios a serem adotados, a serem enfrentados!

Ouvi dizer que certa vez Mulla Nasruddin disse o seguinte: "Se acontecer algo de errado hoje, não terei tempo, durante pelo menos três meses, de analisar isso. Tantas coisas erradas já aconteceram e que estão à espera! Se acontecer algo de errado hoje, não terei tempo de analisar durante três meses, pelo menos."

Uma fila. É possível ver essa fila dentro de cada um, e ela vai crescendo. E quanto maior a fila, menor é o espaço que se tem; quanto maior a fila, maior é o barulho no interior, porque tudo o que a pessoa tiver acumulado exige sua atenção.

Isso geralmente começa por volta dos 5 anos de idade, quando o verdadeiro aprendizado praticamente para, e dura até a morte. Antigamente, isso não era problema. Cinco ou sete anos eram suficientes para se aprender tudo o que era necessário na vida, era o que bastava. O aprendizado de sete anos fazia setenta anos de vida. No entanto, agora, isso não é possível.

As pessoas não podem parar de aprender porque sempre acontecem coisas novas, e não se pode enfrentar coisas novas com velhas ideias. Não se pode depender dos pais e de seu conhecimento, não se pode nem mesmo depender dos professores na escola ou na universidade, porque o que eles estão falando já está desatualizado. Aconteceram muito mais coisas. Muito mais água desceu no rio Ganges.

Essa foi a minha experiência quando fui aluno. Eu ficava surpreso com o conhecimento dos meus professores na universidade, porque eles tinham trinta anos de idade. E foi quando eram jovens que reuniram o conhecimento de seus professores. Desde então, não observaram o que acontecia. Esse conhecimento foi absolutamente inútil.

Eu entrava constantemente em conflito com meus professores na universidade, e fui expulso de muitas faculdades, porque os professores disseram que não podiam lidar comigo. E eu não estava criando nenhum problema, estava simplesmente tornando-os conscientes de que o que eles diziam estava desatualizado. No entanto, isso fere o ego. Eles aprenderam isso em sua própria época de universidade e achavam que o mundo tinha parado ali mesmo.

Agora, os alunos não podem depender dos professores, e as crianças não podem depender de seus pais, e, consequentemente, uma grande rebelião está a caminho em todo o mundo. Não tem nada a ver com nenhuma outra coisa. Os alunos não podem mais respeitar seus professores, a não ser que esses professores aprendam de forma continuada. Eles não podem ser respeitados. Pelo quê? Não há nenhuma razão. E as crianças não podem respeitar seus pais, porque a abordagem dos pais parece muito primitiva. Crianças pequenas estão ficando conscientes de que o que os pais dizem está desatualizado. Os pais vão ter que aprender continuamente, se quiserem ajudar seus filhos a crescer, e os professores também vão ter que aprender constantemente. Agora, ninguém pode parar de aprender. E essa velocidade vai aumentar de forma constante.

Assim, em primeiro lugar, a aprendizagem não deve ser interrompida, pois, do contrário, a pessoa fica neurótica, uma vez que deixar de aprender significa que está acumulando informações que não foram assimiladas, digeridas, e que não se tornaram seu sangue, seus ossos, sua essência. Vão ficar em volta da pessoa com grande insistência para serem assimiladas.

Em segundo lugar, a pessoa vai precisar de tempo para relaxar. Essa pressão é grande demais. Será necessário se afastar por algum tempo dela. O sono não pode mais ajudar a pessoa, porque o sono, em si, está ficando sobrecarregado. O dia é tão sobrecarregado que, quando a pessoa vai dormir, apenas o corpo cai mole na cama, mas a mente continua a resolver coisas. Isso é o que se chama de sonhar: não é nada além de um esforço desesperado da mente para resolver coisas, porque a pessoa não vai ter tempo para tal.

É preciso relaxar conscientemente em meditação. Poucos minutos de meditação profunda vão mantê-las distante da neurose.

Na meditação, a mente desatravanca, as experiências são digeridas e a sobrecarga desaparece, e a mente fica revigorada e jovem, clara e limpa.

No passado, o volume de entrada era um décimo do tempo de alguém, e o tempo de meditação era de nove décimos. Agora, é o inverso: o volume de entrada é de nove décimos e o tempo de meditação é de um décimo.

É muito raro o homem realmente relaxar. É muito raro sentar-se em silêncio, sem fazer nada. Mesmo aquele tempo de um décimo de meditação inconsciente está desaparecendo. Quando isso acontecer, o homem vai ficar completamente louco. E isso já está acontecendo.

O que quero dizer com tempo de meditação inconsciente? É simplesmente ir até o jardim, brincar com os filhos, esse é o tempo de meditação inconsciente. Ou nadar na piscina, esse é o tempo de meditação inconsciente. Ou aparar a grama, ouvir os pássaros, esse é o tempo de meditação inconsciente. Isso também está desaparecendo, porque, sempre que as pessoas têm tempo, estão sentadas em frente à TV, grudadas em seus assentos.

E informações perigosíssimas são colocadas na mente da pessoa através da TV, informações que ela não vai ser capaz de digerir. Ou a pessoa lê jornais, e absorve todo o tipo de absurdo. Sempre que tem tempo, liga o rádio ou a TV. Ou, um dia sente-se muito bem e quer relaxar, então vai ao cinema. Que tipo de relaxamento é esse? O cinema não permitirá que ela relaxe, porque as informações lhe são lançadas constantemente.

O relaxamento significa que não é lançada nenhuma informação para a pessoa.

Ouvir um cuco vai dar certo, porque nenhuma informação é absorvida pela pessoa. Ouvir música vai dar certo, porque não lhe é lançada nenhuma informação. A música não tem linguagem, é puro som. Não oferece nenhuma mensagem, simplesmente dá prazer à pessoa. Dança vai ser bom, música vai ser bom, trabalhar no jardim vai ser bom, brincar com as crianças vai ser bom. Ou simplesmente sentar-se, sem fazer nada, vai ser bom. Esta é a cura. E, se for feito de modo consciente, o impacto será maior.

É preciso criar um equilíbrio.

A neurose é um estado da mente em desequilíbrio: atividade demais e falta de inatividade, masculino demais e ausência de feminino, *yang* demais e muito pouco *yin*. E o indivíduo tem que ser meio a meio. Tem que manter um equilíbrio profundo. É preciso uma simetria dentro de si. Tem que ser um *ardhanarishwar*, ou seja, metade homem, metade mulher, para nunca ficar neurótico.

A individualidade não é nem masculina, nem feminina, é a simples união. Esforce-se para alcançá-la entre o tempo despendido fazendo algo *versus* o tempo despendido sem fazer nada. Essa é a totalidade. Isso é o que Buda chamou de seu

Caminho do Meio, *majjhim nikaya*. Basta estar exatamente no meio. E é preciso lembrar que a pessoa pode ficar desequilibrada no outro extremo também, ou seja, pode se tornar inativa demais. Isso também será perigoso. Ela tem suas próprias armadilhas e seus perigos. Se a pessoa se torna inativa demais, sua vida perde a dança, sua vida perde a alegria, e ela começa a morrer.

Portanto, não estou dizendo para a pessoa se tornar inativa, estou dizendo que deixe haver um equilíbrio entre a ação e a inércia. É preciso permitir que elas se equilibrem entre si e que a pessoa fique exatamente no meio. A pessoa deve deixar que elas sejam duas asas de seu ser. Nenhuma asa deve ser maior do que a outra.

No Ocidente, a ação tornou-se grande demais, e a inércia desapareceu. No Oriente, a inércia tornou-se muito grande, e a ação desapareceu. O Ocidente conhece a abundância, a riqueza, do lado de fora, e a pobreza do lado de dentro, enquanto o Oriente conhece a riqueza, a abundância do lado de dentro, e a pobreza do lado de fora. Ambos estão no sofrimento porque ambos escolheram os extremos.

A minha abordagem não é nem oriental, nem ocidental, a minha abordagem não é nem masculina, nem feminina, a minha abordagem não é nem de ação, nem de inércia, a minha abordagem é de total equilíbrio, simetria, no ser. Por isso, digo aos meus *sannyasins*: não deixem o mundo. Estejam no mundo, no entanto, não pertençam a ele. Isso é o que os taoístas chamam de *wei-wu-wei*, ação através da inação, é o encontro do *yin* com o *yang*, da *anima* com o *animus*, e que traz a iluminação. O desequilíbrio é a neurose, o equilíbrio é a iluminação.[3]

---

[3] *The Secret of Secrets* [O segredo dos segredos], Vol. 1, Capítulo 12.

Por favor, fale um pouco sobre a loucura. Vejo que os psiquiatras não sabem nada sobre isso, apesar de todos os seus esforços. Parece haver dois tipos de loucura. Você falou da loucura como um passo em direção à iluminação, e também de uma forma severa de covardia em enfrentar a realidade da vida, a que chamou de psicose. Nem todo louco que alega ser Jesus Cristo parece ter tido uma experiência de Deus.

A loucura é de dois tipos, mas a psiquiatria moderna tem conhecimento de apenas um deles. E o fato de ela não conhecer o outro tipo faz com que o seu conhecimento sobre a loucura seja muito desigual, errôneo, deficiente e prejudicial também.

O primeiro tipo de loucura de que os psiquiatras têm conhecimento está caindo abaixo da mente racional. Quando a pessoa não consegue lidar com as realidades, quando as realidades são intoleráveis, quando se tornam insuportáveis, a loucura é uma maneira de fugir para o próprio mundo subjetivo, de modo que ela possa esquecer as realidades que estão presentes. Ela cria o próprio mundo subjetivo, começa a viver em uma espécie de mundo imaginário, e começa a sonhar até mesmo de olhos abertos, de modo que consiga evitar as realidades que se tornaram intolerantes e que são insuportáveis. Isso é um refúgio, a pessoa cai abaixo da mente racional. Isso é um retorno para a mente animal. Isso é mergulhar no inconsciente.

Há outras pessoas que lidam com a mesma coisa de outras maneiras. O alcoólatra lida por meio do álcool. Bebe demais, torna-se completamente inconsciente. Esquece o mundo inteiro e todos os problemas e ansiedades: a esposa, os filhos, o mercado, as pessoas. Ele passa para o seu inconsciente com a ajuda do álcool. Esse é um tipo temporário de loucura, que vai embora após algumas horas.

E sempre que há momentos difíceis no mundo as drogas se tornam muito importantes. Depois da Segunda Guerra Mundial as drogas se tornaram de grande importância em todo o mundo, particularmente nos países que viram a guerra, nos países que se tornaram conscientes de que as pessoas estavam sentadas em um vulcão que poderia entrar em erupção a qualquer momento. O mundo inteiro viu Hiroshima e Nagasaki sendo queimadas em questão de segundos, 100 mil pessoas queimadas em cinco segundos. Agora, a realidade está difícil de suportar. E é por isso que a nova geração, a geração mais jovem, passou a se interessar pelas drogas.

As drogas e seu impacto em todo o mundo, e sua influência na nova geração, estão enraizadas na experiência da Segunda Guerra Mundial. Foi a guerra que criou os hippies, que criou as pessoas drogadas, uma vez que a vida estava tão perigosa e a morte podia acontecer a qualquer momento... como evitá-la, como esquecer tudo sobre isso?

Em tempos de estresse e tensão, as pessoas começam a usar drogas. E isso sempre foi assim. É uma maneira de criar uma loucura temporária. E por loucura quero dizer cair abaixo da mente racional, porque somente a mente racional pode estar ciente dos problemas. Ela não conhece nenhuma solução, conhece somente problemas. Assim, se os problemas são controláveis, e a pessoa consegue conviver com eles, ela permanece sã. Quando a pessoa percebe que isso se torna insuportável, ela enlouquece.

A insanidade é um processo incorporado para evitar problemas, realidades, ansiedades e situações de estresse.

As pessoas os evitam de muitas maneiras. Alguém vai se tornar alcoólatra, alguém vai tomar LSD, alguém vai fumar maconha. E há outras pessoas que não são corajosas, e que vão ficar doentes. Essas vão ter câncer, tuberculose, paralisia e, depois, podem dizer ao mundo: "O que eu posso fazer? Estou paralisada. Se não posso enfrentar as realidades, não é de minha responsabilidade. Agora estou paralisada..." ou "Se o meu negócio está degringolando, o que posso fazer? Estou com câncer".

Estas são maneiras de as pessoas protegerem o ego, maneiras pobres, maneiras lastimáveis, mas, ainda assim, maneiras de proteger o ego.

Em vez de abandonar o ego, as pessoas o protegem.

Onde quer que a vida se torne tensa em demasia, todas essas coisas vão acontecer. As pessoas vão ter doenças estranhas, doenças incuráveis. E essas doenças são incuráveis porque há um grande apoio interno à pessoa para a doença, e se a pessoa não cooperar com a medicina e com o médico, não há possibilidade de curá-la. Ninguém pode curar uma pessoa contra ela própria: é bom lembrar disso como uma verdade fundamental.

Se por parte da pessoa houver um investimento profundo no câncer, se ela quiser que o câncer esteja presente, porque a protege, isso lhe dará uma sensação de que é por causa do câncer que ela não é capaz de lutar no mercado, que ela não é capaz de competir, que é por causa do câncer. E se isso lhe dá satisfação, se esse investimento está presente, então ninguém poderá curá-la, porque ela vai continuar criando doenças. É uma doença psicológica, está enraizada em sua psicologia.

E todo mundo sabe disso. Os alunos começam a se sentir mal quando a prova se aproxima. Alguns alunos enlouquecem na hora da prova. E, após a avaliação, eles ficam bem novamente. Toda vez que têm prova, eles adoecem, com febre, com pneumonia, com hepatite, isto e aquilo. Qualquer um que observar, vai se surpreender. Por que na época de provas tantos alunos adoecem? E de repente, depois delas, tudo volta ao normal. Isso é um truque, uma estratégia. Eles podem dizer para os pais: "O que posso fazer? Eu estava doente, foi por isso que não passei" ou "Eu estava doente, foi por isso que fiquei em terceiro. Caso contrário, a medalha de ouro com certeza seria minha". É uma estratégia.

Se a doença da pessoa é uma estratégia, então, não há como curá-la. Se o alcoolismo é uma estratégia, então, não há nenhuma maneira de curá-lo, porque a pessoa quer que o alcoolismo esteja presente. O ser humano é um criador, ele cria isso por conta própria, talvez não de forma consciente.

E, então, há a loucura, que é o último recurso. Quando tudo fracassa, até mesmo o câncer, o álcool, a maconha, a paralisia, quando tudo realmente fracassa, o último recurso é enlouquecer.

Por isso é que a loucura acontece mais nos países do Ocidente do que no Oriente, porque [no Oriente] a vida ainda não é tão estressante. As pessoas são pobres, mas a vida não é tão estressante. As pessoas são tão pobres que não podem arcar com tanto estresse. As pessoas são tão pobres que não podem pagar psiquiatras, psicanalistas.

A loucura é um luxo. Só países ricos podem arcar com isso.

Esse é um tipo de loucura de que os psicólogos têm conhecimento: mergulhar abaixo da mente racional, mover-se para o inconsciente, abandonar a pouca consciência restante, que não era muita em um primeiro momento, uma vez que apenas um décimo da mente estava consciente. A pessoa estava exatamente como um iceberg, um décimo acima da superfície, nove décimos abaixo da superfície. Nove décimos de sua mente estavam inconscientes. A loucura significa abandonar aquele décimo consciente, de modo que todo o iceberg vá para baixo da superfície.

Mas há outro tipo de loucura, também chamada assim em função de certa semelhança, que está além da mente racional. Uma cai abaixo da mente racional, enquanto a outra fica acima da mente racional, para cima. Em ambos os casos a mente racional está perdida: no primeiro, a pessoa fica inconsciente e, no segundo, superconsciente. Em ambos os casos a mente comum está perdida.

No primeiro caso, a pessoa fica totalmente inconsciente, e surge certa integridade nela. É possível observar: há certa integridade nas pessoas loucas, certa consistência, elas são uma unidade. Pode-se confiar em um louco. Ele não é dois, ele é único. É muito consistente, porque tem apenas uma mente, que é o inconsciente. A dualidade desapareceu. Além disso, é possível encontrar certa inocência em um louco. Ele é como uma criança. Ele não é astuto, não pode ser. Na verdade, ele teve de se tornar louco porque não podia se tornar astuto. Não podia lidar com um mundo astuto. Há de se encontrar certa simplicidade, certa pureza, em um louco.

Basta observar pessoas loucas para se apaixonar por elas. Elas têm uma espécie de unidade. Elas não são divididas, não são separadas, são uma unidade. É claro, elas são uma unidade contra a realidade, elas são uma unidade em seu mundo de sonhos, elas são uma unidade em suas ilusões, mas são uma unidade. A loucura tem uma consistência, uma união. Não há nenhuma dúvida nisso, é crença total.

E o mesmo vale para o caso com o outro tipo de loucura. O homem vai acima da razão, além da razão, torna-se completamente consciência, superconsciente. Na primeira loucura, o décimo que estava consciente é dissolvido nas nove partes, os nove décimos, que estavam inconscientes. Na segunda loucura, os nove décimos que não estavam conscientes começam a se mover para cima, e todos eles vêm para a luz, acima da superfície. A mente como um todo se torna consciente.

Este é o significado de a palavra "Buda" tornar-se absolutamente consciente. Agora, esse homem também vai parecer louco, porque será consistente, completamente consistente. Ele estará autoconfiante, mais autoconfiante do que qualquer louco jamais poderá estar. Ele estará completamente integrado. Ele será um indivíduo, literalmente um "indivíduo", que significa indivisível. Ele não terá nenhuma divisão.

Portanto, os dois são parecidos: o louco tem convicção e o Buda, confiança. E confiança e convicção são parecidas. O louco é uma unidade, completamente inconsciente; o Buda também é uma unidade, mas totalmente consciente. E a unicidade de ambos é semelhante. O louco abandonou a razão, o raciocínio, a mente, da mesma forma que o Buda, uma vez que ele também abandonou o raciocínio, a racionalidade, a mente. Embora isso seja semelhante, eles são polos opostos. Um caiu abaixo da humanidade e o outro se elevou acima da humanidade.

A psicologia moderna permanecerá incompleta caso não comece a estudar os Budas. Vai ficar incompleta, sua visão vai permanecer incompleta, parcial, e uma visão parcial é muito perigosa. Uma verdade parcial é muito perigosa, mais perigosa do que uma mentira, porque dá a impressão de que é o que está certo.

A psicologia moderna tem que dar um salto quântico. Tem que se tornar a psicologia dos Budas. Terá que ir fundo no sufismo, no hassidismo, no zen, no tantra, na yoga, no tao. Somente depois é que será realmente psicologia. A palavra "psicologia" significa a ciência da alma. Portanto, ainda não é psicologia, ainda não é a ciência da alma.

Estas são as duas possibilidades: a pessoa pode ficar abaixo de si ou pode ficar acima de si.

Torne-se louco como Buda, Bahaudin, Maomé, Cristo. Torne-se louco como eu. E essa loucura tem uma grande beleza, porque tudo que é belo nasce dessa loucura, e tudo o que é poético flui dessa loucura. As maiores experiências da vida, os maiores êxtases da vida, nascem dessa loucura.[4]

No Ocidente, a psicanálise se desenvolveu através de Freud, Adler, Jung e Wilhelm Reich, para resolver os problemas provenientes do ego, como frustrações, conflitos, esquizofrenia e loucura. Em comparação com suas técnicas de meditação, por favor, explique as contribuições, as limitações e as deficiências do sistema de psicanálise na solução dos problemas humanos enraizados no ego.

A primeira coisa a ser entendida é que nenhum problema enraizado no ego pode ser solucionado sem que se transcenda o ego. Pode-se protelar o problema, pode-se conceder um pouco de normalidade, pode-se criar um pouco de normalidade em relação a ele, pode-se diluir o problema, mas não se pode solucioná-lo. Pode-se fazer com que o homem funcione de forma mais eficiente na sociedade através da psicanálise, mas ela nunca dá solução a um problema. E sempre que um problema é protelado, alterado, cria um outro problema. Ele simplesmente muda de lugar, mas permanece presente. Uma nova erupção virá, mais cedo ou mais tarde, e quando a nova erupção do velho problema ocorrer, será mais difícil protelá-lo e alterá-lo.

A psicanálise é um alívio temporário, porque ela não pode conceber nada que transcenda o ego. Um problema pode ser solucionado somente quando a pessoa pode ir além dele. Se ela não puder ir além dele, então, ela é o problema. Nesse caso, quem vai solucioná-lo? Como alguém poderá solucioná-lo?

---

[4] *The Secret* [O segredo], Capítulo 20.

Portanto, a pessoa é o problema, ou seja, o problema não é algo separado dela.

Yoga, tantra e todas as técnicas de meditação baseiam-se em um fundamento diferente. Dizem que os problemas estão presentes, que os problemas estão em torno da pessoa, mas que a pessoa nunca é o problema. A pessoa pode transcendê-los, pode olhar para eles como um observador que olha de cima da colina para o vale embaixo.

Este ser que observa a si mesmo pode ser uma solução para o problema. Realmente, apenas testemunhar um problema já é metade da solução, pois quando a pessoa pode testemunhar um problema, quando pode observá-lo de forma imparcial, quando não está envolvida nele, ela pode estar ao lado e olhar para o problema. A própria clareza que vem desse testemunho lhe dá a pista, a chave secreta. E quase todos os problemas estão lá, porque não há uma forma clara para compreendê-los.

Soluções não são necessárias. O que se necessita é clareza.

Um problema devidamente compreendido é resolvido, porque um problema surge através de uma mente que não compreende.

Você cria o problema porque não o compreende. Então, a questão não é solucionar o problema, a questão é criar maior compreensão. E se houver maior compreensão e maior clareza, e o problema puder ser enfrentado de forma imparcial, observado como se não pertencesse a você, como se pertencesse a outra pessoa, se você puder criar uma distância entre o problema e você – somente então o problema poderá ser resolvido.

A meditação cria uma distância, dá à pessoa uma perspectiva. Ela vai além do problema. O nível de consciência muda.

Através da psicanálise a pessoa permanece no mesmo nível. O nível nunca muda, a pessoa está ajustada no mesmo nível novamente. Sua percepção, sua consciência, sua capacidade de testemunhar não mudam. À medida que entra na meditação, ela se desloca cada vez mais alto. E pode olhar de cima para seus problemas. Eles agora estão no vale, e a pessoa se deslocou para uma colina. A partir dessa perspectiva, dessa altura, todos os problemas parecem diferentes. E quanto mais a distância cresce, mais a pessoa se torna capaz de observá-los, como se eles não lhe pertencessem.

É bom lembrar que quando um problema não lhe pertence, você sempre pode dar bons conselhos de como resolvê-lo. Quando o problema pertence a outra pessoa, quando é o outro que está em dificuldade, você é sempre sábio, e pode dar conselhos muito bons. No entanto, se o problema pertence a você mesmo, você simplesmente não sabe o que fazer. O que aconteceu? O problema é o mesmo, mas agora é você que está envolvido nele. Quando se tratava de um problema de outra pessoa, você tinha uma distância a partir da qual podia olhar para o problema de forma imparcial. Todo mundo é bom conselheiro para os outros, mas quando acontece consigo mesmo, toda a sabedoria é perdida em função da perda do distanciamento.

Alguém morreu e a família encontra-se angustiada: uma pessoa que não é da família pode dar bons conselhos. Pode dizer que a alma é imortal, pode dizer que nada morre e que a vida é eterna. No entanto, quando morre alguém que essa pessoa ama, que significa algo para ela, que era próxima, íntima, ela bate no peito sem parar de chorar. Agora ela não consegue dar o mesmo conselho para si, ou seja, que a vida é imortal e que ninguém nunca morre. Agora isso parece absurdo.

Portanto, é bom que as pessoas lembrem que podem fazer papel de bobas quando estiverem aconselhando os outros. Quando uma pessoa diz a alguém cujo ente querido morreu que a vida é imortal, ele vai achar isso estúpido. A pessoa está falando um absurdo para ele. Ele sabe qual é a sensação de perder um ente querido. Nenhuma filosofia pode dar consolo. E ele sabe por que a pessoa está dizendo isso: porque o problema não é dela. A pessoa pode se dar o luxo de utilizar sua sabedoria, ele, não.

Através da meditação a pessoa transcende seu ser comum.

Surge uma nova questão para ela, a partir da qual pode olhar para as coisas de uma maneira nova. É criada a distância. Os problemas estão lá, mas agora estão muito longe, como se acontecessem com outro alguém. Embora agora ela possa dar bons conselhos a si mesma, não há necessidade. A própria distância vai torná-la uma pessoa sábia.

Assim, toda a técnica de meditação consiste em criar uma distância entre os problemas e a pessoa.

Em um determinado momento ela se encontra tão envolvida com seus problemas que não consegue pensar, não consegue contemplar, não consegue enxergar através deles, não consegue testemunhá-los.

A psicanálise ajuda somente no reajuste. Não é uma transformação, isso é uma coisa.

E a outra coisa é: na psicanálise a pessoa se torna dependente.

As pessoas precisam de um especialista, e o especialista vai fazer tudo. Vai levar três anos, quatro anos, ou até cinco anos, se o problema for muito profundo, e a pessoa vai se tornar dependente, não vai crescer. Em vez disso, pelo contrário, ela se tornará cada vez mais dependente. Vai precisar desse psicanalista todo dia, ou duas ou três vezes por semana. Ao sentir falta dele, passará a se sentir perdida. Se parar a psicanálise, se sentirá perdida. A psicanálise se torna intoxicante, torna-se viciante.

Ela começa a ser dependente de alguém, alguém que é um especialista. Ela pode lhe contar seu problema e ele vai solucioná-lo. Ele vai discuti-lo, e trará as raízes inconscientes do problema. Mas *ele* irá realizar isso, ou seja, a solução vai ser feita por outro alguém.

É importante lembrar que um problema resolvido por terceiros não vai dar mais maturidade à pessoa. Um problema resolvido por um terceiro pode dar alguma maturidade a ele mesmo, mas não pode dar maturidade à pessoa, que pode se tornar mais imatura. Portanto, sempre que houver um problema, ela vai precisar de algum conselho de um especialista, algum conselho profissional. E não acho que mesmo os psicanalistas amadureçam através dos problemas dos outros, uma vez que eles também fazem psicanálise como pacientes de outros psicanalistas. Eles têm seus próprios problemas. Eles resolvem os problemas das pessoas, mas não conseguem resolver os próprios problemas. Novamente a questão do distanciamento.

O próprio Wilhelm Reich tentou, repetidas vezes, ser analisado por Sigmund Freud. Freud recusou-se a analisá-lo, e ele, então, a vida inteira, sentiu-se magoado por ter sido recusado por Freud. E os freudianos, freudianos ortodoxos, nunca o aceitaram como especialista, porque ele nunca fez psicanálise como paciente.

Todo psicanalista vai a outro especialista para cuidar dos próprios problemas. É o que ocorre com a profissão médica. Se o médico está doente, não pode diagnosticar em causa própria. Ele está tão próximo que tem medo, então ele vai a outro médico. O cirurgião não pode operar o próprio corpo, ou pode? Não há distanciamento. É difícil operar o próprio corpo. Mas também é difícil quando a esposa está realmente doente e tem que ser feita uma cirurgia séria. Nesse caso, ele não pode realizar a cirurgia, porque sua mão vai tremer. O grau de intimidade é tão grande que ele terá medo, e não poderá ser um bom cirurgião. Ele vai ter que aceitar conselhos, e chamar algum outro cirurgião para realizar a cirurgia da esposa.

O que está acontecendo? Ele está na ativa, tem feito muitas cirurgias. E, agora, o que está acontecendo? Não pode fazer isso no filho ou na esposa, porque o distanciamento é muito pequeno, na verdade, é como se não houvesse distância. Sem distanciamento, o médico não consegue ser imparcial. Dessa forma, um psicanalista pode ajudar os outros, mas quando ele estiver com problemas, terá que aceitar conselhos, terá que ser analisado por outro psicanalista. E é realmente estranho que até uma pessoa como Wilhelm Reich tenha enlouquecido no final.

Não se pode conceber que um Buda enlouqueça. Ou seria possível conceber isso? E se um Buda pode enlouquecer, então não há saída para esse sofrimento. É inconcebível que um Buda enlouqueça.

Veja a vida de Sigmund Freud. Ele é pai e fundador da psicanálise, ele prosseguiu falando sobre problemas de forma muito profunda. Entretanto, na visão dele, nem um único problema foi solucionado. Nem um único problema solucionado! O medo era um problema tão grande para Freud como para ninguém mais. Ele era muito medroso e nervoso. A ira era um problema tão grande para ele como para ninguém mais. Ele ficava tão irritado que chegava a perder os sentidos quando tinha um acesso de raiva. E, embora esse homem conhecesse muito sobre a mente humana, quando era ele que estava em causa esse conhecimento parecia inútil.

O próprio Jung desmaiava quando estava com ansiedade profunda, ele também tinha ataques. Qual é o problema? O problema está no distanciamento. Eles pensavam sobre os problemas, mas não tinham se desenvolvido na conscientização. Eles pensavam intelectualmente, profundamente, de forma lógica, e concluíam alguma coisa. Às vezes, essas conclusões podiam estar certas, mas não é essa a questão. Eles não se desenvolveram na conscientização, não se transformaram de forma alguma em um super-humano. E, a menos que a pessoa transcenda a humanidade, os problemas não podem ser resolvidos, podem apenas ser ajustados.

Freud disse, nos últimos dias de vida, que o homem é incurável. No máximo, pode-se ter esperança de que ele possa se ajustar; nada mais que isso. Esse é o máximo! O homem não pode ser feliz, diz Freud. No máximo, pode-se arranjar uma forma para que ele não seja muito infeliz. Isso é tudo. Mas ele não pode ser feliz, ele é incurável. Que tipo de solução pode vir desse tipo de atitude? E isso após uma experiência de quarenta anos com seres humanos! Ele conclui que o homem não pode ser ajudado, que o homem é naturalmente – ou seja, por natureza – infeliz, e que continuará infeliz.

Mas no Oriente [yoga] é dito que o homem pode ser transcendido. Não é o homem que é incurável, é sua consciência mínima que cria o problema. O crescimento da consciência, o aumento da consciência, contribui com a redução dos problemas. Eles existem na mesma proporção: se há um mínimo de consciência, há um máximo de problemas; se há um máximo de consciência, há um mínimo de problemas.

Com consciência total os problemas simplesmente desaparecem, da mesma forma que o sol nasce de manhã e as gotas de orvalho desaparecem. Com a consciência total não há problemas, porque, com ela, os problemas não podem surgir. No máximo, a psicanálise pode ser uma cura, mas os problemas vão continuar a aparecer, pois ela não atua de forma preventiva.

[A yoga] A meditação vai a uma profundidade maior. Ela muda a pessoa, de modo que não possam ocorrer problemas. A psicanálise lida com os problemas, ao passo que a meditação lida com a pessoa, diretamente, sem se preocupar nem um pouco com os problemas. É por isso que o maior dos psicólogos orientais – Buda, Mahavira ou Krishna – não fala sobre problemas. Devido a isso, a psicologia ocidental acha que a psicologia é um fenômeno novo. E não é!

Somente no século XX, na primeira parte desse século, pôde ser provado cientificamente, por Freud, que existe algo como o inconsciente. Buda falava sobre isso 25 séculos antes. No entanto, Buda nunca procurava solucionar qualquer problema, porque, segundo dizia, os problemas eram infinitos. Aquele que for combater todos os problemas nunca será realmente capaz de resolvê-los. É preciso lidar com o próprio homem. E simplesmente esquecer os problemas.

Lidar com o próprio ser e ajudá-lo a crescer. À medida que o ser cresce, à medida que se torna mais consciente, os problemas vão se soltando e a pessoa não precisa se preocupar com eles.

Por exemplo, uma pessoa é esquizofrênica, rachada, dividida. A psicanálise irá lidar com essa divisão, vai fazer com que essa divisão possa ser trabalhada, vai ajustar esse homem para que ele possa ter um comportamento normal, de modo que possa viver em sociedade de forma tranquila. A psicanálise enfrentará o problema, a esquizofrenia. Caso esse homem venha a Buda, Buda não falará sobre o estado esquizofrênico. Ele dirá: "Medite para que o ser interior se torne único. Quando o ser interior se tornar único, a divisão vai desaparecer na periferia." A divisão está lá, mas não é a causa, é só o efeito. Em algum lugar profundo no ser há uma dualidade, e ela provocou a rachadura na periferia.

Cimenta-se a rachadura, mas a divisão interna permanece. Depois, a rachadura vai aparecer em algum outro lugar. Então, cimenta-se essa rachadura e, em seguida, em algum outro lugar ela aparecerá. Portanto, ao se tratar um problema psicológico, surge imediatamente outro problema e, depois, trata-se outro e surge um terceiro.

Isso é bom na opinião dos profissionais, porque eles vivem fora disso. Mas isso não serve de ajuda.

No Ocidente, será necessário ir além da psicanálise, e a menos que o Ocidente obtenha os métodos de crescimento da consciência, de crescimento interior do ser, de expansão da consciência, a psicanálise não pode servir de muita ajuda.

Ora, isso já está acontecendo: a psicanálise já está desatualizada. Agora é que os pensadores perspicazes do Ocidente estão pensando sobre como expandir a consciência, em vez de como solucionar problemas, ou seja, sobre como tornar o homem alerta e atento. Isso chegou agora, as sementes brotaram. A ênfase tem que ser lembrada.

Não me preocupo com os problemas das pessoas. Há milhões, e é simplesmente inútil solucioná-los, porque as pessoas são as criadoras e permanecem intocadas. Eu resolvo um problema e a pessoa cria outros dez. A pessoa não pode ser derrotada, porque o criador permanece atrás dos problemas. E enquanto continuo resolvendo problemas, apenas desperdiço minha energia.

Vou colocar de lado os problemas das pessoas, vou simplesmente penetrá-las. O criador deve ser mudado. E, uma vez mudado o criador, os problemas na periferia se soltam. Agora ninguém está cooperando com eles, ninguém está ajudando a criá-los, ninguém está desfrutando deles. As pessoas podem achar esta palavra estranha, mas devem lembrar bem que desfrutam de seus problemas, e que é por isso que elas os criam. Elas gostam de seus problemas por muitos motivos.

Toda a humanidade está doente. Há razões básicas, causas básicas, que as pessoas vão negligenciando. Sempre que uma criança está doente, ela recebe atenção, sempre que ela está saudável, ninguém lhe dá a menor atenção. Sempre que uma criança está doente, os pais a amam, ou pelo menos fingem.

No entanto, sempre que ela está bem, ninguém se preocupa com ela. Ninguém pensa em lhe dar um bom beijo ou um belo abraço. A criança aprende o truque. E o amor é uma necessidade básica, a atenção é um alimento básico. Para a criança, a atenção é ainda mais potencialmente necessária do que o leite. Sem a atenção, alguma coisa vai morrer dentro dela.

Atenção é energia. Quando alguém parece amoroso com uma pessoa, ele está lhe dando alimento, um alimento muito sutil. Portanto, toda criança precisa de atenção, e as pessoas lhe dão atenção somente quando ela está doente, quando há algum problema. Então, se a criança precisa de atenção, ela vai criar problemas, ela vai se tornar uma criadora de problemas.

O amor é uma necessidade básica. O corpo cresce com alimento, a alma, com amor. Mas só é possível receber amor quando se está doente, quando se tem algum problema, caso contrário, ninguém lhe dará amor. A criança aprende seus caminhos, começa a criar problemas. Sempre que está doente ou com um problema, todos dão atenção a ela.

Quem nunca observou? Em casa, as crianças estão brincando em silêncio, tranquilas. Aí, se alguns convidados chegam, elas começam a criar problemas. Isso é porque a atenção dos pais vai para os convidados, e, agora, as crianças anseiam por atenção. Elas precisam da atenção dos pais, da atenção dos convidados, da atenção de todo mundo, voltada para elas. Elas vão fazer alguma coisa, vão criar algum problema. Isso é inconsciente, mas, depois, se torna um padrão. E quando a criança se torna adulta, ela continua a fazer isso.

Para as mulheres, é verdade que 99% de suas doenças, de seus problemas mentais, são, basicamente, necessidade de amor. Sempre que um homem ama uma mulher, ela deixa de ter problemas. Sempre que há algum problema no amor, surgem muitos problemas. Agora ela anseia por atenção. E os psicanalistas exploram essa necessidade de atenção porque o psicanalista é um doador de atenção profissional. As pessoas vão até ele: ele é um profissional. Durante uma hora ele olha para o paciente com atenção. O que quer que o paciente diga, qualquer que seja o absurdo, o psicanalista ouve como se os Vedas estivessem sendo pregados. E ele persuade o paciente a falar mais, a dizer qualquer coisa, relevante ou não, a abrir sua mente. Então, o paciente se sente muito bem.

Sabe-se que 99% dos pacientes se apaixonam por seus psicanalistas. E como proteger a relação entre o paciente e o especialista é um grande problema, porque, mais cedo ou mais tarde, essa relação se torna uma relação de amantes. Por quê? Por que uma mulher se apaixona por seu psicanalista? Por que um homem se apaixona por sua psicanalista? A razão é que, pela primeira vez, lhe é dada muita atenção.

É preenchida a necessidade de amor.

A menos que o seu ser básico seja alterado, nada resultará da resolução de problemas. As pessoas têm um potencial infinito para criar novos problemas.

A meditação é um esforço, em primeiro lugar, para tornar as pessoas independentes e, em segundo, para mudar seu tipo e sua qualidade de consciência.

Com uma nova qualidade de consciência não podem existir problemas antigos: eles simplesmente desaparecem. Por exemplo, quando o indivíduo era criança, tinha uns tipos diferentes de problema, e quando ficou mais velho eles simplesmente desapareceram. Para onde eles foram? Ele nunca os resolveu, eles simplesmente desapareceram. Ele não consegue sequer lembrar quais eram os problemas que pertenciam à sua infância. No entanto, ele cresceu, e aqueles problemas desapareceram.

Depois, o indivíduo ficou um pouco mais velho, e teve uns tipos diferentes de problema, e quando se tornou idoso eles não estavam mais presentes. Não que ele seja capaz de resolvê-los, ninguém é capaz de resolver problemas, o que pode acontecer é que o indivíduo pode crescer fora deles. Quando for mais velho, o indivíduo vai rir de seus problemas, antes tão urgentes, tão destrutivos a ponto de ele até ter pensado em cometer suicídio por causa deles. E depois, quando se tornar idoso, apenas rirá: para onde aqueles problemas foram? Ele os solucionou? Não, ele simplesmente cresceu, tornou-se adulto e envelheceu. Aqueles problemas pertenceram a um estado particular do desenvolvimento de um indivíduo.

É um caso semelhante a quando a pessoa cresce em consciência de forma mais profunda. Também desse modo os problemas vão desaparecendo. Chega o momento em que a pessoa está tão consciente que não surgem problemas. A meditação não é análise. A meditação é crescimento. Não está preocupada com problemas, e sim com o ser.[5]

---

[5] *The Supreme Doctrine* [A doutrina suprema], Capítulo 13.

Meditação

A ausência de pensamento é a meditação.

A ausência de pensamento é a meditação. Quando não há pensamento é que o indivíduo passa a conhecer o lado oculto por seus pensamentos, da mesma forma que há um céu dentro do indivíduo. É preciso remover a nuvem de pensamentos para que ele possa ser visto, para que ele possa ser conhecido. Isso é possível. Quando a mente está em repouso e não há pensamentos nela, então é no silêncio, na profunda ausência de pensamento, na total ausência de reflexão que se vê a verdade.

O que se pode fazer para que isso aconteça? É preciso fazer algo muito simples, mas as pessoas hão de achar muito difícil, uma vez que elas próprias se tornaram muito complexas. O que é possível para um recém-nascido é impossível para o adulto. A criança simplesmente olha e não pensa. Ela vê apenas. E somente ver é maravilhoso. Este é o segredo, a chave que pode abrir o portão da verdade.

Estou vendo vocês. Estou apenas vendo vocês. Vocês me entendem? Estou apenas vendo vocês, não estou pensando.

E, em seguida, uma calma sem precedentes, um silêncio vivo cai sobre mim e, depois, tudo é visto e tudo é ouvido, mas nada dentro é perturbado. Não há nenhuma reação dentro, não há pensamentos. Há somente *darshan*, somente o ato de ver.

A consciência correta é o método da meditação.

É preciso ver, somente ver o que está fora e o que está dentro. Há objetos fora, pensamentos dentro. A pessoa tem que olhar para eles sem nenhum propósito. Não há propósito, basta ver. A pessoa é uma testemunha, uma testemunha que se encontra distante, e está simplesmente vendo.

Essa observação, essa vigilância, conduz a pessoa, aos poucos, à paz, ao vazio, ao vácuo, à ausência de pensamentos.

Aquele que experimentar saberá.

À medida que os pensamentos se dissolvem, a consciência desperta e ganha vida. Basta que a pessoa pare um pouco, de vez em quando, em qualquer lugar, a qualquer hora. Apenas olhe e ouça e seja uma testemunha do mundo e de si mesmo. Não pense. Seja apenas uma testemunha e veja o que acontece. Depois, deixe que esse testemunho se espalhe. Deixe que ele penetre em todas as suas atividades físicas e mentais. Permita que ele sempre o acompanhe.

Se houver testemunho, o ego deixará de atuar, e a pessoa vai ver, vai perceber o que ela realmente é. O "eu" morrerá e o *self* será alcançado.

Nesse *sadhana* (disciplina) de testemunho, nessa observação do estado mental de alguém, ocorre uma fácil transformação, uma fácil mudança entre o que está sendo testemunhado e aquele que é a testemunha. À medida que a pessoa observa seus pensamentos, ela tem uns vislumbres daquele que está observando. E, então, um dia, aquele que vê aparece em toda a sua majestade e glória, e toda a pobreza e desgraça da pessoa chegam ao fim.

Este não é um método [*sadhana*] que se pode praticar somente de vez em quando e, ainda assim, alcançar a libertação. Este é para ser praticado de forma contínua, noite e dia. À medida que a pessoa pratica o testemunho, à medida que entra mais no estado de testemunho, esse estado se torna mais estável e passa a ficar presente o tempo todo.

Aos poucos, esse estado começa a ficar com a pessoa o tempo inteiro, tanto em vigília quanto durante o sono. Ele até mesmo começa a estar presente no sono. E quando isso acontece, quando começa a estar presente até no sono, pode-se ter certeza de que foi no fundo, que espalhou suas raízes por toda parte. Hoje a pessoa está dormindo mesmo quando está desperta. Amanhã, ela vai estar desperta até mesmo quando estiver dormindo.

Esse testemunho dissolve os pensamentos ao despertar as pessoas de seus sonhos e de seu sono. As ondas se dissolvem em uma mente livre de pensamentos e sonhos. A mente torna-se calma, sem ondas, sem tremor, assim como o mar fica calmo quando não há ondas, assim como a chama de uma lamparina não pisca quando não há brisa soprando na casa. Está em um estado tal que Deus é conhecido, aquele que é o *self*, que sou eu, que é a verdade. E, então, os portões do palácio de Deus se abrem.

Esse portão, essa entrada, não consiste em palavras, consiste no *self*. É por isso que digo para as pessoas não cavarem em nenhum outro lugar que não seja dentro de si. Não devem ir a mais lugar algum. Devem ir para dentro de si.[1]

---

[1] *The Perfect Way* [O caminho perfeito], Capítulo 8.

Como a unidirecionalidade, a concentração e a meditação se relacionam entre si?

Unidirecionalidade, concentração e meditação não se relacionam entre si de jeito algum. Esta é uma das confusões que prevalecem em todo o mundo.

A unidirecionalidade é um outro nome para a concentração, mas a meditação é exatamente o oposto de concentração. Entretanto, na maioria dos livros, na maioria dos dicionários, e pelos chamados professores, estas palavras são usadas como se fossem sinônimos.

Concentração significa simplesmente unidirecionalidade. É algo da mente. A mente pode ser um caos, uma multidão. A mente pode ser muitas vozes, muitas direções. A mente pode ser uma encruzilhada. Normalmente, isso é o que a mente é, uma multidão.

Mas se a mente é um caos, a pessoa não consegue pensar racionalmente, não consegue pensar cientificamente. Para pensar racional e cientificamente é preciso ter concentração no objeto em estudo. Qualquer que seja o objeto, a única coisa necessária é derramar toda a energia mental sobre esse objeto. Apenas com essa força é possível conhecer a verdade objetiva, daí a concentração ser o método de todas as ciências.

Porém, a meditação é totalmente diferente. Primeiro, a meditação não é da mente. Não é nem da mente unidirecional, nem da mente multidirecional, simplesmente não é da mente. A meditação está além, além da mente e de seus limites. Não podem estar relacionadas, elas são opostas uma à outra. A concentração é a mente e a meditação é a não mente.

O Ocidente, particularmente, não conheceu a meditação. Ele se manteve confinado na concentração – daí todo o progresso científico, tecnológico –, mas não conheceu a ciência interior do silêncio, da paz, de ser uma luz para si.

A unidirecionalidade pode revelar os segredos do mundo exterior. A meditação revela os segredos da subjetividade de cada um. Pode-se dizer que a concentração é objetiva e que a meditação é subjetiva. A concentração move para fora, enquanto a meditação move para dentro. A concentração vai longe de si; a meditação volta para casa, para o centro mais íntimo do ser humano. A mente, a razão, a lógica, todas apontam para o lado exterior, e para elas o interior não existe.

Contudo, essa é a lei fundamental da realidade interior de que nada é realizado no mundo interior por um homem sensato. Trata-se de uma abordagem irracional, ou, melhor dizendo, suprarracional, de que para conhecer a si mesma a pessoa não precisa da mente, precisa apenas de silêncio absoluto. A mente está sempre preocupada com alguma coisa, ou muitas coisas. Há pensamentos e pensamentos, ondulações em cima de ondulações, e o lago da mente nunca está sem ondulações.

O seu interior pode ser refletido apenas em um espelho sem nenhuma ondulação. A não mente, ou seja, o silêncio absoluto de todos os pensamentos, a ausência completa da mente, torna-se o espelho sem nenhuma ondulação, sem nem mesmo uma única vibração de pensamentos. E, de repente, a explosão: a pessoa tornou-se consciente, pela primeira vez, de seu próprio ser.

Até agora as pessoas conheceram coisas do mundo, e agora conhecem o conhecedor. Isso é exatamente o que Sócrates quis dizer quando disse: "Conhece-te a ti mesmo." Pois sem conhecer a si mesmo – quero adicionar ao conselho socrático – o indivíduo não pode ser ele mesmo. Conhecer a si mesmo é um passo para ser você mesmo, e, a menos que a pessoa seja ela mesma, nunca poderá se sentir à vontade. Nunca poderá se sentir satisfeita, nunca vai poder se sentir realizada, nunca vai poder se sentir à vontade na existência.

Algum desconforto, algum sofrimento... a pessoa não sabe exatamente o que, mas uma sensação constante de que falta algo essencial, de que ela tem tudo e que, ainda assim, falta algo que consiga tornar tudo significativo. Seu palácio está cheio de todos os tesouros do mundo, mas ela mesma se sente vazia. Seu reinado é grande, mas ela está ausente. Esta é a situação do homem moderno, daí a constante sensação da falta de sentido, da ansiedade, da angústia, da revolta.

A mente moderna é a mente mais conturbada que já existiu, pela simples razão de que o homem amadureceu. Um búfalo não fica perturbado em relação ao sentido da vida. Para ele, a grama é o sentido da vida, e mais do que isso é inútil. As árvores não estão interessadas no sentido da vida, basta um bom banho e um solo rico, além de um belo sol, para que a vida seja uma grande alegria. Nenhuma árvore é ateísta, nenhuma árvore jamais tem dúvidas. Com exceção do homem, a dúvida não existe na existência. Com exceção do homem, ninguém parece preocupado. Nem mesmo os burros têm preocupação. Parecem tão relaxados, tão filosoficamente à vontade. Eles não têm medo da morte, não têm medo do desconhecido, não se preocupam com o amanhã.

É só o homem com sua inteligência que recebeu uma vida muito difícil, uma tortura constante. Ele tenta esquecê-la de diversas formas, mas ela sempre retorna, de novo e de novo. E isso vai continuar até seu último suspiro, a menos que ele conheça algo de meditação, a menos que ele saiba como se voltar para dentro, como olhar para seu próprio interior. E, de repente, toda a falta de sentido desaparece.

Em um nível muito elevado, a pessoa se sente novamente à vontade, como as árvores. Em uma consciência muito elevada, ela fica tão relaxada quanto a existência como um todo. Mas o seu relaxamento tem uma beleza, pois é consciente, permanece alerta. O seu relaxamento sabe do que se trata. Sabe que, enquanto toda a existência dorme, ele está acordado.

De que adianta um belo nascer do sol se a pessoa está dormindo? Qual é a beleza de uma rosa se a pessoa está dormindo? A mente é o seu sono, concentrado ou não. A meditação é o seu despertar. No momento em que a pessoa acorda, o sono desaparece e, com ele, todos os sonhos, todas as projeções, todas as expectativas, todos os desejos. De repente, ela está em um estado de ausência de desejo, sem ambição, em silêncio impenetrável. E somente nesse silêncio é que brota uma flor em seu ser. Somente nesse silêncio é que as flores de lótus abrem suas pétalas.

É importante lembrar que qualquer professor que diga que a concentração é meditação está cometendo um crime. Sem que se saiba que ele está enganando as pessoas, e enganando sobre um assunto tão fundamental, ele é muito mais perigoso do que alguém que pode sair matando as pessoas. Ele está matando as pessoas de forma muito mais significativa e profunda. Ele está destruindo sua consciência, está destruindo sua possibilidade de abrir as portas de todos os mistérios que existem em seu ser.

A concentração não tem nada a ver com a meditação. No entanto, foi dito às pessoas, pelos cristãos, pelos hindus, pelos muçulmanos, por todas as chamadas religiões organizadas, que se concentrassem em Deus, que se concentrassem em um determinado mantra, que se concentrassem na estátua de um Buda, mas que se concentrassem. E é bom lembrar que, se elas se concentram em um Deus hipotético, que ninguém nunca viu, ninguém nunca encontrou, para o qual não existe nenhuma prova, nenhuma evidência em lugar nenhum... você pode prosseguir concentrando-se em uma hipótese vazia, que não irá revelá-lo para si mesmo.

A pessoa pode se concentrar em uma estátua feita pelo homem, fabricada por ele, e pode continuar a se concentrar, mas não achará nada que transforme seu ser. Ou pode se concentrar nas escrituras, em mantras, cânticos... mas todos esses esforços são um exercício de total futilidade.

É preciso ir além da mente. O caminho além da mente é muito simples, basta tornar-se um observador da mente, pois o ato de observar separa imediatamente a pessoa da coisa que ela observa. O indivíduo está assistindo a um filme e, uma coisa é certa: ele não é um ator no filme. Ao observar a estrada e a multidão que passa, uma coisa é certa: ele está parado à margem, não está na estrada, no meio da multidão. O que quer que ele veja, ele não é.

No momento em que a pessoa começa a observar a mente, ocorre uma experiência extraordinária, um reconhecimento de que a pessoa não é a mente. Apenas esse pequeno reconhecimento de que "Eu não sou a mente" é o começo da não mente. O indivíduo transcendeu a multidão, as vozes, o caos da mente, e se moveu para os silêncios do coração. Aqui é a sua casa, seu ser eterno. Aqui está a sua existência essencial e imortal.[2]

Transcender a mente é toda a arte da meditação.

Transcender a mente é toda a arte da meditação, e o Oriente devotou praticamente 10 mil anos a um único propósito, com toda a sua inteligência e genialidade: descobrir como transcender a mente e os seus condicionamentos. Todo esse esforço de 10 mil anos culminou no aperfeiçoamento do método de meditação.

---

[2] *The Invitation* [O convite], Capítulo 7.

Em uma única palavra, meditação significa observar a mente, testemunhar a mente. Se a pessoa puder testemunhar a mente, apenas olhando para ela em silêncio, sem nenhuma justificativa, sem nenhuma apreciação, sem nenhuma condenação, sem qualquer julgamento, a favor ou contra, simplesmente observando como se ela não tivesse nada a ver com isso... trata-se, apenas, do tráfego que passa pela mente. Fique à margem e observe. E o milagre da meditação é que basta observá-la para que ela desapareça pouco a pouco.

Quando a mente desaparece, a pessoa vem para a última porta, que é muito frágil, e que também não é poluída pela sociedade: o seu coração. Na verdade, seu coração imediatamente lhe dá um caminho. Ele nunca evita a pessoa e está praticamente sempre pronto para que ela possa vir até ele, quando então abrirá a porta para o ser. O coração é seu amigo.

A cabeça é seu inimigo. O corpo é seu amigo, o coração é seu amigo, mas exatamente entre os dois encontra-se o inimigo, como um Himalaia, uma grande parede formada por montanhas. Mas pode ser atravessada por um método simples. Gautama Buda chamou o método de *vipassana* e Patanjali chamou o método de *dhyan*. E a palavra sânscrita *dhyan* tornou-se *ch'an* na China e zen no Japão. Mas é a mesma palavra. Em inglês [e alemão] não existe nenhum equivalente exato para zen, *dhyan* ou *ch'an*. Usa-se, arbitrariamente, a palavra meditação.

Mas é importante saber que, qualquer que seja o significado dado à palavra meditação nos dicionários, não é o significado que estou usando. Todos os dicionários vão dizer que a meditação significa pensar sobre algo. Sempre que digo a uma mente ocidental "medite", a pergunta imediata é: "Sobre o quê?" A razão é que, no Ocidente, a meditação nunca se desenvolve até o nível em que *dhyan*, *ch'an* ou zen foi desenvolvido no Oriente.

A meditação significa, simplesmente, consciência, e não o pensar sobre algo ou concentrar-se em algo ou contemplar algo. A palavra ocidental está sempre relacionada a alguma coisa.

A meditação como a estou usando significa, simplesmente, um estado de consciência.

Assim como um espelho. Será que o espelho está tentando se concentrar em algo? Qualquer coisa que se coloque diante dele é refletida, mas o espelho não está preocupado. Se for uma mulher bonita que aparece na frente dele ou uma mulher feia que aparece na frente dele, é absolutamente indiferente, trata-se de uma fonte simples reflexiva. A meditação é apenas uma consciência reflexiva. A pessoa simplesmente observa qualquer coisa que apareça diante dela.

E através dessa simples observação a mente desaparece. (Já se ouviu falar sobre milagres, mas esse é o único milagre. Todos os outros milagres são simplesmente histórias.)

Jesus andando sobre a água ou transformando a água em vinho ou fazendo gente morta voltar à vida... todas são belas histórias. Se elas são compreendidas de forma simbólica, têm grande significado. No entanto, insistir que são fatos históricos é simplesmente estupidez. Em termos simbólicos, são belas histórias. Em termos simbólicos, todo mestre no mundo está trazendo pessoas que estão mortas de volta à vida. O que estou fazendo aqui? Puxando pessoas para fora de seus túmulos! E Jesus tirou Lázaro depois de ele ter morrido quatro dias antes. Venho puxando para fora pessoas que estão mortas há anos, em prol da vida! E, em função de terem vivido por tanto tempo em seus túmulos, elas relutam muito em sair. Elas colocam toda a sua resistência: "O que você está fazendo? Esta é a nossa casa! Vivemos aqui em paz, não nos perturbe!"

Simbolicamente, está certo: todo mestre está tentando dar ao homem uma nova vida. Da forma como ele está, não está realmente vivo. Está apenas vegetando. Se os milagres forem interpretados como metáforas, eles têm uma beleza.

Lembro-me de uma história estranha em que cristãos tinham abandonado completamente suas escrituras. Mas ela existe na literatura sufi. A história sufi sobre Jesus conta o seguinte:

Jesus está chegando a uma cidade e, logo que a adentra, reconhece um determinado homem: ele era cego, e Jesus curara seus olhos. Esse homem está correndo atrás de uma prostituta. Jesus detém o homem e lhe pergunta:

– Você se lembra de mim?

– Sim, lembro-me de você e nunca poderei perdoá-lo! Eu era cego e estava muito feliz, porque nunca tinha visto nenhuma beleza. Você me deu a visão. Agora, me diga, o que devo fazer com estes olhos? Estes olhos são atraídos para mulheres bonitas – disse o homem.

Jesus não conseguia acreditar... ele ficou surpreso e chocado, e disse:

– Pensei que eu tivesse prestado um grande serviço a esse homem, e ele está bravo! Ele está dizendo: "Antes de você me dar visão eu nunca pensei nas mulheres, nunca pensei que havia prostitutas. No entanto, desde que você me deu visão, você me destruiu."

Jesus, sem dizer nada, deixa o homem, não há nada a dizer. E logo encontra um outro homem, deitado na sarjeta, falando toda espécie de coisa sem sentido, completamente bêbado. Jesus tira-o da sarjeta e reconhece-o: ele curara as pernas dele. Mas agora o homem está se sentindo um pouco inseguro de si mesmo.

— Você me conhece? – pergunta Jesus.

— Sim, conheço você. Embora eu esteja bêbado, não consigo perdoá-lo: foi você que perturbou a minha vida tranquila. Sem conseguir andar, eu não podia ir a lugar algum. Eu era uma pessoa tranquila, sem briga, sem jogo de azar, sem amigos, sem idas ao bar. Você me deu o movimento das pernas e, desde então, não encontrei um único momento de tranquilidade, de sentar em silêncio. Estou correndo atrás disso, atrás daquilo e, no final, me canso e fico bêbado. E você pode ver o que está acontecendo comigo. Você é responsável pela minha situação! Você deveria ter me dito de antemão que, ao ter as pernas, todos esses problemas iriam surgir. Você não me avisou. Você simplesmente me curou, sem nem mesmo pedir minha permissão.

Jesus ficou tão assustado que não foi mais adiante, e saiu da cidade. Ele disse: "Nunca se sabe que tipo de gente vou encontrar." Porém, quando estava saindo da cidade, ele viu um homem tentando se enforcar em uma árvore.

— Espere, o que você está fazendo? – perguntou Jesus.

— Mais uma vez você veio! Eu estava morto e você me forçou a viver novamente. Agora não tenho emprego, minha esposa me deixou, porque acha que um homem que morreu não pode reviver, ela acha que sou um fantasma. Ninguém quer me encontrar. Os amigos simplesmente não me reconhecem. Entro na cidade e as pessoas não olham para mim. Agora, o que você quer que eu faça? E, mais uma vez, quando estou para me enforcar, você está aqui! Que tipo de vingança é essa? Não pode me deixar em paz? Agora não posso nem me enforcar. Uma vez eu estava morto e você me reviveu e se eu me enforcar, você vai me reviver de novo. Você é tão empenhado em fazer milagres que nem mesmo se importa com quem são as pessoas que sofrem com seus milagres! – disse o homem.

Quando ouvi essa história, eu adorei. Todo cristão deveria conhecê-la.

Não há milagre, exceto um, e esse é o milagre da meditação, que leva as pessoas para longe da mente. E o coração sempre o acolhe. Está sempre pronto para lhe dar um caminho, para guiá-lo para o seu ser. E o ser é a sua plenitude, é o seu bem-estar supremo.[3]

A meditação nada mais é do que um artifício.

A meditação nada mais é do que um artifício para tornar a pessoa consciente de seu real ser, que não é criado por ela, que não precisa ser criado por ela, ou seja, o que ela já é. A pessoa nasce com isso. Ela é isso! Precisa ser descoberto. Se isso não for possível, ou se a sociedade não permitir que isso aconteça – e nenhuma sociedade permite que aconteça, porque o real ser é perigoso, perigoso para a Igreja oficial, perigoso para o Estado, perigoso para a multidão, perigoso para a tradição, porque, depois que o homem conhece seu real ser, ele se torna completo, indivisível, um verdadeiro indivíduo. Ele não pertence mais à psicologia das massas, ele não será supersticioso, e não pode ser explorado, e não pode ser conduzido como gado, não pode receber ordens e ser comandado.

Ele vai viver de acordo com sua luz, ele vai viver de sua própria capacidade interior. Sua vida terá grande beleza e integridade.[4]

---

[3] *Om Mani Padme Hum*, Capítulo 2.
[4] *The Dhammapada: The Way of the Buda* [O Dhammapada: O caminho do Buda], Vol. 2, Capítulo 8.

A meditação ajuda a pessoa a desenvolver a própria faculdade intuitiva. Fica muito claro o que vai satisfazê-la, o que vai ajudá-la a florescer. E o que quer que seja, será diferente para cada indivíduo, e é este o significado da palavra "indivíduo": cada um é único. E procurar e buscar sua singularidade é uma grande emoção, uma grande aventura.[5]

---

[5] *Filhos do Universo: Reflexões sobre Desiderata*, Capítulo 2.

Amor

Sufis: o povo do caminho, Vol. 1, Capítulo 14

Por que tenho tanto medo do amor?

O amor sempre gera medo, porque o amor é a morte, uma morte maior do que a morte comum, que todos conhecem.

Em uma morte comum, o corpo morre, mas não se trata de uma morte realmente. O corpo é como um vestido: quando está ultrapassado e velho, a pessoa o troca por um novo. Não se trata de morte, é apenas uma mudança: uma mudança de vestido ou uma mudança de residência. Mas a pessoa continua, a mente continua, exatamente a mesma velha mente em corpos novos, exatamente o mesmo velho vinho em garrafas novas. Muda a forma, mas não a mente, muda o formato, mas não a mente. Portanto, a morte comum não é uma morte real, o amor, sim, é uma morte real: o corpo não morre, mas a mente morre, o corpo continua a ser o mesmo, mas o ego desaparece.

Se a pessoa ama, vai ter que abandonar todos os conceitos que tem sobre si mesma. Se a pessoa ama, não pode ser o ego, porque o ego não permitirá que ame. Eles são antagônicos. Se escolher o ego, não poderá escolher o amor. Se escolher o amor, terá que abandonar o ego. Daí o medo.

Um medo maior do que a morte se apodera da pessoa sempre que ela está apaixonada. É por isso que o amor desapareceu do mundo. Raramente, muito raramente é que acontece o fenômeno em que o amor ataca.

O que chamam de amor é apenas uma moeda falsa: as pessoas a inventaram porque é muito difícil viver sem amor. É difícil porque, sem amor, a vida não tem significado, é sem sentido. Sem amor, a vida não tem poesia. Sem amor, a árvore existe, mas nunca há flores. Sem amor, as pessoas não podem dançar, não podem comemorar, não podem se sentir agradecidas, não podem orar. Sem amor, os templos são apenas casas comuns, e, com amor, uma casa comum é transformada, transfigurada em um templo. Sem amor, resta às pessoas somente possibilidades, gestos vazios.

Com amor, pela primeira vez, a pessoa se torna substancial. Com amor, pela primeira vez, surge nela a alma. O ego cai, mas surge a alma.

É impossível viver sem amor, então a humanidade criou um truque. A humanidade inventou um truque, um artifício. O artifício é o seguinte: viver um falso amor, de modo que o ego continue por conta própria. Nada é mudado, e a pessoa pode jogar o jogo de estar apaixonada: ela pode continuar pensando que ama, pode continuar acreditando que ama. Mas ao olhar para o seu amor vai ver o que acontece com ela. Nada além de sofrimento, nada além do inferno, nada além de conflito, briga, violência.

As pessoas devem examinar profundamente suas relações amorosas. Elas se parecem mais com relações de ódio do que de amor. É melhor chamá-las de relações de ódio do que de relações de amor. Entretanto, tendo em vista que todo mundo vive da mesma maneira, as pessoas nunca têm percepção disso. Todo mundo carrega a moeda falsa, e as pessoas nunca têm percepção disso. A verdadeira moeda do amor é muito cara: só se pode comprá-la ao custo de perder a si mesmo. Não existe outra maneira.

Portanto, a questão é bastante relevante.

O ego é uma entidade falsa, apenas uma noção, uma nuvem no céu do ser, apenas fumaça, nada substancial, um sonho. O amor exige que a pessoa abandone aquilo que ela não tem, e o amor está pronto para lhe dar aquilo que ela tem e que sempre teve. O amor dá a ela sua alma de volta, enquanto o ego continua a esconder a pessoa de sua alma. E o medo está lá. O medo é natural, mas é preciso ir, apesar do medo.

Seja corajoso, não seja covarde. A verdadeira coragem do ser é testada somente quando surge o amor. A pessoa nunca sabe de que tipo de coragem ela é feita antes de amar. Na vida comum, no mercado, fazendo isto e aquilo, no mundo da ambição e da política do poder, a verdadeira coragem nunca é realmente testada. Nunca ninguém passa pelo fogo.

O amor é o fogo.[1]

Por que o amor é tão doloroso?

O amor é doloroso porque gera o caminho para a felicidade. O amor é doloroso porque ele transforma; o amor é mutação. Cada transformação vai ser dolorosa, porque o velho tem de ser deixado para poder vir o novo. O velho é familiar, seguro, estável, o novo é absolutamente desconhecido. A pessoa estará

---
[1] *Come Follow To You*, Vol., 4, Capítulo 6.

se movendo em um oceano inexplorado. Não se pode usar a mente com o novo, ao passo que, com o velho, a mente é hábil. A mente pode funcionar somente com o velho – com o novo, a mente é completamente inútil.

Consequentemente, surge o medo e, ao deixar o velho, o confortável, o mundo seguro, o mundo de conveniência, surge a dor. É a mesma dor que a criança sente quando sai do útero da mãe. É a mesma dor que o pássaro sente quando sai do ovo. É a mesma dor que o pássaro vai sentir quando tentar voar pela primeira vez.

O medo do desconhecido, a segurança do conhecido, a insegurança do desconhecido e a imprevisibilidade do desconhecido fazem com que a pessoa fique muito assustada.

E como a transformação vai ser do ser para um estado de não ser, a agonia é muito profunda. Mas não se pode ter êxtase sem passar pela agonia. Se o ouro quer ser purificado, tem que passar pelo fogo.

O amor é fogo.

É por causa da dor do amor que milhões de pessoas vivem uma vida sem amor. Elas também sofrem, e seu sofrimento é inútil. Sofrer no amor não é sofrer em vão. Sofrer no amor é criativo, e conduz a níveis mais elevados de consciência. Sofrer sem amor é um desperdício total, não leva ninguém a lugar algum, e mantém as pessoas em movimento no mesmo círculo vicioso.

O homem que não tem amor é narcisista, fechado. Ele conhece apenas a si mesmo. E quanto ele pode conhecer de si mesmo se não conhece o outro, uma vez que somente o outro pode funcionar como um espelho? Nunca vai conhecer a si mesmo sem conhecer o outro. O amor é fundamental também para o autoconhecimento. A pessoa que não conheceu o outro em amor profundo, em paixão intensa, em êxtase total, não será capaz de saber quem é, porque não vai ter o espelho para ver seu próprio reflexo.

O relacionamento é um espelho – quanto mais puro o amor, mais elevado; quanto mais limpo o espelho, melhor o espelho. Porém, o amor mais elevado exige que a pessoa esteja aberta. O amor mais elevado exige que a pessoa esteja vulnerável. Ela tem que abandonar sua armadura, e isso é doloroso. É necessário que não esteja constantemente alerta. Tem que abandonar a mente calculista. Tem que se arriscar. Tem que viver perigosamente. O outro pode machucá-la, e é esse o medo de estar vulnerável. O outro pode rejeitá-la, e é esse o medo de estar apaixonada.

O reflexo que a pessoa vai encontrar no outro de seu próprio eu pode ser feio, e é essa a ansiedade. Portanto, deve evitar o espelho. Porém, o fato de evitar o espelho não significa que a pessoa vai ficar bela. Ao evitar a situação, a pessoa também não crescerá. O desafio tem que ser aceito.

É preciso amar. Este é o primeiro passo em direção a Deus, e não pode ser ignorado. Aqueles que tentam ignorar o passo do amor nunca chegarão a Deus. Isso é absolutamente necessário, porque a pessoa se torna ciente de sua totalidade somente quando é provocada pela presença do outro, quando sua presença é realçada pela presença do outro, quando ela é tirada de seu mundo narcisista e fechado para céu aberto.

O amor é um céu aberto. Estar apaixonado é poder voar. Porém, com certeza, o céu infinito gera medo.

Além disso, abandonar o ego é muito doloroso, porque o homem foi ensinado a cultivar o ego. Ele acha que o ego é o seu único tesouro. Protege-o, decora-o, sempre lhe dá polimento, e quando o amor bate à porta, tudo o que é preciso para se apaixonar é colocar o ego de lado, e, sem dúvida, é doloroso Trata-se de um trabalho de uma vida inteira, é tudo o que ele criou – esse ego feio, essa ideia de que "eu sou separado da existência".

Essa ideia é feia porque é falsa. Essa ideia é ilusória, mas a nossa sociedade é baseada nessa ideia de que cada pessoa é uma pessoa, não uma presença.

A verdade é que não há nenhuma pessoa em todo o mundo, há somente a presença. O ser humano não é – não como um ego, separado do todo. Ele é parte do todo. O todo penetra nele, o todo respira nele, pulsa nele, o todo é a sua vida.

O amor dá ao homem a primeira experiência de estar em sintonia com algo que não é o seu ego. O amor lhe dá a primeira lição de que é possível entrar em harmonia com alguém que nunca fez parte do seu ego. Se pode estar em harmonia com uma mulher, se pode estar em harmonia com um amigo, com um homem, se pode estar em harmonia com seus filhos ou com a mãe, por que não pode estar em harmonia com todos os seres humanos? E se estar em harmonia com uma única pessoa lhe dá tanta alegria, qual será o resultado se estiver em harmonia com todos os seres humanos? E se pode estar em harmonia com todos os seres humanos, por que não pode ficar em harmonia com animais, pássaros e árvores? Daí, então, um passo leva a outro.

O amor é uma escada. Começa com uma pessoa e termina com a totalidade. O amor é o princípio, Deus é o fim. Ter medo do amor, ter medo das dores crescentes do amor, é permanecer fechado em uma cela escura.

O homem moderno está vivendo em uma cela escura, e isso é narcisista. O narcisismo é a maior obsessão da mente moderna.

E depois há problemas, problemas que não têm sentido. Há problemas que são criativos, uma vez que levam a pessoa à consciência mais elevada. Há problemas que não a levam a lugar nenhum, simplesmente a mantêm presa, simplesmente a mantêm em sua velha bagunça.

O amor gera problemas. Esses problemas podem ser evitados, evitando-se o amor. Mas esses são problemas muito essenciais! É preciso que eles sejam enfrentados, encarados, é preciso que sejam vivenciados, é necessário que se passe por eles e que se vá além. E para se ir além é preciso passar por eles. O amor é a única coisa que vale a pena. Tudo mais é secundário. Se ajudar o amor, é bom. Tudo mais é apenas um meio, enquanto o amor é o fim. Portanto, qualquer que seja a dor, permita-se amar.

Se a pessoa não se permite amar, assim como muita gente, ela fica presa consigo mesma. Consequentemente, sua vida não é uma peregrinação, sua vida não é um rio que segue para o oceano; pelo contrário, sua vida é uma poça suja com água parada, e logo não haverá nada além de sujeira e lama. Para que seja mantida limpa é necessário mantê-la fluindo. Um rio permanece limpo porque seu fluxo é contínuo. O fluxo é o processo que o mantém continuamente virgem.

Um amante continua a ser um virgem. Todos os amantes são virgens. As pessoas que não amam não podem continuar virgens, e, portanto, tornam-se dormentes, estagnadas, e começam a feder, mais cedo ou mais tarde; na verdade, mais cedo do que mais tarde, pois não têm para onde ir. A vida delas está morta.

É onde o homem moderno encontra a si mesmo e, por causa disso, todos os tipos de neurose, todos os tipos de loucura tornaram-se galopantes. A doença psicológica tomou proporções epidêmicas. Não é mais apenas um punhado de indivíduos psicologicamente doentes. A verdade é que a Terra inteira se tornou um hospício. A humanidade toda está sofrendo de uma espécie de neurose.

E essa neurose é proveniente da estagnação narcisista do homem. Todo mundo está preso na própria ilusão de ter um eu separado, e é por isso que as pessoas enlouquecem. E essa loucura é sem sentido, improdutiva, sem criatividade. Ou as pessoas começam a cometer suicídio. Esses suicídios também são improdutivos, sem criatividade.

Não se pode cometer suicídio tomando veneno, pulando de um penhasco ou atirando em si mesmo, mas é possível cometer um suicídio que passe por um processo muito lento, e é isso o que acontece. Poucas pessoas cometem suicídio de repente. Outras se decidem por um suicídio lento, e morrem aos poucos, bem devagar. Mas a tendência a se tornar suicida virou quase um fenômeno universal.

Isso não é modo de vida, e a razão, a razão fundamental, é que as pessoas esqueceram a linguagem do amor. Não são mais corajosas o suficiente para entrar nessa aventura chamada amor.

Por isso, as pessoas estão interessadas em sexo, porque o sexo não é arriscado. É momentâneo, a pessoa não se envolve. O amor é envolvimento, é compromisso. Não é momentâneo. Depois que cria raízes, pode ser para sempre. Pode ser um envolvimento para toda a vida. O amor precisa de intimidade, e somente quando a pessoa é íntima é que o outro realmente se torna um espelho. Quando se encontra sexualmente com o parceiro – mulher ou homem –, a pessoa não se uniu a ele. Na verdade, ela evitou a alma do outro. Ela apenas usou o corpo e fugiu, e o outro também usou o corpo dela e fugiu. Eles nunca se tornaram íntimos o suficiente para revelar seus rostos originais um para o outro.

O amor é o maior *koan* zen.

É doloroso, mas não deve ser evitado. Aquele que o evita terá evitado a maior oportunidade de crescer. É preciso entrar no amor, sofrer de amor, porque, por meio do sofrimento, vem um grande êxtase. Sim, há agonia, mas é a partir da agonia que nasce o êxtase. Sim, o indivíduo terá de morrer como um ego, e se pode morrer como um ego, poderá nascer como Deus, como um Buda. E o amor vai lhe dar o primeiro gostinho do tao, do sufismo, do zen. O amor dará a você a primeira prova de que Deus existe, de que a vida não é sem sentido.

Aqueles que dizem que a vida é sem sentido são aqueles que não conheceram o amor. Tudo o que dizem é que faltou amor em suas vidas.

Que haja dor, que haja sofrimento. Atravessem a noite escura, e vão chegar a um belo nascer do sol. É no ventre da noite escura que o sol evolui. É através da noite escura que a manhã chega.

Toda a minha abordagem aqui é de amor. Ensino o amor, só amor, nada mais. Podem esquecer Deus, isso é apenas uma palavra vazia. Podem esquecer orações, porque são apenas rituais impostos por outros. O amor é a oração natural, não imposta por ninguém. O homem nasce com ele.

O amor é o verdadeiro Deus, não o Deus dos teólogos, mas o Deus de Buda, de Jesus, de Maomé, o Deus dos sufis. O amor é um *tariqa*, um método, para matar o indivíduo como um indivíduo separado e ajudá-lo a se tornar o infinito.

É preciso que o homem desapareça como uma gota de orvalho e transforme-se no oceano, mas terá que passar pela porta do amor.

E, com certeza, quando ele começa a desaparecer como uma gota de orvalho, após ter vivido tanto tempo como uma gota de orvalho, dói, porque provavelmente ele pensou: "Sou isso, e agora isso está acontecendo. Estou morrendo." Ele não está morrendo, o que está morrendo é apenas uma ilusão. Ele se identificou com a ilusão, é verdade, mas a ilusão ainda é uma ilusão. E apenas quando a ilusão se for é que ele será capaz de ver quem ele é. E essa revelação leva-o para o pico supremo de alegria, de felicidade, de celebração.[2]

---

[2] *The Secret* [O segredo], Capítulo 2.

Será que você poderia falar sobre a diferença entre o amor saudável por si mesmo e o orgulho egoísta?

Há uma grande diferença entre os dois, apesar de ambos serem muito parecidos. O amor saudável por si mesmo é de grande valor religioso. A pessoa que não se ama não será capaz de amar ninguém, jamais. A primeira onda de amor tem que subir no seu coração. Se não subiu para você mesmo, não poderá subir para ninguém mais, porque todo mundo está mais distante de você.

É como jogar uma pedra em um lago sereno. As primeiras ondas vão surgir em torno da pedra e, depois, vão se espalhar para as margens. A primeira onda de amor tem que estar em torno da própria pessoa. Ela tem que amar o próprio corpo, tem que amar a própria alma, tem que amar sua totalidade.

E isso é natural; do contrário, a pessoa não seria capaz de sobreviver. E isso é belo, porque a embeleza. A pessoa que se ama torna-se graciosa, elegante. A pessoa que se ama está sujeita a se tornar mais silenciosa, mais meditativa, mais devota do que aquela que não ama a si mesma.

Se ela não ama sua casa, não vai limpá-la; se ela não ama sua casa, não vai pintá-la; se ela não ama sua casa, não vai cercá-la com um belo jardim com um lago cheio de lótus. Se ela se ama, irá criar um jardim em torno de si. Tentará desenvolver seu potencial, tentará trazer para fora tudo o que estiver nela para ser expresso. Se ela se ama, vai continuar regando a si mesma, vai continuar nutrindo a si mesma.

E ao amar a si mesma vai se surpreender: os outros vão amá-la. Ninguém ama uma pessoa que não se ama. Se ela não pode nem amar a si mesma, quem é que irá se dar o trabalho de amá-la? E a pessoa que não se ama não pode ficar neutra. Vale lembrar que na vida não há neutralidade.

O homem que não ama, odeia, e terá que odiar, pois a vida não conhece a neutralidade. A vida é sempre uma escolha. Se não ama, não quer dizer que ele simplesmente permaneça naquele estado de não amar. Não, ele vai odiar.

E a pessoa que se odeia se torna destrutiva. E a pessoa que se odeia odiará todo mundo, vai ser muito irritadiço e violento e sentirá raiva constantemente. Como a pessoa que se odeia pode esperar que os outros venham a amá-la? Toda a sua vida será destruída. Amar a si mesmo é de grande valor religioso.[3]

---

[3] *The Secret* [O segredo], Capítulo 18.

Ausência de ego

Você sempre fala sobre abandonar o ego, mas como posso fazer isso quando não consigo distinguir entre o que é o ego e o que é a minha verdadeira natureza?

O ego não pode ser abandonado. É como a escuridão, não se pode abandonar a escuridão, pode-se, apenas, introduzir a luz. No momento em que há luz, a escuridão deixa de estar presente. Pode-se dizer que esse é o caminho do abandono da escuridão, mas não literalmente. A escuridão não existe, a escuridão é a ausência de luz. Por isso, não se pode fazer nada diretamente para ela. Pode-se apenas fazer algo para a luz, seja introduzi-la ou eliminá-la. Se for a escuridão o que se deseja, apaga-se a luz; se não se quer escuridão, acende-se a luz. O ego não pode ser abandonado.

A meditação pode ser aprendida. A meditação funciona como uma luz, a meditação é a luz.

Torne-se luz e você não vai encontrar o ego em lugar algum.

Aquele que quiser abandonar o ego vai estar em apuros, pois quem é essa pessoa que deseja abandoná-lo? É o próprio ego, que agora joga um novo jogo, o jogo chamado espiritualidade, religião, autorrealização. Quem está fazendo essa pergunta? É o próprio ego, enganando a pessoa. E quando o ego pergunta, pode ser abandonado, naturalmente a pessoa pensa: "Esse não pode ser o ego. Como o ego pode solicitar o seu próprio suicídio?" É assim que o ego a engana.

A natureza da pessoa não tem dúvidas, não precisa de respostas. Sua natureza é absolutamente clara, cheia de luz. Não conhece escuridão, nunca encontrou nenhuma escuridão

Ela não precisa abandonar o ego. Basta olhar dentro de si, procurar onde está, é preciso, primeiro, encontrá-lo. Não deve se preocupar com sua natureza nesse momento. Basta olhar para dentro, procurar pelo ego, e não vai encontrá-lo. Em vez disso, ela encontrará sua própria natureza, luminosa, perfumada como uma for de lótus. Não depara com tal beleza em nenhum outro lugar. É a experiência mais bela da vida. E, depois de ter visto sua própria lótus de luz, sua própria lótus florescendo, o ego está acabado, para sempre. Daí não vai fazer essas perguntas sem sentido.

"Como distinguir", você diz, "entre o que é o ego e o que é a minha verdadeira natureza?"

Ou o ego está lá, e, então, a verdadeira natureza não é conhecida, ou a verdadeira natureza é conhecida, e, então, não há nenhum ego. Não se pode ter os dois, portanto, não se pode fazer nenhuma distinção, não se pode distingui-los, e eles não podem estar presentes juntos. Somente um pode estar presente.

Neste exato momento a pessoa que fez a pergunta é toda ego, portanto, não se preocupe em fazer distinção. Se não houvesse ego, a pergunta não teria surgido. A natureza não conhece dúvidas, a natureza é êxtase, não um problema.[1]

---

[1] *The Dhammapada: The Way of the Buda* [O Dhammapada: o caminho do Buda], Vol. 12, Capítulo 10.

Sinto que mediante o desenvolvimento de uma postura de resistência em relação às dificuldades tornei-me resignado em muitas coisas na vida. Essa resignação parece um peso que empurra o meu esforço para me tornar mais vivo na meditação. Isso quer dizer que suprimi meu ego e que devo encontrá-lo novamente antes que eu possa realmente me livrar dele?

Um dos maiores problemas... vai parecer muito paradoxal, mas isso é verdade: antes que seja possível livrar-se do ego é preciso alcançá-lo. Apenas uma fruta madura cai no chão. O amadurecimento é tudo.

Um ego imaturo não pode ser jogado, não pode ser destruído. E se lutar com um ego imaturo para destruí-lo e dissolvê-lo, todo o esforço terá sido em vão. Em vez de destruí-lo, vai encontrá-lo mais fortalecido, sob novas formas, sutis.

Isso é algo básico a ser entendido: o ego deve chegar a um pico, deve ser forte, deve ter atingido uma integridade, e somente depois é possível dissolvê-lo.

Um ego fraco não pode ser dissolvido. E isso se torna um problema.

No Oriente, todas as religiões pregam a ausência de ego. Portanto, no Oriente, todo mundo é contra o ego desde o princípio. Devido a essa postura, o ego nunca se torna forte, nunca chega a um ponto de integração a partir do qual pode ser descartado. Nunca está maduro. Portanto, no Oriente, é muito difícil dissolver o ego, quase impossível.

No Ocidente, toda a tradição ocidental de religião e psicologia propõe, prega, convence as pessoas a terem egos fortes, porque, se não tiverem um ego forte, como podem sobreviver? A vida é uma luta, e se a pessoa é desprovida de ego, ela será destruída. Depois, quem vai resistir? Quem vai lutar? Quem vai competir? E a vida é uma contínua competição.

A psicologia ocidental diz: alcance o ego, seja forte nele. Mas, no Ocidente, é muito fácil dissolver o ego. Portanto, sempre que um buscador ocidental chegar a um entendimento de que o ego é o problema ele pode dissolvê-lo com facilidade, com mais facilidade do que qualquer buscador oriental.

Este é o paradoxo: no Ocidente, o ego é ensinado, enquanto no Oriente ensina-se a ausência de ego. No entanto, no Ocidente, é fácil dissolver o ego, enquanto no Oriente é muito difícil.

Esta vai ser uma tarefa difícil para as pessoas: primeiro, alcançar o ego e, depois, livrar-se dele, porque só é possível livrar-se de algo que se possui. Se a pessoa não o possui, como pode perdê-lo? Só pode ser pobre, se for rica. Se não for rica, sua pobreza não pode ter aquela beleza que Jesus prega: "Seja pobre de espírito." Sua pobreza não poderá ter aquele significado que teve para Gautama Buda quando ele se tornou um mendigo.

Somente um homem rico pode se tornar pobre, porque só se pode perder aquilo que se tem. Como aquele que nunca foi rico pode ser pobre? Essa pobreza será apenas superficial, nunca pode ser do espírito. Na superfície, ele vai ser pobre e, lá no fundo, vai ansiar por riquezas. Seu espírito ansiará por riquezas, será uma ambição, um desejo constante de alcançar riquezas. Ele será pobre apenas superficialmente. E pode até mesmo se consolar dizendo que a pobreza é boa. Mas não pode ser pobre, pois apenas um homem rico, um homem realmente rico, pode ser pobre. Apenas ter riquezas não é suficiente para ser realmente rico. A pessoa ainda pode ser pobre. Se a ambição ainda estiver lá, ela é pobre. O que ela possui não é a questão. Se ela tem o suficiente, consequentemente, o desejo desaparece. Quando se tem riquezas o bastante, o desejo desaparece.

O desaparecimento do desejo é o critério da condição de já estar suficiente. Com isso, a pessoa é rica e, consequentemente, pode abandonar o desejo e tornar-se um mendigo, como Buda. E então sua pobreza é rica, sua pobreza tem um reino próprio.

E o mesmo acontece com tudo. Upanishads, Lao Tzu, Jesus ou Buda – todos ensinam que o conhecimento é inútil. Apenas obter cada vez mais conhecimento não é de muita ajuda. Não só não é de muita ajuda como também pode se tornar uma barreira. O conhecimento não é necessário, mas isso não significa que o homem deva permanecer ignorante. Sua ignorância não será real.

A ignorância é atingida quando o indivíduo reúne o suficiente de conhecimento e o descarta. Daí a pessoa se torna ignorante de fato, como Sócrates, que pôde dizer: "Só sei uma coisa: é que nada sei."

Esse conhecimento, ou essa ignorância – chame-a como quiser –, é totalmente diferente, a qualidade é diferente, a dimensão mudou. Se a pessoa é simplesmente ignorante porque nunca alcançou qualquer conhecimento, sua ignorância não pode ser sábia, não pode ter sabedoria, ela é apenas ausente de conhecimento. E o anseio vai estar no interior: como adquirir mais conhecimento? Como adquirir mais informações?

Quando a pessoa sabe muito, ou seja, conhece as escrituras, conhece o passado, a tradição, sabe tudo o que é possível saber, de repente, torna-se consciente da futilidade de tudo isso, de repente, torna-se consciente de que isso não é conhecimento. Isso é emprestado!

Esta não é a sua própria experiência existencial, isso não é o que ela veio a conhecer. Outros podem tê-la conhecido, e a pessoa simplesmente a coletou. A compilação feita por ela é mecânica. Não surgiu a partir da pessoa, não representa um crescimento. É só lixo coletado de outras portas, emprestado, morto.

É bom lembrar que o conhecimento é vivo apenas quando a pessoa conhece, quando se trata de sua experiência direta e imediata. Porém, quando fica sabendo a partir dos outros, trata-se apenas de memória, não de conhecimento. A memória é morta. Quando a pessoa reúne muito – como, por exemplo, as riquezas do conhecimento, as escrituras, tudo em seu entorno, bibliotecas condensadas em sua mente – e, então, torna-se consciente de que está só carregando o fardo dos outros, e de que nada lhe pertence, de que ela própria não conheceu, ela pode descartar, pode descartar todo esse conhecimento.

A partir desse descarte, surge um novo tipo de ignorância dentro dela. Essa ignorância não é a ignorância do ignorante, é a ignorância do homem sábio, da sabedoria.

Somente um homem sábio pode dizer: "Eu não sei." Porém, ao dizer "Eu não sei" ele não tem anseio por conhecimento, ele simplesmente constata um fato. E quando consegue dizer de coração aberto "Eu não sei", nesse exato momento seus olhos se abrem, as portas do conhecimento estão abertas. Nesse exato momento, quando consegue dizer com sua totalidade "Eu não sei", ele se tornou capaz de obter conhecimento.

Essa ignorância é linda, mas é alcançada através do conhecimento. É a pobreza alcançada através da riqueza.

E o mesmo acontece com o ego: você só pode perdê-lo se o possuir.

Quando Buda desce de seu trono, torna-se um mendigo... o que é a necessidade para Buda? Ele era um rei, subiu ao trono, estava no auge de seu ego. Qual será o motivo para essa descida extrema, do palácio para as ruas, para se tornar um mendigo? No entanto, Buda tem uma beleza em sua mendicância. A Terra nunca conheceu um mendigo tão bonito, um mendigo tão rico, um mendigo tão majestoso, como um imperador. O que aconteceu quando ele desceu de seu trono?

Ele desceu de seu ego. Os tronos não são nada além de símbolos, símbolos do ego, do poder, do prestígio, do status. Ele desceu e depois ocorreu a ausência de ego.

Essa ausência de ego não é humildade, essa ausência de ego não é modéstia. É possível encontrar muitas pessoas humildes, mas sob a humildade delas funcionam egos sutis.

Dizem que, uma vez, Diógenes foi visitar Sócrates. Ele vivia como um mendigo, e usava sempre roupas sujas com muitos remendos e buracos. Mesmo que o presenteassem com um traje novo, ele não o usava. Primeiro, deixava a peça ficar suja, velha, rasgada, e só depois passava a usá-la.

Ao visitar Sócrates, ele começou a falar sobre ausência de ego. Porém, os olhos penetrantes de Sócrates devem ter percebido que aquele homem não era um homem sem ego. O modo como falava sobre modéstia era muito egoico. Dizem que Sócrates lhe disse: "Por meio de suas roupas sujas, pelos buracos de seus trajes, não posso ver nada além do ego. Você fala de modéstia, mas essa conversa vem de um centro profundo do ego."

Isso vai acontecer, é assim que ocorre a hipocrisia. A pessoa tem o ego, esconde-o através do oposto e, assim, torna-se humilde superficialmente. Essa humildade superficial não consegue enganar ninguém. A pessoa pode enganar a si mesma, mas não consegue enganar todo mundo. Seu ego continua à espreita, a partir dos buracos das vestimentas sujas. O ego está sempre presente. Esse é um autoengano, nada mais. Ninguém mais é enganado.

Isso acontece se a pessoa começa a descartar o ego imaturo.

O que eu ensino vai parecer contraditório, mas é a verdade da vida. A contradição é inerente à vida.

Ensino as pessoas a serem egocêntricas, para que possam se tornar pessoas sem ego.

Ensino as pessoas a serem egocêntricas perfeitas. Não se deve esconder o egoísmo, pois, do contrário, vai surgir a hipocrisia. E não se deve lutar com o fenômeno imaturo. Deixem-no amadurecer, ajudem-no. Levem-no para o auge! Não tenham medo, não há nada a temer. É assim que se percebe a agonia do ego.

Quando chegarem ao seu auge, não vão precisar de um Buda ou de mim para lhes dizer que o ego é o inferno.

As pessoas vão saber disso, porque o auge do ego será o pico das experiências infernais delas, será um pesadelo. E, depois, não há necessidade de ninguém dizer-lhes: "Largue isso! Vai ser difícil prosseguir."

Só se alcança o conhecimento por meio do sofrimento.

Não se pode jogar nada fora só pelo argumento lógico. Pode-se jogar algo fora somente quando isso se tornou tão doloroso que não pode mais ser carregado.

Se o ego ainda não se tornou tão doloroso, então pode ser carregado. É natural! Não posso persuadir a pessoa a abandoná-lo. Mesmo que ela se convença, vai escondê-lo. Isso é tudo.

Nada imaturo pode ser jogado fora. A fruta verde se apega à árvore e a árvore se apega à fruta verde. Se ela for forçada a se separar, será deixada para trás uma ferida. Essa cicatriz permanecerá, a ferida ficará para sempre verde e ela vai sempre se sentir magoada. É importante lembrar que tudo tem um tempo para crescer, para ficar maduro, para cair na terra e se dissolver. O ego também tem um tempo. Ele precisa ficar maduro.

Portanto, ninguém deve ter medo de ser egocêntrico. Todas as pessoas são, caso contrário, todos teriam desaparecido há muito tempo.

Esse é o mecanismo da vida: a pessoa tem que ser egocêntrica, tem que lutar, à sua maneira, tem que lutar com muitos milhares de desejos em torno de si, tem que lutar, tem que sobreviver.

O ego é uma medida de sobrevivência.

Se uma criança nasce sem o ego, ela morre. Ela não pode sobreviver, é impossível, pois, se tiver fome, não vai sentir "estou com fome". Sentirá que há fome, mas não relacionada a ela. Quando a fome é sentida, a criança sente "estou com fome", e começa a chorar e a se esforçar para ser alimentada. A criança cresce através do crescimento do seu ego.

Então, para mim, o ego faz parte do crescimento natural.

Mas isso não significa que o ser humano tem que permanecer com o ego para sempre. É um crescimento natural e, depois, há um segundo passo, quando ele tem de ser descartado. Isso também é natural. No entanto, o segundo passo só pode ser dado quando o primeiro tiver chegado ao seu auge, ao clímax, quando o primeiro passo tiver chegado ao seu pico.

Por isso, ensino os dois, ou seja, ensino o egocentrismo e ensino a ausência de ego.

O homem precisa, primeiro, ser egocêntrico, perfeitamente egocêntrico, egocêntrico absoluto, como se toda a existência existisse para ele e ele fosse o centro, como se todas as estrelas girassem em torno dele e o sol nascesse para ele, como se tudo existisse para ele, só para ajudá-lo a estar aqui. Deve ser o centro, e não precisa ter medo, porque, se tiver medo, nunca irá amadurecer.

Deve aceitar isso! Faz parte do crescimento. Precisa apreciá-lo e levá-lo ao auge. Quando chegar a um nível máximo, de repente, o homem vai ter consciência de que não é o centro. E que isso foi uma falácia, uma atitude infantil. Mas ele era uma criança, de modo que não há nada de errado nisso.

Agora ele amadureceu, e agora percebe que não é o centro. Realmente, quando o homem percebe que não é o centro, também percebe que não há centro na existência ou que todo lugar é o centro. Ou não existe centro e a existência existe como uma totalidade, uma plenitude sem nenhum centro como ponto de controle, ou que cada átomo é um centro.

Jakob Boehme disse que o mundo inteiro é cheio de centros, que cada átomo é um centro e que não há circunferência, ou seja, há centros em todo lugar, mas não há centros em lugar algum. As possibilidades são essas duas. Ambas significam a mesma coisa, apenas as palavras são diferentes e contraditórias. De qualquer forma, o homem deve, primeiro, se tornar um centro.

É algo assim: a pessoa está em um sonho. Se o sonho chega ao seu auge, ele será cortado. Sempre que isso acontece, sempre que um sonho chega ao clímax, é cortado. E o que é o clímax de um sonho? O clímax de um sonho é a sensação de que ele é real. A pessoa sente que é real, que não é um sonho, e segue até um pico mais alto, e o sonho torna-se quase real. Nunca pode tornar-se real, mas torna-se quase real.

O sonho chega tão perto da realidade que não se pode ir mais longe, pois um passo a mais e ele se torna real. E não pode se tornar real porque é um sonho! Quando chega muito perto da realidade, o sono é cortado, o sonho é despedaçado, e a pessoa fica completamente desperta. O mesmo acontece com todos os tipos de falácia.

O ego é o maior sonho. Ele tem sua beleza, sua agonia Ele tem seu êxtase, sua agonia. Ele tem seus céus e seus infernos, ambos estão presentes. Os sonhos, às vezes, são lindos e, outras vezes, são pesadelos, mas ambos são sonhos.

Por isso, não digo às pessoas para saírem de seus sonhos antes que chegue o tempo. Não, nunca se deve fazer nada antes do tempo. É preciso deixar que as coisas cresçam, deixar que as coisas tenham seu próprio tempo, para que tudo aconteça naturalmente.

O ego vai cair. Pode cair por conta própria também. Se a pessoa simplesmente deixá-lo crescer e ajudá-lo a crescer, não haverá necessidade de abandoná-lo.

Isso é muito profundo. Se a pessoa o descarta, é porque o ego permaneceu no interior. Quem vai descartá-lo? Se a pessoa pensa em descartá-lo, é porque ela é o ego. Portanto, sempre que descartá-lo, na verdade, não será a coisa real. A coisa real será preservada e a pessoa terá descartado outra coisa.

O homem não pode fazer com que ele próprio fique sem ego.

Quem vai fazer isso? Isso acontece, não é algo que se faça. A pessoa cresce em ego e chega um ponto em que a coisa toda se torna tão infernal que o sonho é desfeito. De repente, percebe que o ganso está fora, e que nunca esteve na garrafa.

O homem nunca foi um ego.

Foi apenas um sonho em seu entorno. Digo que é um sonho necessário, de modo que não o condeno, pois é uma parte necessária do crescimento.

Na vida tudo é necessário. Nada é desnecessário, nada pode ser desnecessário. O que quer que tenha acontecido, teve que acontecer. O que quer que esteja acontecendo, está acontecendo por causa de determinadas causas profundas. O homem precisa disso para que possa permanecer na falácia. Trata-se, apenas, de um casulo que o auxilia, protege, ajuda a sobreviver. Não é preciso ficar no casulo para sempre. Quando estiver preparado, basta quebrar o casulo e sair.

O ego é a casca do ovo que protege a pessoa. Mas quando estiver pronta, ela deve quebrar a casca e sair do ovo. O ego é a casca. Mas espere. Ter pressa não será de muita ajuda, a pressa não vai ajudar, pode, inclusive, atrapalhar. É preciso dar um tempo e não condená-lo, pois quem vai condená-lo?

Vá até os chamados santos, aqueles que falam de modéstia, humildade, e olhe em seus olhos: ninguém encontrará egos tão refinados em nenhum outro lugar. Agora seus egos receberam o manto da religião, da yoga, da santidade, mas o ego está presente. Eles podem não reunir riquezas, mas podem reunir seguidores; a moeda mudou, eles agora contam quantos seguidores...

Eles podem não estar atrás das coisas deste mundo, mas, sim, de coisas daquele mundo; no entanto, deste ou daquele, ambos são mundos. E eles podem ser até mais gananciosos, porque dizem que essas coisas temporárias, coisas momentâneas deste mundo, consistem em prazeres de pouca duração, e eles querem prazeres eternos.

A ganância deles é suprema. Não conseguem ficar satisfeitos com prazeres momentâneos. Querem prazeres eternos. A menos que algo seja eterno, eles não ficam gratos. Sua ganância é profunda, sua ganância é absoluta, e a ganância pertence ao ego.

A ganância é a fome do ego.

Por isso, às vezes, acontece de os santos serem mais egocêntricos do que os pecadores e, assim, permanecem longe do divino. E, às vezes, os pecadores podem alcançar Deus mais facilmente do que os denominados santos, porque o ego é a barreira. Esta é a minha experiência, a de que os pecadores conseguem abandonar seus egos com mais facilidade que os santos, porque os pecadores nunca foram contra o ego. Eles alimentam o ego, desfrutam do ego e vivem com ele em sua totalidade. E os santos sempre lutaram contra o ego, de modo que nunca o deixaram amadurecer.

Portanto, esta é a minha postura: o ego *tem* que ser descartado, mas pode ter um longo tempo de espera, e só se pode descartá-lo se a pessoa cultivá-lo. Esta é a dificuldade de todo o fenômeno, porque a mente diz: "Se é preciso descartá-lo, então por que cultivá-lo?" A mente diz: "Se é preciso destruí-lo, então por que criá-lo?"

Se der ouvidos à mente, a pessoa terá problemas. A mente é sempre lógica, enquanto a vida é sempre ilógica, de modo que elas nunca se encontram. Trata-se de uma lógica simples, de matemática comum: se alguém está para destruir essa casa, então por que construí-la? Por que todo esse trabalho? Por que esse esforço e essa perda de tempo e energia? A casa não está lá, então por que construí-la e depois destruí-la? Na verdade, a questão não é a casa, a questão é a pessoa.

Ao construir a casa, haverá uma mudança, e depois, ao destruir a casa, haverá uma mudança completa, e a pessoa não vai ser a mesma, pois a criação da casa, e todo o processo disso, será um crescimento para ela. Depois, quando a casa estiver pronta, ela a põe abaixo. Isso será uma mutação.

A mente é lógica e a vida, dialética. A mente se move em uma linha simples, e a vida sempre se move pulando de um polo a outro, de uma coisa para o extremo oposto.

A vida é dialética. Crie, e depois a vida diz: destrua. Nasça, e depois a vida diz: morra! Conquiste, e depois a vida diz: perca! Seja rico, e depois a vida diz: torne-se pobre! Seja um pico, um Everest do ego, e depois se torne um abismo de ausência de ego. Depois terá conhecido ambos, o ilusório e o real, *maya* e *brahma*.[2]

---

[2] *Meu caminho: o caminho das nuvens brancas*, Capítulo 8.

Outro dia você disse que o esforço é perigoso, mas é necessário trabalho árduo nas meditações. Para a minha mente de alemão, o esforço equivale a trabalho árduo. Existe trabalho árduo sem esforço?

A questão é delicada. O esforço é sempre hesitante, o esforço é sempre parcial. E o esforço é feito porque não há outra maneira de a pessoa atingir o resultado desejado sem fazê-lo. Se houvesse alguma outra maneira, a pessoa abandonaria o esforço e pularia para a conclusão. Nunca se utiliza o esforço em sua totalidade, porque o objetivo é o futuro, o resultado final.

O esforço é orientado para o futuro, é orientado para o resultado. O esforço é feito apenas em função de algum resultado futuro, algum benefício, alguma ganância, algum bom lucro.

É por isso que os mestres zen dizem: é necessário um esforço sem esforço.

O que eles querem dizer com esforço sem esforço? Eles dizem que o trabalho árduo é necessário, mas que não deve ser orientado para o futuro. Deve-se apreciá-lo, e não por algum outro objetivo. Mesmo que nada seja alcançado através dele, deve ser belo por si só. E esta é a coisa mais difícil para a mente humana fazer. É por isso que chamo isso de trabalho árduo.

A coisa mais difícil é fazer algo por si só, como cantar uma música por si só, meditar por si só, amar por si só.

Essa é a coisa mais difícil para o ser humano, porque a mente é orientada para o futuro. Ela diz: "Para mim mesma? Então, para quê? O que vai acontecer a partir disso?" As pessoas vêm a mim e perguntam: "Podemos meditar, mas o que vamos alcançar? Podemos nos tornar *sannyasins*, mas o que ganharemos com isso?" É assim que age a mente, sempre gananciosa.

Deixe-me contar um caso.

Um dia, Mulla Nasruddin observava a rua pela janela quando viu seu credor se aproximar da casa. Como sabia o que o sujeito iria fazer, Mulla chamou a esposa e lhe pediu que atendesse o visitante.

Assim, a esposa abriu a porta e disse:

– Sim, senhor. Sei que não conseguimos paga-lo ainda. E embora Mulla não esteja em casa neste momento, ele pensa dia e noite sobre formas de obter algum dinheiro para lhe pagar. Ele até me pediu para observar a rua, de modo que, sempre que passar um rebanho de ovelhas, eu possa sair e pegar pedaços de lã que venham a ficar presos nos arbustos. Desse modo, quando tivermos lã suficiente, poderemos tecê-la, fazer um par de xales, vendê-los e, com o dinheiro, pagar-lhe o que devemos.

Quando ela chegou a esse ponto, o homem começou a rir, e então Mulla saiu de seu esconderijo e disse:

– Seu patife, agora que você sentiu o cheiro do dinheiro você abre esse sorriso largo.

A mente é esse patife. Depois que obtém qualquer dica de qualquer espécie de futuro, ela começa a sorrir ironicamente. A mente pula na hora em cima disso, agarra-se a ele, e a pessoa em si não está mais aqui e agora.

A meditação é orientada para si mesma, assim como o amor é orientado para si mesmo.

Pergunte a uma rosa por que ela brota. Ela simplesmente brota. É tão belo brotar. Não há motivo para isso. Pergunte aos pássaros por que eles estão cantando. Eles simplesmente estão cantando. Eles apreciam, têm prazer nisso, não há motivo para isso.

Abandone a mente e o motivo desaparece. Dessa forma, pelo menos durante algumas horas, durante um dia, faça coisas apenas por fazer: dançar, cantar, tocar violão, sentar com os amigos ou olhar o céu. Pelo menos durante algumas horas dedique algum tempo para atividades intrínsecas. Essas atividades são o trabalho árduo.

E, eu sei, a mente é muito preguiçosa. Ela gosta de sonhar, não gosta de trabalhar, e é por isso que pensa constantemente no futuro. Mas a mente é muito preguiçosa. Pensa só no futuro para que o presente possa ser evitado, e o desafio do presente possa ser evitado.

Uma vez ouvi contar a seguinte anedota:

Enquanto andava à margem de um riacho, um homem cruzou com um jovem deitado preguiçosamente debaixo de uma árvore com uma linha de pesca na água, na qual a cortiça sacudia freneticamente.

– Ei, você pescou alguma coisa! – disse o homem.

– É – falou com voz arrastada o pescador. – Você se importaria de retirá-lo para mim?

O andarilho o fez, e logo em seguida o sujeito deitado perguntou:

– Você se importaria de tirar o peixe, colocar outra isca no anzol e jogá-lo de volta no riacho?

Isso foi feito, e o homem comentou em tom de brincadeira:

– Preguiçoso como você é, deveria ter algumas crianças para fazer essas coisas para você.

– É uma boa sugestão. – O pescador bocejou. – Tem alguma ideia de onde eu poderia encontrar uma mulher grávida?

É assim que é a mente, ela não quer fazer nada.

Ela simplesmente espera, deseja, posterga.

O futuro é um truque para postergar o presente, o futuro é um truque para evitar o presente. Não que a pessoa vá fazer alguma coisa no futuro, não, pois, mais uma vez, a mesma mente estará lá e dirá "amanhã, amanhã". A pessoa vai morrer e não vai fazer nada, vai apenas pensar.

E esse pensamento ajuda a livrar a cara: a pessoa não se sente preguiçosa porque pensa tanto em fazer, em fazer sempre grandes coisas, em sonhar grandes coisas e em não se ocupar das pequenas coisas que devem realmente ser feitas no momento presente. Trabalho duro significa estar presente e fazer aquilo que o presente trouxe como desafio.

"Outro dia você disse que o esforço é perigoso, mas é necessário trabalho árduo nas meditações."

Sim, trabalho árduo, porque o homem tem que ir contra a mente.

A dureza não está no trabalho, pois o trabalho em si é bem simples, o trabalho é muito fácil. A dureza vem do fato de o homem ser tão obscurecido pela mente que ele tem que sair dela.

"Para a minha mente de alemão, o esforço equivale a trabalho árduo."

Entendo, mas todas as mentes são alemãs. É por esse motivo que todos estão em apuros, é por isso que todos encontram seu próprio fascismo, seu próprio nazismo, seu próprio Adolf Hitler. Todos encontram.

A mente é fascista, e a mente busca continuamente líderes, alguém para liderar.

Foi uma surpresa para o mundo todo quando a Alemanha caiu na armadilha de Adolf Hitler. Ninguém podia acreditar, era quase sem lógica. Uma raça tão bonita, com uma tradição tão grande de aprendizagem, de homens instruídos, de grande filosofia, de Kant, Hegel, Feuerbach, Marx... Uma cultura tão grande, com intelecto tão refinado, uma cultura de grandes cientistas, de grandes músicos, de grandes romancistas e poetas, o país dos filósofos e professores... "Professor" nunca foi uma palavra tão respeitada em nenhum outro país como na Alemanha.

O que aconteceu com uma raça tão inteligente para cair nas mãos de uma pessoa estúpida, quase imbecil, como Adolf Hitler?

Porém, isso tem que ser compreendido: nem mesmo toda a aprendizagem – se for superficial, se for no nível da mente – irá ajudar. A aprendizagem permanece tão só na superfície e, no fundo, a pessoa permanece infantil.

Professores, até mesmo um homem como Martin Heidegger – grande filósofo, pode-se dizer o maior que o século XX produziu –, também se tornaram seguidores de Adolf Hitler. O que aconteceu com esses gigantes para seguir um homem que estava praticamente louco?

Isso tem que ser compreendido, porque pode acontecer, sempre aconteceu.

Essas grandes mentes são apenas grandes na superfície; no fundo, sua existência é muito infantil, pois só o intelecto cresceu, eles, propriamente, não. A mente de Martin Heidegger é bastante adulta, seu ser é muito infantil. Seu ser é infantil, ele está à espera de alguém para conduzi-lo.

Uma pessoa realmente madura não joga sua responsabilidade em nenhuma outra pessoa, ela se torna responsável pelo seu próprio ser. Agora, esse país inteiro de cientistas, filósofos, professores, poetas, gigantes intelectuais, foi vítima de um homem medíocre, muito ordinário. E aquele homem governou o país.

Isso deve ajudar todo mundo a entender a loucura do intelecto. O intelecto é superficial.

Deve-se crescer em ser, caso contrário, a pessoa fica sempre vulnerável, e tende a se tornar vítima desse tipo de indivíduo. Eles sempre surgem ·.

A mente é condicionada a partir do exterior, ela pode ser governada de fora. O homem tem que desenvolver a não mente, pois só então ele poderá não ser governado de fora.

Só um homem de não mente é um homem livre, independente. Ele não é nem alemão, nem indiano, nem inglês, nem norte-americano, ele é simplesmente livre. Norte-americano, indiano, alemão... estes são os nomes das prisões dos homens, estes não são seus céus de liberdade. Estes não são os céus para se voar, são as prisões para se viver.

Um homem livre pertence a si mesmo, a ninguém mais. Um homem livre é simplesmente uma energia sem nome, sem forma, sem raça, sem nação. Os dias das nações e raças são passado, os dias do indivíduo estão chegando.

Em um mundo melhor, não haverá alemães, nem indianos, nem hindus, nem cristãos; haverá indivíduos puros, completamente livres, vivendo sua vida à sua própria maneira, sem perturbar a vida de ninguém e sem permitir que alguém perturbe suas vidas.

Caso contrário, a mente é infantil e, no entanto, astuta. Ela pode ser vítima de qualquer Adolf Hitler, de qualquer chauvinista, de qualquer pessoa louca que seja ousada o bastante... e as pessoas são ousadas, nunca hesitam. Este foi o apelo de Adolf Hitler. Ele era tão ousado que foi absolutamente ousado. Ele nunca hesitava, ele estava absolutamente certo. E as pessoas que são indecisas em seu ser experimentam profunda atração por esse tipo de indivíduo. Esse é um homem que é tão claro em relação à verdade que deve ter alcançado a verdade. E todos começam a concordar com ele. Devido à incerteza, as pessoas tornam-se vítimas de algum louco. As pessoas loucas estão sempre certas, e apenas as pessoas muito, muito alertas e conscientes é que hesitam. A hesitação delas revela sua consciência e complexidade de vida.

E a mente é muito astuta. Ela pode racionalizar tudo.

Ouvi a seguinte história:

Berger, escondendo-se dos nazistas com sua esposa em um sótão afastado em Berlim, decidiu ir respirar ar fresco. Estava ele passeando fora do sótão quando viu-se cara a cara com Adolf Hitler. O líder alemão sacou a arma e apontou para uma pilha de esterco de cavalo na rua.

– Muito bem, judeu! – gritou Hitler. – Coma aquilo ou vou te matar!

Berger, tremendo, fez o que lhe foi ordenado. Hitler ria tanto que largou a arma. Berger a pegou e disse:

– Agora, você come o esterco ou eu atiro!

O Führer ficou de quatro e começou a comer. Enquanto ele estava ocupado, Berger esgueirou-se para longe, escapou por um beco, passou por cima de uma cerca e correu até as escadas para o sótão. Bateu a porta, aferrolhou e trancou-a de forma segura.

– Hilda! Hilda! – exclamou ele para a esposa. – Adivinhe com quem eu almocei hoje!

A mente passa a racionalizar. Mesmo que o homem tenha comido esterco, este pode ser transformado em um almoço, daí: "Hilda, Hilda, adivinhe com quem almocei hoje!"

Cuidado com as armadilhas da mente. E quanto mais a pessoa se torna alerta, mais será capaz de viver no momento, no ato, na totalidade. Daí, não há nenhuma motivação: a pessoa faz isso porque tem prazer. E é por isso que o chamo de "o trabalho mais árduo".

Sair da mente é o trabalho mais árduo. Mas não se trata de esforço, e sim de consciência, não é esforço, é um estado de intenso alerta.[3]

---

[3] *Dang Dang Doko Dang*, Capítulo 10.

Iluminação

A iluminação está além da natureza das coisas?

A iluminação é a própria natureza das coisas. Mas isso nunca foi dito desse modo; pelo contrário, a mente das pessoas tem sido corrompida ao se criar um objetivo contra a natureza, dando-lhe nomes bonitos, como "sobrenatural". E o homem foi pego nisso por uma simples razão:

A natureza das coisas já está onde a pessoa está.

Não se trata de uma emoção, de um desafio, e não recorre à pessoa para que prove seu ego. Não se trata de uma estrela distante. A mente quer, para sua alimentação, algo muito difícil, algo quase impossível. Apenas se puder alcançar o impossível é que a pessoa pode se sentir como alguém especial.

A iluminação não é um talento. Não é como nascer pintor, poeta ou cientista, estes são talentos.

Iluminação é simplesmente a própria fonte de vida de todos nós. Não é necessário nem mesmo sair de casa para procurá-la. Ter de sair de casa para procurá-la significa que a pessoa a perdeu, e ninguém sabe quando ela poderá voltar para casa.

A iluminação não é nada além de perceber que "eu sou aquilo que sempre quis ser, nunca fui outra coisa, e não posso ser outra coisa, nunca". A própria definição da natureza é que o homem não pode ir além dela. Ele pode se esforçar e criar infelicidade, ansiedade, angústia, mas não pode ir além disso.

É o homem.

Como ele pode ir além de si mesmo?

É sua própria fonte de vida, sua própria existência. Aonde quer que ele vá, ele será isso.

Há registros de pessoas cuja primeira experiência de si foi somente uma gargalhada. Ao ver o absurdo do que estavam tentando fazer... elas tentavam ser elas mesmas! Essa é a única coisa impossível no mundo, porque a pessoa já é isso. Então, como é que ela pode tentar ser isso?

Mas os padres, os chamados líderes religiosos, e todos aqueles que quiseram escravizar o homem, deram a ele ideais. Eles lhe disseram: "A menos que você se comporte de uma determinada maneira, você está errado." A menos que o homem faça as coisas que eles prescrevem, ele não é bom. Ninguém nunca perguntou a essas pessoas: "Quem lhes deu autoridade para decidir pelos outros? Se vocês acham que algo é bom, façam-no, mas vocês não têm o direito de impor a ninguém que os siga."

Os grandes corruptores, os grandes envenenadores são aqueles que criaram seguidores, pois, se você segue alguém, você se vê na absurda situação de estar contra si mesmo: eles o fazem acreditar que você tem que ser alguém que nunca poderá ser. Isso gerou um mundo inteiro de enorme sofrimento.

Se não forem observadas as raízes, esse sofrimento não poderá desaparecer. As pessoas podem incrementar os dispositivos, a tecnologia, mas a infelicidade continua. Não é só o homem pobre que é infeliz. Na minha própria experiência, o homem pobre é menos infeliz do que o homem rico, pois o pobre, pelo menos, tem uma esperança. O rico vive sem esperança. Agora ele sabe que fez tudo o que podia, e sua vida está vazia como nunca, talvez mais vazia. E a morte se aproxima, a vida está se tornando, a cada momento, mais curta, e ele a desperdiçou, com o acúmulo de dinheiro, poder, prestígio. Ele desperdiçou a vida tentando ser um santo, orando diante de deuses fabricados pelo homem.

E tudo isso foi feito para que o homem não pudesse nunca simplesmente ser ele mesmo.

Ensino às pessoas apenas uma moralidade simples, que é a seguinte: nunca se deve ir contra a própria natureza. Mesmo que todos os Budas de todos os tempos estejam contra você, não lhes dê atenção. Eles não têm nada a ver com as pessoas. Eles fizeram o que acharam certo para si mesmos, e cada um tem que fazer o que acha certo para si também. E o que é certo? Não pode ser definido por nenhuma escritura. Não pode ser definido por nenhum critério exterior. Há um critério intrínseco a ser entendido:

Aquilo que faz a pessoa mais feliz é bom.

Aquilo que faz a pessoa feliz é a única moralidade. Aquilo que a faz infeliz é o único pecado. Aquilo que a afasta de si mesma é a única coisa a ser evitada.

Basta alegrar-se em si mesmo para que seja iluminado. O homem sempre foi iluminado, não há como não ser iluminado.

Tentei de várias maneiras, mas tenho que admitir que falhei: eu não poderia me tornar um não iluminado. Seja qual for a posição, fazendo qualquer tipo de coisa, fiquei surpreso: se vou para o norte ou para o sul, permaneço iluminado!

No Japão, eles têm uma boneca muito linda... talvez eles sejam o povo que faz as mais lindas. E essa boneca não é uma boneca comum. No Japão, seu nome é *daruma*, mas trata-se de uma distorção japonesa do nome de Bodhidharma, e a boneca é feita de acordo com a visão de Bodhidharma.

A boneca é pesada nas pernas e muito leve em direção à cabeça. Com isso, pode-se jogá-la em qualquer lugar que se queira e ela vai sempre ficar na posição de lótus. Não se pode fazer nada quanto a isso. As pessoas podem ter esquecido, mas ela tornou-se apenas uma boneca para as crianças brincarem. No entanto, ela representa o que estou dizendo e o que Bodhidharma estava dizendo, ou seja: não há maneira de a pessoa não ser iluminada.

Quem colocou essa ideia na mente do homem de que ele tem que se tornar iluminado?

A srta. Prim, uma solteirona idosa, está fazendo uma palestra de apresentação no colégio de meninas.
– Agora, meninas – diz ela –, sempre que saírem, lembrem-se: não fumar nas ruas, não adotar má conduta em público e, quando os homens as incomodarem, perguntem a si mesmas: uma hora de prazer vale uma vida inteira de desgraça? Agora, meninas, alguma dúvida?
Uma voz do fundo do salão grita:
– Como você faz isso durar uma hora?

Há pessoas ao redor que deixam as outras loucas. Se não fosse assim, tudo estaria perfeitamente como deveria ser. Este é o mundo mais perfeito, não falta nada. No entanto, alguns malucos não conseguem se manter sentados quietos se não fizerem com que algumas pessoas persigam sombras que nunca podem ser concretizadas.

E quanto mais elas sentem que não podem ser concretizadas, maior a insignificância, maior a falta de esperança, maior a sensação de vazio absoluto... e a tristeza se instala e se torna mais densa à medida que o tempo passa.

As pessoas nunca devem aceitar um critério que as torne infelizes. Nunca devem aceitar nenhuma moralidade que as faça se sentir culpadas. Nunca devem aceitar nada que tente lhes impor algo contra sua natureza simples.

Basta que a pessoa seja ela mesma para que seja perfeita.

Ao afastar-se de si, a pessoa entra em apuros. Todo mundo fica em apuros.

Minha própria experiência de entrar em contato com milhares de pessoas é que eu nunca vi um homem que fosse realmente infeliz. Pelo contrário, vi pessoas desfrutando de seu sofrimento, e exagerando sua infelicidade. É de sentir piedade o fato de pessoas que poderiam ter desabrochado em belas flores estarem murchas. Elas perderam o caminho de casa, e todo mundo está tentando ajudá-las a ir para outro lugar: "Torne-se Buda, torne-se Jesus, torne-se Moisés." Mas ninguém nunca diz aos outros: "Apenas seja você mesmo."

Que ligação existe entre o homem e Moisés? Quais são os laços entre o homem e Jesus Cristo? Mas as pessoas estão adorando, rezando, à espera de que um dia eles se tornem os ideais de sua imaginação. Naturalmente, elas sempre fracassam. Uma pessoa é uma rosa e vai ser uma rosa. Deixem que o mundo inteiro condene ou aprecie, não importa.

Depois que um homem toma essa posição "vou me afirmar", não tem nada a ver com o ego, está simplesmente se protegendo contra um mundo criminoso e corrupto há milhares de anos. Ele tem todo o direito de se proteger, para não ser envenenado. E não terá nenhuma necessidade de deus algum, de nenhuma religião, nenhum código moral, nenhuma metodologia, nenhum esforço para tornar-se iluminado.

Apenas ser natural é mais do que qualquer um pode imaginar.

Com exceção do homem, toda a existência é iluminada.

Ninguém está tentando nenhuma outra coisa, todo mundo está à vontade, em casa com o universo.

Julian Huxley, um dos grandes cientistas, tem uma hipótese, que não há como se provar, mas que parece ter certa importância. Depois de toda uma vida de pesquisa, ele conclui: "Parece que algo deu errado no próprio mecanismo do homem, porque nenhuma árvore parece sofrer de ansiedade, nenhum animal comete suicídio na selva, nenhum animal se torna homossexual na selva." Porém, algo estranho acontece nos zoológicos. Quando os animais são mantidos em um zoológico, eles começam a adquirir algumas grandes qualidades da humanidade: eles se tornam homossexuais. Foram encontrados, inclusive, animais que cometeram suicídio em zoológicos. Tornam-se pervertidos, começam a fazer coisas que nenhum de seus ancestrais jamais fez, em milênios. O que acontece no zoológico? Eles se tornam parte da sociedade humana. Começam a imitar os seres humanos. Ficam distorcidos, tornam-se antinaturais.

Na minha opinião, exceto o homem, toda a existência é perfeitamente saudável, perfeitamente à vontade. A ideia de Julian Huxley tem algum valor pragmático. Pode não ser possível provar o que deu errado, porque o homem é um mecanismo muito complexo. Mas algo com certeza deu errado.

Na minha visão, não é algo hereditário que deu errado. É algo que acontece com toda criança, repetidas vezes, porque toda criança nasce em uma sociedade que não é sã. E ela tem que aprender os modos das pessoas que são insanas. Quando ela adquire alguma inteligência, já está envenenada. Já é muito tarde, já se tornou um imitador.

As crianças são inocentes. Elas vêm ao mundo sem nenhuma ideia do que vai acontecer. Naturalmente, ao se verem rodeadas por pessoas, elas começam a imitá-las. Este é o seu modo de aprender. Mas, nesse mesmo processo de imitação e aprendizagem, ocorre o grande erro que Julian Huxley acha que é genético. Não é genético, é cultural. É por causa dos adultos. A criança não tem outra maneira, ela tem que aprender com as pessoas que são doentes. E essas pessoas doentes não vão tolerar ninguém que não seja doente.

Qualquer um que seja saudável, qualquer um que seja são, vai ser odiado, vai ser envenenado, vai ser apedrejado até a morte, porque a multidão tem que escolher entre duas coisas: ou o indivíduo é certo, e daí toda a multidão e toda a sua história estão erradas, ou toda a multidão e seu longo passado, que ela chama de seu "passado de ouro", estão certos, e daí esse homem tem de ser apagado, pois, do contrário, será um constante ponto de interrogação.

Não por falta de motivo Sócrates foi envenenado. Sócrates era intolerável. A simples presença dele feria as pessoas, devido à sua estatura, sua inteligência, sua honestidade, pois tudo prova que as pessoas são hipócritas. Sem dúvida, a multidão não está disposta a aceitar um padrão único de homem contra toda a história da humanidade. É melhor destruir esse homem, livrar-se desse homem. Ele é um incômodo constante, pois diz às pessoas que elas são desonestas, que elas estão vivendo na mentira, que os deuses delas são falsos, que suas esperanças não são nada além de consolos, que elas estão tentando esconder a própria nudez.

O homem sabe perfeitamente bem que por baixo de suas roupas ele é alguém totalmente diferente. Essas pessoas são lembretes, e dói ser lembrado de sua própria desonestidade para consigo mesmo. Dói saber que o seu amor não é amor, mas ciúme, que é uma forma diluída do ódio. Dói saber que seus deuses são absolutamente falsos, sua própria criação, que suas escrituras sagradas são tão profanas quanto um livro pode ser. A coisa mais fácil parece ser remover qualquer homem como Sócrates, ficar à vontade com seu sofrimento e começar novamente a fazer esforços para se tornar iluminado.

É uma situação muito estranha. Sempre que uma pessoa é natural e está iluminada, alguém a destrói e depois tenta descobrir como se tornar iluminada.

Talvez a busca de como se tornar iluminado nada mais seja do que uma astuta estratégia para postergar a iluminação. Na verdade, nem mesmo dizer postergar está correto.

A pessoa é iluminada e está tentando não ser iluminada. Todo o seu esforço de ser católico, de ser protestante, de ser hindu, de ser muçulmano nada mais é do que um artifício para não reconhecer sua iluminação.

Apenas seja natural para que possa permanecer em sintonia com a existência. De maneira que possa dançar na chuva, dançar ao sol, dançar com as árvores, e possa ter uma comunhão até mesmo com as rochas, com as montanhas, com as estrelas. Excetuando-se isso, não há iluminação.

Deixe-me definir isso: a iluminação é estar em sintonia com a existência.

Estar em sintonia com a natureza, a própria natureza das coisas, é iluminação. Contra a natureza existe apenas o sofrimento, o sofrimento criado pelo próprio homem. Ninguém mais é responsável por isso.[1]

---

[1] *Om Mani Padme Hum*, Capítulo 11.

Será que a iluminação precisa de um lugar especial, um momento especial para acontecer?

Todo lugar é especial, porque todo lugar é repleto de Deus. Nenhum lugar é comum. A iluminação pode ocorrer até no banheiro! A iluminação não tem medo do banheiro! Pode acontecer em qualquer lugar. Não há necessidade de ir a lugares sagrados, não há nenhum. Toda a existência é sagrada! Não há necessidade de ir para Varanasi, Jerusalém ou Kaaba, é tudo tolice. Todos os lugares são cheios de Deus. Todo ponto é especial.

E a que momento especial se refere a pergunta? Há uma temporada, um determinado clima para a iluminação?

A iluminação não está realmente acontecendo. Se fosse um acontecimento, então, talvez, em determinado solo, em determinado clima, em determinado local, em determinados dias poderia ser mais recomendável. Mas a iluminação não é um acontecimento.

A iluminação é simplesmente um reconhecimento, um reconhecimento de que a pessoa sempre foi iluminada, e que nunca, nem por um único instante, ela perdeu isso, ela apenas tinha caído no sono. É por isso que as pessoas deparam com estranhas experiências *satori* de mestres zen.

Alguém está passando pelo mercado e ouve uma pessoa recitando o Sutra do Diamante. Só de ouvir uma linha ele se torna iluminado. Como é possível? Só de ouvir uma linha do Sutra do Diamante, só de ouvir aquilo ele já está iluminado desde o início?

Sim, isso pode acontecer, pois a iluminação é a sua natureza, sua própria natureza. Não é algo de fora. A flor já está desabrochando, é que as pessoas simplesmente não olham para ela. Continuam a olhar para algum outro lugar, mas não olham para dentro.

Pode acontecer... Acontece, às vezes, de o mestre bater no discípulo e, de repente –, com o bastão do mestre apontado para a cabeça, algo é despertado –, o pensamento para. De repente, ele reconhece, e vem a consciência.

Um discípulo estava sentado em silêncio, meditando, meditando por meses, durante anos. Então, o mestre veio, veio com um tijolo, e começou a esfregar o tijolo na frente do discípulo que estava sentado como um Buda. E o discípulo tinha se tornado muito habilidoso em permanecer sentado por horas a fio, como uma estátua, imóvel. Agora esse mestre esfregava o tijolo na pedra, e o discípulo deve ter sentido uma grande perturbação. Deve ter ficado irritado com alguém esfregando um tijolo exatamente na frente dele, e ninguém mais do que seu próprio mestre! Tentou se controlar, mas foi demais para ele.

– Para com isso! O que você está fazendo? – questionou o discípulo.

– Estou tentando fazer um espelho a partir deste tijolo. Esfregando, esfregando, esfregando, um dia ele se transformará em um espelho – explicou-se o mestre.

O discípulo riu e disse:

– Você deve ter enlouquecido.

– E quanto a você? Você está esfregando e esfregando o tijolo de sua mente por anos e anos, e acha que vai acontecer alguma coisa? – perguntou o mestre.

De repente, as nuvens desapareceram.

– Sim!

O discípulo compreendeu, e caiu aos pés do mestre.

Porém, o mestre tem que observar os momentos em que a camada do desconhecimento é excessiva.

A iluminação pode acontecer em qualquer lugar, pode acontecer a qualquer momento. Só é preciso permitir que ela aconteça. Não é uma questão de tempo e lugar, é uma questão de se permitir isso.

Eis uma parábola zen moderna, que não se encontra em livros zen:

A iluminação de um buscador

Um jovem sério achava que os conflitos em meados do século XX na América do Norte eram confusos. Esteve com muitas pessoas para buscar um meio de resolver as discórdias que o perturbavam, mas ele permaneceu incomodado.

Uma noite, em um café, um homem que se autointitulava ministro zen disse a ele:

— Vá para a mansão em ruínas que encontrará no endereço que escrevi para você. Não fale com aquela gente que vive lá: você deve permanecer em silêncio até que a lua nasça amanhã à noite. Vá até a sala grande à direita do corredor principal, sente-se na posição de lótus no topo do entulho no canto nordeste, fique voltado para o canto e medite.

O jovem fez como o ministro zen instruíra. Sua meditação era frequentemente interrompida por preocupações. Preocupava-se com a probabilidade de o resto do encanamento cair do segundo andar para se juntar aos tubos e ao outro lixo onde ele estava sentado. Preocupava-se sobre como saberia quando a lua estaria elevada na noite seguinte. Preocupava-se com o que as pessoas que andavam pela sala diziam sobre ele.

Sua preocupação e a meditação foram perturbadas quando, como se fosse um teste de sua fé, um eflúvio caiu do segundo andar em cima dele. Naquele momento, duas pessoas entraram na sala. A

primeira perguntou para a segunda quem era o homem sentado ali. A segunda respondeu:
— Alguns dizem que ele é um homem santo. Outros, que ele é um cabeça de merda.
Ao ouvir isso, o homem se iluminou.

É só uma questão de estar presente em qualquer situação. Agora, ao ouvir isso, e não um Sutra do Diamante, embora ele deva ter ouvido isso, ele deve ter ficado absolutamente atento naquele momento. Naturalmente, quando alguém está falando sobre uma pessoa e diz "Alguns dizem que ele é um homem santo. Outros, que ele é um cabeça de merda", todo o pensamento deveria ter parado: ao ouvir isso, o homem se iluminou.

Sempre, em qualquer lugar, isso pode acontecer com qualquer um. A iluminação está disponível. Ela não vem de fora. Quando os pensamentos desaparecem, ela vem de dentro. Quando os pensamentos não estão mais clamando pela atenção da pessoa e, de repente, ela está em silêncio, simplesmente atenta, a iluminação vem do núcleo mais profundo do seu ser. Ela surge como uma fragrância. E, uma vez que tenha visto isso acontecer, é dela para sempre.[2]

Ao ver que todos querem tanto ser iluminados, não é verdade que todos ficam com medo também? Que medo é esse que impede o homem de relaxar dentro de seu próprio eu?

Há muitos medos, não um. Primeiro, se a pessoa quer ser iluminada, ela tem que passar por uma morte psicológica. Ela tem que renascer como um novo ser espiritual, mas não sabe nada

---

[2] *A sabedoria das areias*, Vol. 2, Capítulo 2.

sobre espiritualidade. Tudo o que sabe sobre si mesma é sua mente, centrada em torno do ego.

É um fenômeno muito estranho, em que a pessoa é identificada com algo que ela não é, e se esqueceu do que ela é, sempre foi, sempre será. Não há nenhuma maneira de ser alguma outra coisa. Seu ser pertence ao existencial. No entanto, há camadas e mais camadas de condicionamento, provenientes dos pais, dos professores, dos padres, dos políticos. Entre a pessoa, o seu eu real, e a pessoa, o seu eu irreal, há uma grande fila de pessoas.

E, naturalmente, ela amou os pais, e eles a amaram. O que quer que tenham feito para ela foi absolutamente inconsciente, não foi intencional. Nunca quiseram que ela fosse hipócrita, mas tornaram-na hipócrita. Eu nunca suspeitei de suas intenções. Suas intenções eram torná-la algo grande, mas eles eram tão inconscientes quanto ela. Os pais lhe deram a inconsciência deles como herança, e isso acontece desde Adão e Eva. Toda geração carrega a geração seguinte com toda espécie de lixo, estupidez, superstições.

Mas o filho não deve ficar bravo com eles. Todo mundo já deve ter ouvido falar sobre "o jovem irritado". O jovem irritado é um idiota. A raiva não vai resolver nada, vai tornar tudo mais difícil e mais complicado. Os pais, os professores, os vizinhos não merecem a raiva, eles merecem a compaixão. Eles não podiam fazer mais nada. Com toda a boa vontade, os pais o destruíram, da mesma forma que os avós destruíram os pais.

E se a pessoa não se tornar iluminada, destruirá seus filhos. Para o próprio bem deles, ela vai lhes dar toda espécie de porcaria.

É dito ao homem que ele é cristão, que ele é hindu, que ele é muçulmano. Ele veio ao mundo como uma tábula rasa, nada estava escrito sobre ele. Os pais incutiram nele e tornaram-no cristão, impuseram-lhe a ideia do cristianismo, e usaram o medo e a ganância dele para implementá-la. Fizeram com que ele tivesse medo do inferno, fizeram com que ele tivesse ganância pelo céu. E, é claro, não queriam que ele caísse nos caminhos do pecado, mas que seguisse a majestosa estrada da virtude.

Não havia nada de errado nas intenções dos pais, as intenções não estão em jogo. O que está em jogo é que eles não estavam conscientes de que as sementes que semeavam no filho eram sementes de veneno. Nenhuma boa vontade, nenhuma boa intenção vai mudar aquelas sementes. E, depois que elas criam raízes na pessoa, fica cada vez mais difícil livrar-se delas, pois ela está identificada com a árvore de venenos.

É difícil para um cristão colocar o cristianismo de lado. Ele vai sentir que está fazendo algo parecido com uma traição. Ao deixar o cristianismo de lado, sentirá que está traindo Jesus Cristo. Mas não está traindo ninguém. Ele está simplesmente tentando sair do caos provocado pelo condicionamento que todos os tipos de pessoas colocaram em cima dele.

Esse é o medo. O homem tem medo de descartar qualquer condicionamento, porque o condicionamento lhe dá certa personalidade. Mas ele não está ciente disso, de modo que não está preocupado com isso. Sua personalidade tomou o lugar de sua individualidade. E para jogar fora sua personalidade, o que significa todo o seu passado, todo ele, não é uma questão de escolha... Não se trata de haver partes ruins nela, que devam ser descartadas, e de haver partes boas, que devam ser preservadas.

Todo o passado do homem lhe é imposto por outras pessoas, de modo que, se é bom ou ruim, não importa. O que é importante de ser lembrado é que não é uma descoberta do homem, pois tudo é emprestado, é de segunda mão, é de terceira mão, talvez tenha passado por milhões de mãos. É realmente sujo.

O homem tem que se livrar do passado em sua totalidade. Haverá uma lacuna quando a pessoa vai se sentir completamente perdida. Ela costumava conhecer a si mesma, quem ela era. Haverá uma lacuna quando não souber quem ela é, mas esta é uma bela experiência, pois sua inocência está de volta. Ela nasceu de novo, é um renascimento. Agora ela pode começar a descobrir.

Todo o território é novo, e ela nunca esteve nele antes. Ela foi mantida dando voltas e mais voltas na circunferência de sua existência. É uma aventura, é um grande desafio. O medo surge. E o medo surge porque o que ela pensa que ela é, com certeza, está em suas mãos. E a individualidade da qual estou falando a pessoa não tem em suas mãos. Ela não sabe o que está para descobrir, se há alguma coisa para se descobrir ou não.

Há um provérbio em muitas línguas... provérbios semelhantes: "É melhor ter metade de um pão na mão do que o pão inteiro longe." E estou pedindo para as pessoas largarem metade do pão por algo que esteja muito longe delas neste momento. É natural ter medo. Não há por que se preocupar, é preciso, apenas, que isso seja compreendido.

Eu posso, apenas deixar claro para as pessoas que não há por que temer. Elas podem descartar tudo o que lhes foi acrescentado após o nascimento e, ainda assim, estarão vivendo, e não apenas vivendo, mas vivendo abundantemente. Não precisam esperar pela morte. Podem dar a morte para sua personalidade agora, e renascer.

Isso é exatamente o que a iluminação é: a personalidade morre e a individualidade, que foi reprimida pela personalidade, começa a crescer, a florescer.

Mas a pergunta acima gera mais uma. Ao me ouvir ou ler sobre a ideia da iluminação as pessoas começam a ficar ávidas por ela. É aí que elas falham desde o início. Elas dizem: "Quero ser iluminada." Querer é uma barreira. Quem é esse "eu" que quer ser iluminado?

Esse "eu" é o próprio ego, que impede a pessoa de ser iluminada. Agora esse "eu", que estava tentando se tornar um grande líder dos homens, a pessoa mais rica do mundo, o presidente mais poderoso, seja dos Estados Unidos ou da União Soviética, esse mesmo "eu" tem uma nova ideia para se tornar ainda maior do que todos esses presidentes e todas essas pessoas ricas: a iluminação. O ego diz: "Ótimo! Quero ser iluminado."

O ego não pode ser iluminado, assim como a escuridão não pode se transformar em luz.

Seja me ouvindo ou obtendo a ideia de algum outro lugar, é importante lembrar que não se pode querer ser iluminado. O homem pode ser iluminado, mas não pode querer isso, não pode desejá-lo. Não se trata de alguma mercadoria que pode ser comprada. Não se trata de algum país que pode ser invadido. Não está lá fora, as pessoas não podem se aproximar e encontrar a iluminação.

A iluminação é o nome de uma experiência interior, em que ambos estão envolvidos: a morte da personalidade e o renascimento da individualidade.

Os habitantes dos mosteiros no mundo inteiro desejam ser iluminados, despertados, libertados. São muitas palavras para a mesma experiência. Porém, eles estão simplesmente agindo de forma estúpida. Na verdade, ao desejarem a iluminação, estão transformando a iluminação em um artigo no mercado.

A iluminação não é algo a ser desejado.

Então, o que se tem que fazer? É preciso que a pessoa compreenda a personalidade, camada por camada. É preciso que esqueça tudo sobre iluminação, pois isso não tem nada a ver com a pessoa. Uma coisa é certa: a pessoa não pode ser iluminada. Ela deve começar com o que ela é.

Deve-se descascar a própria personalidade, camada por camada, da mesma forma que se descasca uma cebola. Basta descartar essas camadas. Novas camadas estarão presentes e, finalmente, chega o momento em que a cebola desaparece e sobra apenas um vazio nas mãos. Esse momento é o momento da iluminação. Não se pode desejá-lo, porque o desejo acrescenta outra camada à cebola, e é uma camada muito mais perigosa do que qualquer outra.

Tornar-se presidente não é grande coisa, qualquer idiota pode conseguir isso. Na verdade, os idiotas estão fazendo isso no mundo todo. Quem mais está interessado em se tornar presidente ou primeiro-ministro? Nunca vi nenhum homem de sabedoria tentar ser o presidente ou primeiro-ministro.

Será que alguém já observou um fato estranho sobre terem existido alguns reis que se tornaram iluminados no passado? Ashoka, na Índia, tornou-se iluminado. Ele foi um dos maiores imperadores do mundo e, na verdade, a Índia nunca foi tão grande depois dele. Partes da Índia passaram a ser invadidas, tornando-se novos países. Hoje a Índia é só um terço do que foi no império de Ashoka.

Houve outros imperadores na China, no Japão, na Grécia que se tornaram iluminados. Um imperador não era aquele que desejava ser imperador. Assim como alguém nasce mendigo, ele nasce imperador. Ele tem isso como fato consumado, não se torna uma camada de cobiça em torno de sua cebola.

Mas nunca se ouviu falar de nenhum presidente, nenhum primeiro-ministro que tenha se tornado iluminado. Parece estranho, mas a razão é clara. Os presidentes não nascem presidentes, eles têm que lutar por isso, eles têm que mentir e prometer, e sabem perfeitamente bem que as promessas não podem ser cumpridas. Eles têm de ser diplomáticos, e não podem dizer o que querem. Eles vivem dizendo coisas que nunca irão executar. O político tem que ser muito astuto.

Nenhum político é conhecido por se tornar iluminado pela simples razão de que, em um mundo democrático, onde a monarquia desapareceu, ser o chefe de Estado é um dos grandes desejos do ego. Porém, o desejo da iluminação é o desejo supremo, não se pode desejar nada maior do que isso. Foi pedida a felicidade suprema, foi pedida a sabedoria existencial suprema.

O homem não deve fazer da iluminação um desejo, pois vai continuar perdido.

O que sugiro às pessoas é que esqueçam a iluminação.

Não tem nada a ver com as pessoas, elas nunca irão vê-la, pois a iluminação acontece quando a pessoa não é. Depois de descascar completamente a cebola, quando o ego evaporar, a iluminação estará lá. Mas não se pode dizer: "Tornei-me iluminado." O "eu" não está mais presente, é a iluminação que está presente.

O medo é natural, porque a pessoa tem que abandonar toda a sua personalidade, e isso é tudo o que ela tem no momento. Ela não sabe que há algo por trás disso. Ela quer ganhar mais, e eu lhe digo para perder tudo o que a torna ela própria. Esse é o medo. Se der ouvidos ao medo, então não há esperança.

Mas, na verdade, o que ela tem? Ansiedade, angústia, tédio, desespero, fracasso, ou seja, milhares de complexos. Este é todo o seu tesouro. Basta olhar para ele! Qual é o medo de se abandonar esse tesouro, de se livrar da ansiedade, de se jogar fora o tédio?

Mas as coisas são realmente complicadas. Por que ficar tão entediada? E por que você não pode se livrar disso? Deve haver algum interesse nisso. A pessoa está entediada com a esposa ou com o marido. Toda esposa e todo marido estão sujeitos a chegar a um ponto em que ficam cansados um do outro, entediados. Mas há uma complicação. A pessoa não pode simplesmente dizer adeus ao cônjuge. Eles têm filhos, ambos os amam, e não querem deixar os filhos. Vai haver uma briga em um tribunal para decidir quem ficará com os filhos, e os dois não podem ficar com eles ao mesmo tempo.

O casal tem certo prestígio na sociedade. As pessoas pensam que eles formam um dos casais modelo, porque veem que eles sempre demonstram amor um pelo outro. Quando o marido vai para o trabalho, ele beija a esposa; quando chega do escritório, ele beija a esposa; como um ritual. Não significa nada para ele, nem para ela, e os dois sabem disso. E enquanto ele beija a esposa, diz dentro de si: "Para o inferno com tudo isso!"

Mas os outros não ouvem o que a pessoa diz dentro de si mesma. Elas apenas veem e pensam: "Lá se vão 30 anos de casamento, e eles ainda são tão amorosos, como se no carro deles ainda estivesse escrito 'Recém-casados'. A lua de mel deles parece ficar cada vez mais longa, 30 anos de lua de mel!"

Não há fim para isso. Quando frequentam a sociedade, ambos costumam fingir, pois têm que manter a imagem de que formam o melhor casal. Estes são os seus investimentos.

Talvez o homem seja rico porque se casou com uma mulher rica. Se largá-la, vai ser um mendigo novamente, e ele não quer isso. Talvez ele tenha um bom emprego por causa da boa aparência da esposa, o que denota um mundo muito estranho, ou das relações da esposa, influência. E ele pode perder o emprego se abandonar a esposa.

Então, como descartar o tédio? O tédio está ligado a muitos investimentos.

É preciso coragem, muita coragem. E eu gostaria de dizer que é melhor ser um mendigo, mas sem tédio, muito melhor do que ser um imperador entediado, porque o tédio é uma mendicância espiritual. E nunca vem sozinho. Quando se está entediado, há desespero, ansiedade, uma tensão constante na mente: o que fazer? A pessoa tem que continuar a viver com uma mulher ou com um homem que gostaria de matar, e ainda tem que lhe dar beijos.

Eliminar o tédio significa dar um passo revolucionário, custe o que custar. Não tem por que alguém se arrastar pela vida como um indivíduo entediado, pois qual é o sentido de se viver? E é possível ver no mundo inteiro que todos estão entediados. Alguém está entediado com seu trabalho, com seu emprego. Ele nunca quis ser médico, mas seus pais o forçaram, porque ser médico é respeitável e lucrativo. Ele tem lucro, obtém respeito e ainda é considerado um grande servidor público, uma vez que presta serviços à humanidade. É realmente muito bom!

Os pais forçaram o rapaz a se tornar médico. Ele odeia isso, nunca quis isso, queria ser pintor. Porém, ninguém lhe deu ouvidos, e diziam: "Você é louco. Se quiser ser pintor vai morrer como um mendigo na rua. Deixe de lado toda essa bobagem. Quando se é jovem, toda espécie de ideia romântica vem à mente. Fique calmo, rapaz. Nós também fomos jovens, e também sonhamos com coisas fantásticas, mas agora sabemos que todas essas ideias românticas são apenas uma fase passageira. Se permitirmos que você se torne pintor, nunca vai nos perdoar! Não podemos permitir que você seja um pintor."

Há quem queira ser músico, dançarino, escultor, mas ninguém o irá apoiar. Um indivíduo queria ser dançarino e tornou-se empresário, e está entediado com isso. Ele realmente quer um dia se enforcar em uma árvore e acabar com tudo. No entanto, ele também não pode fazer isso, porque há muita coisa a ser feita, como ter de preencher os formulários de declaração do imposto de renda, e o departamento fiscal está atrás dele... Ele não tem tempo para se enforcar.

Muitas coisas estão inacabadas ao redor de todos. Primeiro, é preciso terminar tudo, para depois se enforcar. Porém, há coisas que sempre ficarão inacabadas. E a ideia de se enforcar dá um pouco de relaxamento, certo prazer, pois, qualquer que seja a situação, há sempre uma saída: sempre existe a possibilidade de se enforcar. Então, qual é a pressa? E quem sabe? Amanhã tudo pode mudar, o rapaz pode encontrar a mulher certa.

Não há mulher certa, homem certo, ninguém nunca os achou. A fantasia de encontrar o homem certo, a mulher certa... Em um casal, quando os dois se apaixonam pela primeira vez, acham que foram feitos um para o outro: essa é a mulher com que ele sempre sonhou. Isso é o que o homem, a mulher, sempre pensou, sempre desejou. Porém, quando a lua de mel acaba, o casal sabe que está preso à pessoa errada, que eles não foram feitos um para o outro.

No entanto, as pessoas continuam a fantasiar: "Talvez alguma outra mulher", uma vez que o mundo é tão cheio de mulheres, tão cheio de homens. Desta vez o homem perdeu, mas da próxima...

Um amigo meu se casou três vezes. Na Índia, é difícil obter o divórcio. Quase toda a sua vida foi desperdiçada, e o problema eram as mulheres. A lei não é fácil, mas, de alguma forma, ele conseguiu, porque na Índia é possível, de algum modo, conseguir tudo. Basta que se tenha dinheiro; e ele tinha dinheiro. É possível subornar todo mundo. É uma tradição nacional, e não é nova, é muito antiga.

Os indianos têm subornado Deus, por que, então, se preocupariam ao subornar um funcionário ou um juiz? Quando o indiano vai ao templo e diz ao seu deus "Se eu ganhar nessa loteria, vou presenteá-lo com doces no valor de 5 rúpias" ou "Vou dar uma festa para 11 brâmanes", o que é isso? A loteria é 1 milhão de rúpias, e com 5 rúpias, ele está tentando ganhar 1 milhão de rúpias! E durante séculos os indianos subornam Deus, é sua herança. Ninguém se sente mal com isso.

O indiano pode dar propina para qualquer pessoa. Nem ele se sente mal com isso, nem a pessoa que recebeu se sente mal com isso, porque ela está fazendo seu trabalho. É praticamente um pagamento pelo serviço. E ela está fazendo um trabalho muito mais caro do que o suborno que o indiano está lhe dando. Todos conseguem tudo. Uma pessoa pode matar alguém e será libertada respeitosamente pelo tribunal. Tudo de que ela precisa é dinheiro.

Então, as pessoas continuam achando que amanhã pode ser diferente. Meu amigo trocou de esposa três vezes, e sempre me dizia:

— Desta vez não me deixarei atrair por uma mulher como a última, de quem estou para me livrar. Ela é uma verdadeira puta!

E eu lhe dizia:

— Você vai sempre se apaixonar por uma verdadeira puta.

— Isso é estranho. Você continua insistindo, e o espantoso é que você está sempre certo! A mulher seguinte revelou-se tão puta quanto a primeira, e a terceira se revelou tão puta quanto as outras. Como você prevê? – perguntou ele.

Então, eu lhe disse:

— Não prevejo, não sou astrólogo. Simplesmente, eu conheço você, que tipo de mulher vai ser atraente para você, isso eu sei. Por que você teve uma queda pela primeira mulher? Já pensou, já analisou quais qualidades daquela mulher o atraíram? E quem vai encontrar a segunda mulher para você? Você, de novo, e você novamente será atraído pelas mesmas coisas.

E continuei a lhe explicar:

– Você não mudou, suas atrações não mudaram. Você nunca se preocupou com o fato de ser responsável por ter escolhido aquela mulher. É por isso que, por três vezes, você obteve o mesmo tipo de mercadoria... de novo e de novo e de novo. Não é uma questão de divórcio, não é uma questão de mudar de mulher, é uma questão de mudar sua mente.

Mas as pessoas sempre tentam despejar as coisas nos outros. O pai sofre de ansiedade porque seus filhos estão se tornando hippies. A filha está usando drogas, o filho vem fazendo tudo errado: cabelos longos, barba, drogas e abandonou a universidade. O pai está sofrendo de ansiedade: o que acontecerá? Ele está despejando sua ansiedade na filha, no filho, na esposa, e ninguém aguenta.

Será que esse pai pensa que se seu filho andasse perfeitamente na linha e sua filha não estivesse grávida antes do casamento, se os dois não tivessem se metido com drogas, ele não estaria sofrendo de ansiedade? Conheço muitas pessoas cujas filhas seguem tudo o que os pais falam, cujos filhos estão cumprindo sua educação da maneira como os pais querem, e que, apesar disso, sofrem de ansiedade devido a alguma outra coisa. Elas vão encontrar algum outro objeto com que se preocupar.

Aquele que tem filhos está preocupado com os filhos. Aquele que não os tem está preocupado porque Deus não lhe deu filhos. Este nosso mundo parece ser realmente um zoológico, com todas as espécies de animais.

Descartar as camadas do ego significa que a pessoa está pronta para cometer um suicídio psicológico. Chamo isso de *sannyas* só para lhe dar um bom nome, pois, se eu chamar isso de "suicídio" as pessoas vão ficar mais assustadas.

As pessoas vieram aqui para serem iluminadas, não para cometer suicídio. Porém, a realidade é que, se não cometerem suicídio, não haverá iluminação. Elas querem iluminação, e não querem descartar nada, não querem perder nada.

O homem quer a iluminação mantendo-se como ele é. Ora, isso é impossível. Ele terá que cortar muitas coisas que se tornaram quase idênticas a ele mesmo. E isso é o que eu faço continuamente: bato, martelo, choco as pessoas. E vou continuar a fazer tudo o que for possível para chocá-las, feri-las, magoá-las, porque quero que tenham consciência de que é o ego delas que fica magoado, é o ego delas que fica ferido.

O homem não deve seguir seu instinto do medo, porque isso fará dele um covarde. Ele degrada sua humanidade. É uma humilhação autoimposta. Sempre que vir algum medo, você deve ir contra ele! Um critério simples: sempre que vir que há medo, vá contra ele, e estará sempre em movimento, crescendo, expandindo-se, aproximando-se do momento em que o ego simplesmente cai, uma vez que todo o seu funcionamento ocorre através do medo. E a ausência do ego é iluminação; nada mais que isso.

A iluminação não é algo a mais acrescentado à pessoa. A iluminação é a pessoa por inteiro.

É um fenômeno de subtração – a pessoa não está mais lá. Isso não acontece com ela, acontece quando ela não está mais impedindo isso, quando ela não é. É por isso que chamo a iluminação de suicídio psicológico.[3]

---

[3] *From the False to the Truth* [Do falso à verdade], Capítulo 26.

Simplicidade

Ser um Buda, ser iluminado, é o fenômeno mais comum.

Ser um Buda, ser iluminado, é o fenômeno mais comum. Quando digo "comum", quero dizer: tem que ser assim. Se parece muito extraordinário é por culpa do homem, é porque ele cria muitas dificuldades, e as adora.

Primeiro, ele cria o obstáculo, depois, tenta atravessá-lo. E então se sente bastante eufórico. Em primeiro lugar, não há nenhum obstáculo. Porém, como o ego dele não vai se sentir bem, ele tem que criar um longo caminho para chegar ao ponto que era o mais próximo, o mais íntimo. E ele nunca tinha perdido!

Portanto, o homem não deve procurar algo misterioso. Deve apenas ser simples e inocente. E, com isso, toda a existência se abre para ele. O homem não vai enlouquecer, ele pode simplesmente sorrir para o absurdo da coisa toda que estava tão perto, mas não pôde alcançá-la. E não havia nenhum obstáculo. Ele sempre esteve, de certo modo, dentro dele. Foi um milagre como ele continuou perdendo.

Se o vazio é real, tudo o que está lá, todo ele, a realidade, estará aberto ao homem. Não que esteja fechado neste exato momento, está aberto. O homem está fechado. Sua mente está ocupada.

Quando sua mente está vazia, desocupada, o homem estará aberto para isso, e haverá um encontro. E então tudo é belo, em sua total simplicidade.

Por isso é dito que aquele que soube torna-se absolutamente normal. Ele é aquele com a realidade. A vontade de ser especial é o caminho do ego, e todos os caminhos do ego criam lacunas e distâncias entre o homem e o real.

O homem tem que estar vazio para que tudo aconteça com ele.

No entanto, não deve esperar por nada de especial. O nirvana não é nada de especial. Quando digo isso, o que será que acontece à mente das pessoas? Quando digo "o nirvana não é nada de especial", o que será que as pessoas sentem? Como será que elas estão se sentindo? Sentem-se um pouco desapontadas. Na mente, deve aparecer a pergunta: então, por que lutar? Então, por que fazer qualquer esforço? Então, por que meditar? Então, para que essas técnicas?

É preciso olhar para essa mente, essa mente é o problema. A mente quer algo especial. E, devido a esse desejo, a mente continua a criar coisas especiais. Na realidade, não há nada de especial: ou toda a realidade é especial ou nada é especial.

Devido a esse desejo, a mente criou céus, paraísos. E não está satisfeita com um, continua a criar muitos. Os cristãos têm um céu, enquanto os hindus têm sete, pois há tantas pessoas boas que é preciso uma hierarquia. O bem supremo para onde deve ir? Não há fim para ele. Nos dias de Buda, havia uma seita que acreditava em setecentos céus. É preciso alocar os egos: o ego mais alto deve ir para o céu mais alto.

Isso é o que todo mundo está fazendo. Todos têm uma concepção de algo especial no final e, devido a esse "especial", eles continuam em movimento. Mas é bom lembrar que, em função desse "especial", o homem não está se deslocando para lugar nenhum, ele está indo em direção aos desejos. E ir em direção ao desejo não é um progresso, é andar em círculos.

Se o homem ainda conseguir meditar, mesmo sabendo que nada especial vai acontecer, que ele apenas chegará a uma reconciliação com a realidade comum, que estará em harmonia com essa realidade comum, se com essa mente ele conseguir meditar, é possível que a iluminação ocorra nesse exato momento.

No entanto, com essa mente, ele não vai ter vontade de meditar, e dirá: "Deixo tudo se nada de especial acontecer." As pessoas vêm a mim e dizem: "Meditei por três meses e nada aconteceu ainda." Um desejo... e esse desejo é a barreira. Pode acontecer em um único momento se o desejo não estiver presente.

Portanto, não deseje o misterioso. Na verdade, não se deve desejar nada. Basta ficar à vontade, em casa, com a realidade como ela é.

Seja comum, ser comum é maravilhoso, porque assim não há tensão, não há angústia. Ser comum é muito misterioso, porque é bem simples.

Para mim, meditação é um lazer, um jogo, não uma tarefa. Mas para as pessoas continua a ser uma tarefa, pois pensam em termos de trabalho. Vai ser bom compreender a diferença entre trabalho e lazer.

O trabalho é orientado para uma finalidade, e não é suficiente por si só. Deve levar a algum lugar, a alguma felicidade, a algum objetivo, ter alguma finalidade. É uma ponte, um meio. Em si, não tem sentido. O significado está escondido no objetivo.

O lazer é totalmente diferente. Não há objetivo para ele, ou ele próprio é o objetivo. A felicidade não está além dele, fora dele, basta estar nele para estar feliz. O lazer não vai propiciar ao homem nenhuma felicidade fora dele, não há significado além dele, tudo o que está lá é intrínseco, interno. A pessoa se diverte não por causa de alguma razão, mas porque aproveita o aqui e agora. Não tem finalidade alguma.

É por isso que somente as crianças conseguem de fato brincar. Quanto mais as pessoas crescem, menor sua capacidade de brincar. É devido a cada vez mais objetivos que as pessoas cada vez mais perguntam: "Por que, por que eu deveria apreciar momentos de lazer?" Cada vez mais elas se tornam orientadas para finalidades: alguma coisa deve ser alcançada por meio disso, pois, por si só, o lazer não tem sentido. O valor intrínseco perde o sentido para elas. Somente as crianças podem, porque não pensam no futuro. Elas podem estar aqui eternamente.

O trabalho é tempo, enquanto o lazer é atemporal.

A meditação deve ser como desfrutar do lazer, e não orientada para objetivos. Não se deve meditar para alcançar algo, pois, dessa forma, todo o sentido é perdido. Não se pode meditar se a intenção for meditar tendo em vista um objetivo. Só é possível meditar se for para desfrutar da meditação em si, e se divertir, se nada tiver que ser alcançado a partir dela, se for belo em si.

A meditação por amor à meditação... daí ela se torna atemporal. E, consequentemente, o ego não pode aparecer.

Sem desejo, a pessoa não pode se projetar para o futuro, sem desejo, a pessoa não pode ter expectativas, e, sem desejo, nunca ficará desapontada. Sem desejo, o tempo realmente desaparece: a pessoa se move de um momento de eternidade para outro momento de eternidade. Não há nenhuma sequência... e, portanto, ela nunca perguntará por que não está acontecendo nada.

Para mim, não cheguei a conhecer o mistério ainda. O próprio lazer é o mistério; o fato de ser atemporal e desprovido de desejo é o mistério. E ser comum é o "objetivo", se me permitem usar a palavra. Ser comum é o objetivo.

Se a pessoa pode ser comum, ela está liberada; consequentemente, não há nenhum *sansara* para ela, nenhum mundo para ela.

O mundo inteiro é uma luta para ser extraordinário. Alguns tentam na política, alguns tentam na economia, alguns tentam na religião. Mas a cobiça permanece a mesma.[1]

O que é inocência? Será que para ser inocente é preciso viver uma vida simples?

A inocência é um estado de consciência sem pensamentos. É um outro nome para não mente. É a própria essência do estado de Buda. O homem entra em sintonia com a lei suprema das coisas e começa a fluir com isso.

A mente astuta luta, porque é através da luta que surge o ego, e a mente astuta só pode existir em torno do ego. Eles só podem coexistir, e são inseparáveis. Caso o ego desapareça, a mente astuta também desaparece, e o que sobra é a inocência. Se a pessoa está lutando com a vida, se está indo contra a corrente, se não é natural, espontânea, se está vivendo do passado e não no presente, ela não é inocente.

Viver de acordo com o passado é viver uma vida irresponsável, é a vida de reação. A pessoa não vê qual é a situação, ela simplesmente segue repetindo suas velhas soluções, apesar de os problemas serem novos a cada dia, a cada momento. A vida segue em constante mutação, e a mente permanece estática. Esse é o problema como um todo: o fato de a mente permane-

---

[1] *O Livro dos Segredos*, Capítulo ? (Vol. 2, Capítulo 26).

cer um mecanismo estático e a vida ser um fluxo constante. Por isso, não pode haver comunhão entre a vida e a mente.

Se permanecer identificada com a mente, a pessoa vai ficar quase morta. Não terá nenhuma participação na alegria que domina a existência. Não vai ser uma participante da celebração que ocorre constantemente: o cantar dos pássaros, o dançar das árvores, o fluir dos rios. E também não vai ser parte desse todo.

O homem quer ser independente, quer provar para si mesmo que é mais elevado do que os outros, superior aos outros, e, daí, ele se torna astuto. Somente através da astúcia é que ele pode provar sua superioridade. É um sonho, é falso, porque não há ninguém na existência que seja superior e ninguém que seja inferior. A folha da grama e a grande estrela são absolutamente iguais. A existência é fundamentalmente comunista, não há nenhuma hierarquia. Entretanto, o homem quer ser superior aos outros, quer conquistar a natureza, e é por isso que ele tem que lutar continuamente. Toda complexidade surge dessa luta.

A pessoa inocente é aquela que renunciou à luta, aquela que não está mais interessada em ser superior, que não está mais interessada no desempenho e em provar que ela é algo especial, aquela que ficou como uma rosa ou como uma gota de orvalho sobre a folha de lótus, aquela que se tornou parte desse infinito, aquela que derreteu, fundiu-se e tornou-se parte do oceano e é apenas uma onda, aquela que não tem ideia do "eu".

O desaparecimento do "eu" é a inocência.

Por isso, a inocência não pode exigir que o homem viva uma vida simples, a inocência não pode exigir nada dele. Todas as exigências são ardilosas. Todas as exigências são, basicamente, lutar, ser alguém.

A inocência simplesmente vive, sem nenhuma ideia de como viver.

Introduza o "como" e o indivíduo se torna complexo. A inocência é uma resposta simples para o presente. As ideias são o passado acumulado: basta viver como Buda viveu para que a pessoa seja um budista; viva como Jesus viveu e a pessoa vai ser uma cristã. Porém, desta forma, a pessoa irá impor algo sobre si mesma.

Deus jamais cria duas pessoas iguais, cada indivíduo é único. Assim, se o homem impõe Jesus a si mesmo, ele vai ser falso. Todos os cristãos são obrigados a serem falsos, assim como todos os hindus, todos os jainistas, todos os budistas, porque estão tentando ser alguém que não podem ser.

Ninguém pode ser Gautama, o Buda. Qualquer pessoa pode ser um Buda, mas não Gautama, o Buda. "Buda" quer dizer "desperto", que é um direito inato de qualquer um, mas Gautama é um indivíduo. Qualquer um pode ser um Cristo, mas não Jesus Cristo, pois Jesus é um indivíduo. Cristo é outro nome para o "estado de Buda", é o estado supremo de consciência. Sim, isso é possível, há um potencial para qualquer um, as pessoas podem florescer e desabrochar na consciência de Cristo, mas nunca podem ser Jesus, isso é impossível, e é bom que seja impossível. Mas é assim que as ditas pessoas religiosas têm vivido: tentando seguir outra pessoa, imitando. Ora, uma pessoa que imita não pode ser simples, pois constantemente tem que se adaptar à vida, às ideias do outro, a quem imita.

Uma pessoa realmente inocente segue com a vida, simplesmente flui com a vida, sem nenhum objetivo. Aquele que tem um objetivo não pode ser inocente. Terá que ser esperto, astuto, manipulador, terá que planejar, e terá que seguir determinados mapas. Como é possível ser inocente? Ele estará carregando tanto lixo dos outros. E, com isso, será apenas uma cópia de Jesus, de Buda ou de Mahavira, ou seja, não será o original.

Bodhidharma diz repetidas vezes: "Encontre sua face original." E o único meio de encontrar a face original é abandonar tudo o que é imitação. Quem vai decidir qual é a exigência? Ninguém pode decidir, e qualquer decisão está sujeita a provocar incômodo, pois a vida pode não se revelar do modo que se espera. A vida nunca realmente é da maneira que se espera. A vida é uma surpresa constante, não se pode prepará-la com antecedência. A vida não precisa de ensaio.

A pessoa precisa ser espontânea: isso é inocência. Agora, para ser espontânea, não pode ser cristã, não pode ser hindu, não pode ser budista, tem que ser um simples ser humano.

A simplicidade não é uma exigência, mas um subproduto da inocência, e vem como se fosse a sombra da pessoa. Não se tenta ser simples. Ao tentar ser simples o próprio esforço destrói a simplicidade. Não se pode cultivar a simplicidade, pois uma simplicidade cultivada é superficial, e a simplicidade tem que seguir a pessoa como uma sombra. As pessoas não precisam se preocupar com isso, não precisam olhar para trás repetidas vezes para ver se a sombra as está seguindo ou não, pois a sombra é obrigada a segui-las.

Basta atingir a inocência para que a simplicidade venha, como um presente de Deus.

E inocência significa tornar-se um não mente, um não ego: abandonar todas as ideias de objetivos, realizações, ambições, e viver conforme as coisas acontecem, momento a momento.

Portanto, não digo às pessoas para serem celibatárias. Sim, um dia o celibato pode ocorrer, mas não será algo a ser praticado, será algo que se verá acontecer. Sim, com certeza, antes de se tornar Buda, a pessoa se torna celibatária, mas é bom lembrar que isso não é uma exigência. Lembre-se a todo instante: não é uma exigência ter que cumprir isso para depois se tornar um Buda.

Não, se a pessoa simplesmente ficar cada vez mais consciente de sua mente, à medida que a mente começar a desaparecer e ficar cada vez mais distante dela, à medida que a pessoa se tornar desidentificada com a mente e começar a ver que ela própria está separada, que ela não é a mente, a pessoa vai deparar com muitas coisas acontecendo com esse desaparecimento da mente.

A pessoa vai começar a viver momento a momento, porque é a mente que coleta o passado, e ela não pode depender dele. Seus olhos ficarão claros, e não cobertos com a poeira do passado. Ela estará livre do passado morto.

E aquele que é livre do passado morto é livre para viver, para viver de forma autêntica, sincera, apaixonada e intensa. Ele pode se tornar ardente com a vida e com sua celebração. No entanto, a mente continua a distorcer, continua a interferir, continua a lhe dizer: "Faça isto. Faça aquilo." É como um professor.

Um praticante de meditação torna-se livre da mente. E uma vez que o passado não mais o domina, o futuro simplesmente desaparece, porque o futuro não é nada além de uma projeção do passado. No passado, determinada pessoa vivenciou certos prazeres e gostaria de repeti-los outras vezes, esta é a sua projeção para o futuro. No passado, alguém enfrentou muitos sofrimentos, e agora projeta para o futuro que ele não quer aqueles sofrimentos novamente. O futuro de uma pessoa nada mais é do que uma forma modificada do passado. E uma vez que o passado deixa de existir, o futuro também desaparece. Então, o que resta? O momento presente... o agora.

Viver no aqui e agora é inocência. Você não poderá seguir os mandamentos religiosos se realmente quiser ser inocente. Um homem que constantemente tem que pensar sobre o que fazer e o que não fazer, um homem que está constantemente preocupado com o que está certo e o que está errado, não pode viver inocentemente. Mesmo que ele faça o certo, de acordo com seu condicionamento, não está certo. Ele está apenas seguindo os outros, então, como é que pode estar certo? Pode ter sido certo para outras pessoas, mas o que foi certo para uma pessoa, há 2 mil anos, não pode estar certo para ela hoje. Muita água desceu o Ganges! A vida nunca é a mesma nem mesmo por dois segundos consecutivos.

Heráclito está certo: "Você não pode pisar no mesmo rio duas vezes." E eu digo: "Você não pode pisar no mesmo rio nem mesmo uma vez, por causa da forte correnteza do rio."

Uma pessoa inocente não vive de acordo com determinadas exigências impostas pela sociedade, pela igreja, pelo Estado, pelos pais, pela educação. Ela vive a partir de seu próprio ser, de forma responsável. Responde à situação que o está confrontando. Assume o desafio, aceita o desafio, e faz tudo o que seu ser quer fazer neste momento, e não de acordo com determinados princípios.

O homem inocente não tem princípios, não tem ideologia, o homem inocente é absolutamente sem princípios. O homem inocente não tem nenhum caráter, ele é absolutamente sem caráter, uma vez que ter caráter significa ter um passado, ter caráter significa ser dominado pelos outros, ter caráter significa que a mente ainda é o ditador e o homem é apenas um escravo.

Ser sem caráter, ser sem princípios, e viver no presente momento... assim como o espelho reflete tudo o que está à sua frente, a consciência do homem reflete e ele age a partir desse reflexo. Isso é consciência, isso é estado meditativo, isso é *samadhi*, isso é inocência, isso é piedade, isso é o estado de Buda.

Portanto, não há exigência para a inocência, nem mesmo a exigência de se viver uma vida simples. A pessoa pode viver uma vida simples, pode se forçar a ter uma vida simples, e isso não vai ser simples. E pode viver em um palácio, com todos os luxos, mas se viver no momento presente, estará vivendo uma vida simples. Pode viver como um mendigo, mas ele não será simples se o seu esforço para ser um mendigo for algo que ela impôs a si mesma. Se isso se tornou seu caráter, então, a pessoa não é simples. Sim, de vez em quando acontecia de até mesmo um rei ter vivido uma vida simples, simples não no sentido de que não tivesse o palácio e as possessões, pois isso tudo estava presente, mas ele, propriamente, não era possessivo.

Isso tem de ser compreendido: o homem pode não ter nenhuma posse e ainda assim ser possessivo. A possessividade pode existir sem que haja posses. Se assim for, então o oposto também é verdadeiro: a não possessividade pode existir com todos os tipos de posses. Pode-se viver no palácio e ainda ser totalmente livre dele.

Eis uma história zen:

Um rei estava muito impressionado com a vida simples e inocente de um monge budista. Pouco a pouco ele foi aceitando o monge como seu mestre. Como o rei era um homem muito calculista, observou e investigou o caráter do monge:

– Há alguma lacuna na vida dele?

Quando estava totalmente convencido de forma lógica, seus detetives o informaram:

– Esse homem não tem manchas negras em sua vida, ele é absolutamente puro, simples. Ele realmente é um grande santo, ele é um Buda.

Em seguida, o rei foi até o homem, tocou seus pés e disse:

– Senhor, eu o convido para que venha ao meu palácio e viva lá. Por que viver aqui?

No fundo, embora estivesse convidando o santo, o rei tinha a expectativa de que o santo fosse recusar, que ele fosse dizer:

"Não, sou um homem simples. Como posso viver no palácio?" Embora ele o estivesse convidando! Vejam a complexidade da mente humana: ele o estava convidando, e tinha a expectativa de que, se o convite fosse aceito, ele ficaria muito feliz, e ainda havia uma corrente: a de que o santo recusaria, se ele realmente fosse um santo, a de que ele diria: "Não, sou um homem simples. Vou viver sob a árvore, esta é a minha vida simples. Deixei o mundo, renunciei ao mundo, não posso voltar a ele."

Mas o santo era realmente um santo, deve ter sido um Buda.

– Tudo bem. Então, onde está o veículo? Traga a sua carruagem e eu irei para o palácio. Claro, quando se chega ao palácio é preciso chegar em grande estilo. Traga a carruagem! – disse o monge.

O rei ficou muito chocado, e pensou: "Esse homem parece ser um trapaceiro, uma fraude. Parece que ele estava fingindo toda essa simplicidade só para se agarrar a mim." Mas agora era tarde demais, ele já o convidara e não podia voltar atrás em sua palavra. Por ser um homem de palavra, um samurai, um guerreiro, um grande rei, ele disse:

– Tudo bem, agora fui pego. Esse homem não vale nada, nem mesmo recusou uma vez. Devia ter recusado!

O rei teve que providenciar a carruagem, mas não estava mais feliz, não estava alegre. No entanto, o santo estava muito feliz! Sentou-se na carruagem como um rei, e o rei sentou-se na carruagem muito triste, e parecia um pouco apalermado. E o povo nas ruas olhava e comentava:

– O que está acontecendo? O faquir nu...!

E o monge estava realmente sentado como um imperador, e o rei parecia muito pobre comparado a ele. E ele estava tão alegre, tão saltitante, em êxtase! E, quanto mais em êxtase ficava o monge, mais triste ficava o rei: "Agora, como vou me livrar deste homem? Fui pego na rede dele por minha própria culpa. Todos aqueles detetives e espiões são idiotas, não puderam perceber que este homem tinha um plano." Como se o monge estivesse sentado sob aquela árvore havia anos só para que o rei ficasse impressionado! Todas essas ideias vieram à cabeça do rei.

O rei arranjara o melhor quarto para o santo, para o caso de ele aceitar o convite. Mas não acreditou que ele o aceitaria. Eis a divisão da mente humana: a pessoa faz uma coisa e espera outra. Se o homem tivesse sido astuto, teria simplesmente recusado. Teria dito: "Não!"

O rei providenciara o melhor quarto. O santo chegou ao quarto e, como estivera sob a árvore durante anos, disse:

— Traga isto, traga aquilo. Se a pessoa tem que viver no palácio, tem que viver como um rei!

O rei ia ficando cada vez mais confuso. Claro, como ele o convidara, tudo o que o homem pediu foi providenciado. Mas estava pesado no coração do rei, e foi ficando mais pesado a cada dia, porque o santo começou a viver como um rei; na verdade, melhor do que o próprio rei, porque o rei tinha suas próprias preocupações, e o santo, nenhuma. O santo dormia de dia e de noite. Desfrutava do jardim e da piscina e repousava e descansava. E o rei pensava: "Este homem é um parasita!"

Um dia isso se tornou insuportável. O rei disse ao santo... O santo tinha entrado no jardim para uma caminhada matinal, e o rei também, e falou:

— Quero dizer uma coisa para você.

— Sim, eu sei. Você quis falar mesmo antes que eu deixasse a minha árvore. Quis falar quando aceitei o seu convite. Por que esperou tanto tempo? Você está sofrendo desnecessariamente. Posso ver que você se tornou triste. Você não vem mais a mim. Não faz as grandes perguntas religiosas e metafísicas que costumava me fazer quando eu vivia sob a árvore. Eu sei. Mas por que desperdiçou seis meses? Isso eu não posso entender. Você deveria ter perguntado imediatamente, assim as coisas teriam sido resolvidas ali, naquele momento. Eu sei o que você quer perguntar, mas faça a pergunta! – disse o santo.

– Quero perguntar apenas uma coisa. Agora, qual é a diferença entre mim e você? Você está vivendo de forma mais luxuosa do que eu! E eu tenho que trabalhar, e tenho com que me preocupar, e tenho que assumir todo tipo de responsabilidade, enquanto você não tem nenhum trabalho, nenhuma preocupação, nenhuma responsabilidade. Estou com inveja de você! E, com certeza, deixei de vir até você porque não acho que exista nenhuma diferença entre mim e você. Tenho posses, mas você tem mais do que eu. Todo dia você exige: "Traga a carruagem dourada! Quero sair a passeio pelo país. Traga isto e traga aquilo!" Está comendo uma comida deliciosa. Agora, você parou de andar nu e está usando as melhores roupas possíveis. Então, qual é a diferença entre mim e você? – indagou o rei.

O santo riu e respondeu:

– A questão é tão complexa que só posso respondê-la se você vier comigo. Vamos para fora da capital.

O rei aceitou a sugestão. Eles atravessaram o rio e continuaram. O rei perguntou repetidas vezes:

– Agora, qual é o sentido de ir mais longe? Por que não responder agora?

– Espere um pouco. Estou em busca do lugar certo para poder responder – respondia o santo.

Então, eles chegaram ao limite do reino, e o rei disse:

– Agora é a hora, este é o limite.

– É o que eu estava procurando. Agora não vou voltar. Você vai comigo ou voltará? – o santo indagou.

— Como posso ir com você? Tenho o meu reino, minhas posses, minhas esposas, meus filhos. Como posso ir com você? — respondeu o rei.

— Agora você vê a diferença? Eu estou indo e não vou olhar para trás uma única vez. Estive no palácio, vivi com todas as regalias, mas não fui possessivo. Você é possessivo. Essa é a diferença. Estou indo.

Despiu-se, ficou nu, deu o traje para o rei, e disse:

— Fique com suas roupas e seja feliz novamente.

Então, o rei se deu conta de que fora um idiota: aquele homem era raro, uma joia rara. Ele caiu aos pés do santo e disse:

— Não vá. Volte. Eu não tinha conseguido entendê-lo ainda. Hoje eu vi a diferença. Sim, isso é santidade de verdade.

— Posso voltar, mas lembre-se: você vai ficar triste novamente. Para mim, não há diferença em ir deste lado ou daquele lado, mas você ficará triste de novo. Agora, deixe-me fazê-lo feliz. Não estou voltando, estou indo.

Quanto mais o santo insistia em ir, mais o rei insistia que ele voltasse.

— Uma vez é suficiente. Vi que você é uma pessoa estúpida. Posso voltar, mas no momento em que digo "Posso voltar", posso ver em seus olhos as velhas ideias retornando: "Talvez ele esteja me enganando de novo. Talvez este seja apenas um gesto vazio, devolver-me as roupas e dizer que está indo embora, para que eu fique impressionado mais uma vez." Se eu voltar, você vai ser infeliz de novo, e não quero fazer você infeliz — esclareceu então o santo.

Lembre-se da diferença: a diferença não está nas posses, a diferença está na possessividade. Uma pessoa simples não é aquela que não possui nada; uma pessoa simples é aquela que não tem possessividade, que nunca olha para trás.

Esta simplicidade não pode ser praticada, esta simplicidade só pode vir como uma consequência da inocência.

Se a pessoa reprime, e é isso que é cultivo, então isso vai passar a vir de outra forma, de outro lugar. Desta forma, ela vai ficar cada vez mais complexa, cada vez mais ardilosa e calculista, mais disciplinada, e com um caráter que as pessoas respeitam e reverenciam.

Se alguém quiser desfrutar de seu ego, a melhor maneira é ser um santo. Entretanto, se realmente quiser celebrar a existência, a melhor maneira é ser absolutamente normal, completamente comum, e viver a vida comum, sem pretensões.

Viver momento a momento: isso é inocência, e a inocência é suficiente. O homem não deve tentar se tornar simples. Milhões de pessoas tentaram e não se tornaram simples de jeito nenhum. Pelo contrário, tornaram-se muito complexas, emaranhadas na própria rede, nas próprias ideias.

Sair da mente: isso é inocência. Ser um não mente: isso é inocência. E tudo mais acompanha. E quando tudo mais acompanha, ela tem uma beleza própria. Cultivada, é de plástico, sintética, não natural. Quando não é cultivada, é uma graça, é uma bênção.[2]

Quais são as qualidades de uma pessoa madura?

As qualidades de uma pessoa madura são muito estranhas. Primeiro, ela não é uma pessoa. Ela não é mais um *self*. Ela

---

[2] *The White Lotus* [O lótus branco], Capítulo 6.

tem uma presença, mas não é uma pessoa. Segundo, ela é mais como uma criança, ou seja, simples e inocente.

É por isso que eu disse que as qualidades de uma pessoa madura são muito estranhas, porque a maturidade dá uma sensação de que a pessoa já teve experiências, de que é idosa, velha. Fisicamente ela pode não ser velha, mas espiritualmente ela é uma criança inocente. Sua maturidade não é só a experiência adquirida ao longo da vida. Assim, ela não vai ser uma criança e, depois, não vai ser uma presença, vai ser uma pessoa experiente, bem-informada, mas não madura.

A maturidade não tem nada a ver com suas experiências de vida. Tem algo a ver com sua jornada interior, experiência do interior.

Quanto mais se aprofunda em si mesma, mais madura é a pessoa. Quando atinge o próprio centro de seu ser, ela se torna perfeitamente madura.

Porém, nesse momento, a pessoa desaparece, e permanece apenas a presença... O *self* desaparece, e permanece apenas o silêncio.

O conhecimento desaparece, e permanece apenas a inocência.

Para mim, a maturidade é outro nome para realização: o homem veio para a realização de seu potencial, que se tornou real. A semente veio de uma longa viagem, e desabrochou.

A maturidade tem uma fragrância. Proporciona grande beleza ao indivíduo. Proporciona inteligência, a inteligência mais afiada possível. Faz dele nada mais além de amor. Sua ação é amor, sua inação é amor, sua vida é amor, sua morte é amor. Ele é apenas uma flor de amor.

O Ocidente tem definições de maturidade muito infantis. O que o Ocidente entende por maturidade é que o homem não é mais inocente, que amadureceu ao longo das experiências da vida, que não pode ser enganado facilmente, que não pode ser explorado, que tem dentro de si algo como uma rocha sólida, uma proteção, uma segurança.

Essa definição é muito comum, muito mundana. Sim, no mundo encontram-se pessoas maduras desse tipo. Porém, o modo como vejo a maturidade é totalmente diferente, diametralmente oposto a essa definição. A maturidade não vai fazer do homem uma rocha; ela o tornará muito vulnerável, muito suave, muito simples.[3]

---

[3] *Beyond Psychology* [Além da psicologia], Capítulo 37.

Liberdade

O homem é o único ser na face da Terra que tem liberdade.

O homem é o único ser na face da Terra que tem liberdade. Um cachorro nasce um cachorro e morre como um cachorro; neste caso não há liberdade. Uma rosa vai permanecer uma rosa, não há nenhuma possibilidade de nenhuma transformação, ela não pode se tornar uma flor de lótus.

Não há dúvida de escolha, não há liberdade. É aí que o homem é totalmente diferente. Esta é a dignidade do homem, sua especialidade na existência, sua singularidade.

É por isso que digo que Charles Darwin não está certo, pois ele começa a categorizar o homem com outros animais, e nem mesmo observou a diferença básica. A diferença básica é: todos os animais nascem com um programa, e apenas o homem nasce sem um programa. O homem nasce como uma tábula rasa, uma lousa limpa, nada está escrito nela. Ele tem que escrever tudo o que quiser escrever sobre ela, esta vai ser sua criação.

O homem não é apenas livre, eu gostaria de dizer que o homem é a liberdade.

Isso é o núcleo essencial, isso é sua própria alma. No momento em que a liberdade é negada ao homem, nega-se o seu tesouro mais precioso, seu próprio reino. Então ele é um mendigo, e em uma situação muito mais feia do que outros animais, porque, pelo menos, eles têm um certo programa. Então o homem está simplesmente perdido.

Uma vez entendido isso, que o homem nasce como a liberdade, então todas as dimensões para crescer se abrem. Daí cabe a ele decidir no que se tornar e no que não se tornar. Vai ser sua própria criação. Aí a vida se torna uma aventura, não um desabrochar, mas uma aventura, uma exploração, uma descoberta.

A verdade já não é dada para o homem, ele tem que criá-la. De certa forma, a cada momento ele está criando a si mesmo.

Se a pessoa aceita a teoria do destino, isso também é um ato de decisão sobre sua vida. Ao aceitar o fatalismo, a pessoa terá escolhido a vida de um escravo, a escolha é dela! Ela terá escolhido entrar em uma prisão, terá escolhido ser acorrentada, mas a escolha ainda é dela. Ela pode sair da prisão.

Isso é o que *sannyas* significa: aceitar a própria liberdade. É claro que as pessoas têm medo de ser livres, porque a liberdade é arriscada. Nunca se sabe o que se está fazendo, para onde se está indo, qual vai ser o resultado final disso tudo. Se a pessoa não está preparada, toda a responsabilidade é dela.

Não se pode jogar a responsabilidade nos ombros de outra pessoa. Finalmente, o homem vai ficar diante da existência totalmente responsável por si mesmo, o que quer que ele seja, quem quer que ele seja. Ele não pode fugir, não pode escapar dela. Este é o medo. Foi a partir desse medo que as pessoas escolheram todos os tipos de atitudes deterministas.

E é uma coisa estranha: o religioso e o irreligioso concordam apenas em um ponto: não há liberdade. Em todos os outros pontos eles discordam, mas em um ponto o acordo deles é estranho. Os comunistas dizem que são ateus, irreligiosos, mas afirmam que o homem é definido pelas situações sociais, econômicas e políticas. O homem não é livre, a consciência do homem é determinada por forças externas. É a mesma lógica! Pode-se chamar a força externa de estrutura econômica; Hegel chama de História, com H maiúsculo, é bom lembrar; e as pessoas religiosas chamam de Deus, novamente, com D maiúsculo. Deus, história, economia, sociedade, todas são forças externas. No entanto, todas concordam em uma coisa: que o homem não é livre.

E é aqui que as pessoas que realmente são religiosas autênticas diferem.

Digo às pessoas que elas são absolutamente livres, incondicionalmente livres.

O homem não deve evitar a responsabilidade, pois evitar não vai ajudar. Quanto mais cedo aceitar, melhor, pois desta forma pode começar imediatamente a criar a si mesmo. No momento em que cria a si mesmo, surge uma grande alegria, e depois, quando tiver concluído a si mesmo, da maneira que queria, há imensa satisfação, do mesmo modo que acontece quando um pintor termina sua pintura, o último toque, e surge grande satisfação em seu coração. Um trabalho benfeito traz grande paz. Sente-se que se compartilhou com Deus.

A única oração é ser criativo, porque é apenas através da criatividade que se compartilha com Deus, não há outra maneira de compartilhar. Não se tem que pensar sobre Deus, é preciso compartilhar, de alguma forma. O homem não pode ser um observador, pode apenas ser participante. Somente então poderá saborear o mistério.

Criar uma pintura não é nada, criar um poema não é nada, criar música não é nada comparado a criar a si mesmo, a criar sua consciência, criar o próprio ser.

Mas as pessoas têm medo, e há razões para se ter medo. Primeiro, porque é arriscado, uma vez que somente a própria pessoa é responsável. Segundo, porque a liberdade pode ser usada de forma indevida, uma vez que a pessoa pode optar pelo caminho errado a seguir.

Liberdade significa que se pode optar pelo certo ou pelo errado. Se a pessoa for livre apenas para optar pelo certo, não é liberdade.

Daí vai ser como quando Ford fez seus primeiros carros, em que eram todos pretos. E ele levava seus clientes para o showroom e lhes dizia: "Vocês podem escolher qualquer cor, desde que seja preta!"

Mas que tipo de liberdade é essa? Desde que esteja certo, desde que siga os dez mandamentos, desde que esteja de acordo com o Gita ou com o Alcorão, desde que esteja de acordo com Buda, Mahavira, Zarathustra. Então não é liberdade de jeito nenhum.

Liberdade, basicamente, significa, intrinsecamente significa que a pessoa é capaz de ambos, pode escolher o certo ou o errado.

E o perigo é que o errado é sempre o mais fácil de fazer, daí o medo. O errado é uma tarefa do tipo descer a montanha, enquanto o certo é uma tarefa de subir a montanha. Subir montanhas é difícil, árduo, e quanto mais alto se sobe, mais árduo se torna. Porém, descer montanhas é muito fácil, não é preciso fazer nada, a gravidade faz tudo. Pode-se simplesmente rolar como uma pedra do topo da montanha que se chegará ao nível do solo, sem ter que fazer nada.

No entanto, aquele que deseja elevar a consciência, aquele que deseja subir no mundo da beleza, da verdade, da felicidade suprema, anseia pelos picos mais altos possíveis, e esses, com certeza, são difíceis.

Em segundo lugar, quanto mais alto se chega, maior o perigo de cair, pois o caminho se torna estreito e é cercado por vales escuros de todos os lados. Um único passo em falso para simplesmente cair no abismo e desaparecer. É mais confortável, mais conveniente andar em solo plano, sem se preocupar com alturas.

A liberdade dá a oportunidade de cair abaixo dos animais ou de subir acima dos anjos. A liberdade é uma escada: de um lado da escada chega-se ao inferno, do outro lado toca-se o céu. É a mesma escada, mas a escolha é do homem. A direção tem que ser escolhida por ele.

Para mim, se a pessoa não é livre, ela não pode abusar da sua falta de liberdade. O prisioneiro não pode abusar de sua situação, ele está acorrentado, ele não é livre para fazer nada. E essa é a situação de todos os outros animais, exceto o homem: eles não são livres. Eles nascem para ser determinadas espécies de animal, e vão cumprir isso. Na verdade, a natureza cumpre isso, os animais não são obrigados a fazer nada. Não há desafio na vida deles.

É só o homem que tem que enfrentar o desafio, o grande desafio. E bem poucas pessoas optaram pelo risco, por subir a grandes alturas, por descobrir os picos mais altos. Apenas alguns, como Buda, Cristo, apenas alguns, e podem ser contados nos dedos.

Por que a humanidade como um todo não optou por alcançar o mesmo estado de felicidade suprema como Buda, o mesmo estado de amor como Cristo, o mesmo estado de celebração como Krishna? Por quê? Pela simples razão de que é perigoso até mesmo respirar nessas alturas, é melhor não pensar sobre isso. E a melhor maneira de não pensar sobre isso é aceitar que não há liberdade, ou seja, que isso já foi determinado de antemão, que há um determinado roteiro entregue à pessoa antes de seu nascimento e que ela tem apenas que cumpri-lo.

E somente a liberdade pode ser usada indevidamente, a escravidão não pode ser usada de forma errada.

É por isso que se vê tanto caos no mundo de hoje. Isso nunca aconteceu antes pela simples razão de que o homem não era tão livre. Nos Estados Unidos as pessoas gozam da maior liberdade como jamais se gozou em nenhum lugar do mundo, em nenhum momento da história. Sempre que há liberdade explode o caos, mas esse caos é válido, porque é só a partir do caos que nascem as estrelas.

Não dou às pessoas nenhuma disciplina, porque toda disciplina é um tipo sutil de escravidão. Não lhes dou nenhum mandamento, porque qualquer mandamento dado por qualquer outra pessoa que venha de fora vai aprisioná-las, escravizá-las.

Apenas ensino como elas podem ser livres, e depois as deixo entregues a si mesmas para fazerem o que quiserem com sua liberdade. Se quiserem cair abaixo dos animais, é decisão delas, e elas têm toda a permissão para fazer isso, uma vez que a vida é delas. Se decidem desta forma, então é prerrogativa delas. Entretanto, se compreenderem a liberdade e seu valor, não vão começar a cair, não ficarão abaixo dos animais, vão passar a se elevar acima dos anjos.

O homem não é uma entidade, é uma ponte, uma ponte entre duas eternidades: o animal e Deus, o inconsciente e o consciente. É preciso crescer em consciência, crescer em liberdade, dar cada passo da própria opção: criar a si mesmo. E assumir toda a responsabilidade disso.[1]

---

[1] *Philosophia Ultima* [A derradeira filosofia], Capítulo 2.

A mente comum sempre joga a responsabilidade em alguém.

A mente comum sempre joga a responsabilidade em alguém. É sempre o outro que está fazendo a pessoa sofrer. A esposa está fazendo o marido sofrer, o marido está fazendo a esposa sofrer, os pais estão fazendo os filhos sofrer, os filhos estão fazendo os pais sofrer, ou o sistema financeiro da sociedade, o capitalismo, o comunismo, o fascismo, a ideologia política predominante, a estrutura social, ou o destino, o carma, Deus... qualquer coisa!

As pessoas têm várias maneiras de fugir da responsabilidade. Porém, quando alguém diz que alguém X, Y, Z o está fazendo sofrer, ele não pode fazer nada para mudar isso. O que ele pode fazer? Quando a sociedade mudar e o comunismo chegar e instituir um mundo em que não haverá classes, aí todo mundo vai ficar feliz. Antes disso, não é possível. Como se pode ser feliz em uma sociedade pobre? E como se pode ser feliz em uma sociedade que é dominada pelos capitalistas? Como se pode ser feliz com uma sociedade burocrática? Como se pode ser feliz com uma sociedade que não permite que as pessoas tenham liberdade?

Desculpas e mais desculpas, desculpas só para evitar um único insight: "Sou responsável por mim mesmo. Ninguém mais é responsável por mim, é minha responsabilidade total e absoluta. O que quer que eu seja, sou minha própria criação."

Este é o significado do sutra de Atisha: "Dirija toda a culpa para um."

E esse um é *você mesmo*.

Uma vez que esse insight se estabelece – "Sou responsável pela minha vida, por todo o meu sofrimento, por toda a minha dor, por tudo o que aconteceu e está acontecendo comigo, pois escolhi desta forma; essas são as sementes que plantei e, agora, estou colhendo a safra; eu sou o responsável" – e se torna uma compreensão natural para a pessoa, tudo mais é simples.

Daí então a vida passa a tomar um novo rumo, passa a se deslocar para uma nova dimensão. Essa dimensão é conversão, revolução, mutação, porque, uma vez que a pessoa sabe que é responsável, ela também sabe que pode abandonar isso a qualquer momento que decidir. Ninguém pode impedi-la de abandonar isso.

Pode alguém impedir que uma pessoa abandone sua infelicidade, transforme sua infelicidade em felicidade? Ninguém. Mesmo que a pessoa esteja na prisão, acorrentada, aprisionada, ninguém pode aprisioná-la, pois sua alma ainda permanece livre. É claro que ela tem uma situação muito limitada, mas mesmo nessa situação limitada ela pode cantar uma música. Ela pode derramar lágrimas de impotência ou cantar uma música. Mesmo com as correntes nos pés, ela pode dançar, e, daí, até mesmo o som das correntes proporcionará uma melodia para a dança.

Próximo sutra: "Seja grato a todos."

Atisha é realmente muito, muito científico. Primeiro, ele diz: assuma toda a responsabilidade sobre si mesmo. Em segundo lugar, ele diz: seja grato a todos. Agora que ninguém é responsável pela sua infelicidade, exceto você, se a infelicidade é toda de sua responsabilidade, então o que resta?

"Seja grato a todos."

Porque todo mundo está criando um espaço para você ser transformado, mesmo aqueles que acham que o estão obstruindo, mesmo aqueles que você acha que são inimigos. Seus amigos, seus inimigos, pessoas boas e pessoas más, circunstâncias favoráveis, circunstâncias desfavoráveis, todos, em conjunto, estão criando o contexto em que você pode ser transformado e tornar-se um Buda.

Seja grato a todos, a todos aqueles que ajudaram, àqueles que dificultaram, àqueles que foram indiferentes. Seja grato a todos, porque todos, em conjunto, estão criando o contexto em que nascem os Budas, em que você pode tornar-se um Buda.[2]

O que é ausência de desejo? É ser totalmente sem desejo ou totalmente livre para ter ou não ter desejo?

Ser totalmente livre de desejo vai provocar a morte da pessoa, que nunca mais estará viva. É o que tem sido ensinado: seja sem desejos! Mas o que se pode fazer? Pode-se cortar os desejos, de modo que, quanto mais desejos são cortados, mais pobre se torna a vida. Se todos os desejos são destruídos, então a pessoa terá cometido suicídio, suicídio espiritual.

Não, o desejo é a energia da vida, desejo é vida. Então, o que eu quero dizer quando digo: "Esteja livre do desejo?"

Também costumo dizer: seja livre, totalmente livre, para ter ou não desejo.

O desejo não deve ser uma obsessão, este é o significado. O homem deve ser capaz... por exemplo, uma pessoa vê a bela casa de alguém, recém-construída, e surge um desejo de ter uma casa desse tipo. Ora, essa pessoa é livre para ter esse desejo ou não? Se ela é livre, digo que ela é sem desejo. Se ela diz: "Não sou livre. Esse desejo persiste. Mesmo que eu queira abandoná-lo, não consigo fazê-lo, pois ele me persegue. Tenho sonhos com aquela casa, penso sobre ela. Tenho medo de pegar aquela estrada, porque aquela casa me provoca inveja, aquela casa me perturba." Se ela diz "Não sou capaz nem de ter ou de não ter o desejo", então ela não está bem de saúde, e então

---

[2] *The Book of Wisdom* [O livro da sabedoria], Capítulo 5.

os desejos são seus mestres, e ela é uma vítima. E vai sofrer muito, porque há muitas coisas acontecendo ao redor, e se muitos desejos se apossarem dela, ela será destruída.

É assim que acontece: alguém se tornou o primeiro-ministro, e agora uma outra pessoa também quer se tornar o primeiro-ministro; alguém se tornou muito rico, e agora uma outra pessoa também quer tornar-se muito rica; alguém se tornou um famoso escritor, e agora uma outra pessoa quer tornar-se um escritor famoso. E alguém é alguma outra coisa... e alguém é alguma outra coisa... e ao redor há milhões de pessoas fazendo milhões de coisas. E de todos os cantos e esquinas surgem e saltam desejos sobre os indivíduos, que tomam posse deles, e eles não são capazes de dizer "sim" ou "não", e vão enlouquecer.

É como toda a humanidade fica louca. Todos esses desejos estão puxando as pessoas para várias direções. Elas se tornaram fragmentárias, porque muitos desejos possuíram partes do ser de cada uma delas.

E esses desejos são contraditórios também. Portanto, não é só o fato de o homem ser fragmentário: ele também se torna uma contradição. Parte dele quer ser muito rica, enquanto outra parte quer ser um poeta. Ora, isso é difícil. É muito difícil tornar-se rico e continuar a ser um poeta. Um poeta não pode ser cruel, será muito difícil para ele se tornar rico.

O dinheiro não é poesia: o dinheiro é sangue, o dinheiro é exploração. Um poeta digno do nome não pode explorar. E um poeta digno do nome vai ter alguma visão de beleza. Ele não pode ser tão desagradável a ponto de privar tanta gente só pelo seu desejo de acumular.

Agora, uma pessoa quer tornar-se um político e também quer meditar, ou seja, também quer se tornar um praticante de meditação. Isso não é possível. Políticos não podem ser religiosos. Eles podem fingir ser religiosos, mas não podem ser religiosos. Como um político pode ser religioso? Afinal, a religião significa não ambição, enquanto a política não é nada além de pura ambição.

Religiosidade quer dizer: eu sou feliz como sou.

Política quer dizer: vou ser feliz somente quando estiver no topo. Não sou feliz como sou. Tenho que me apressar, e vou destruir se for necessário. Se forem meios corretos, tudo bem; se não, que seja por meios errados. Mas eu tenho que estar no topo. Tenho que provar a mim mesmo.

Um político naturalmente sofre de complexo de inferioridade. Um homem religioso não tem complexo, seja de inferioridade ou de superioridade.

Os políticos fingem ser religiosos porque isso compensa na política.

Ser religioso significa ser não ambicioso, não ter ambições de estar em outro lugar, de ser outra pessoa e sim estar aqui e agora!

Entretanto, ao ter essas duas ideias em conjunto, ou seja, querer ser político e também querer ser praticante de meditação, a pessoa vai ficar em dificuldade, a pessoa vai enlouquecer. Se ela for honesta, enlouquecerá; se for desonesta, então não ficará louca, vai se tornar hipócrita. Isso é o que os políticos são.

E não estou dizendo que todos aqueles que estão na religião não são políticos: de cem, há também 99 que são políticos. Eles estão em um tipo diferente de política: a política religiosa. Eles têm sua hierarquia, e o sacerdote quer tornar-se papa, isso é política de novo. Ou o pecador quer tornar-se o santo; mais uma vez, isso é política, mais uma vez, é complexo de inferioridade. E, novamente, depois de ter começado a fazer algo sagrado, religioso, santo, a pessoa vai carregar consigo aquele ego de "mais santo que você". Além disso, ela terá uma condenação dos outros em seus olhos: todo mundo está condenado, e só ela vai ser salva. E daí ela pode olhar para os outros com compaixão: essas pessoas vão para o inferno. Isso é política, mais uma vez.

Um homem [realmente] religioso não conhece ego. Ele não é nem humilde, é bom lembrar, ele é tão sem ego que não é sequer humilde. A humildade também é uma pretensão do ego. A pessoa humilde também está tentando ser humilde e tentando provar que "eu sou humilde", ou até mesmo pode ter ideias no fundo do coração de que "eu sou o homem mais humilde no mundo". É o ego, mais uma vez!

Muitos desejos vão tomar posse do homem e muitos serão contraditórios; consequentemente, ele ficará dividido e cairá em pedaços, perderá a integridade, e não vai mais ser um indivíduo.

Retomando a pergunta acima: "*O que é ausência de desejo?*"

Bom, existem duas opções. Se o homem conhece a ausência de desejo, ele então tem que cortar sua vida completamente, tudo tem que ser cortado. Daí ele se torna um monge jainista, apenas uma concha vazia, totalmente insatisfeita com tudo, consigo mesmo, sem criatividade, sem celebração, sem nenhuma flor que venha desabrochar. Ou o homem conhece a plenitude do desejo: daí ele se torna despedaçado. Ambas as opções são estados desagradáveis.

O certo a fazer é ser completamente livre de desejo, de modo que se possa optar, de modo que se possa sempre ser capaz de escolher: ter ou não ter. Assim, o homem é realmente livre.

E daí o homem terá tanto a criatividade, a celebração, a alegria dos desejos quanto o silêncio, a paz e a tranquilidade da ausência de desejo.[3]

---

[3] *Walk Without Feet, Fly Without Wings and Think Without Mind* [Andar sem pés, voar sem asas e pensar sem mente], Capítulo 3.

Como se distingue amor-próprio iluminado e egomania?

A diferença é sutil, mas muito clara, não é difícil; é sutil, porém não é difícil. O egomaníaco vai criar cada vez mais sofrimento para si. O sofrimento indicará que ele está doente.

A egomania é uma doença, um câncer da alma.

A egomania tornará o homem cada vez mais tenso, vai torná-lo cada vez mais nervoso, não permitirá que ele relaxe de jeito nenhum. Ela o levará à loucura.

O amor-próprio é exatamente o oposto da egomania. No amor-próprio não há o "eu", apenas o amor. Na egomania não há amor, apenas o "eu".

No amor-próprio o homem passará a ficar cada vez mais relaxado. Uma pessoa que ama a si mesma é totalmente relaxada. Amar outra pessoa pode criar um pouco de tensão, porque o outro não precisa estar sempre em sintonia com ela. O outro pode ter suas próprias ideias. O outro é um mundo diferente, portanto, há muita possibilidade de colisão e de confronto. Há possibilidade de tempestade e de trovão, porque o outro é um mundo diferente. Há sempre uma luta sutil acontecendo.

Mas quando a pessoa ama a si mesma, não há mais ninguém. Não há conflito, é puro silêncio, é imenso prazer. A pessoa está sozinha, ninguém a perturba. O outro não é necessário.

E, para mim, uma pessoa que se tornou capaz de ter esse amor profundo de si mesma torna-se capaz de amar os outros. Como alguém que não ama a si mesmo pode amar os outros? Deve, primeiro, acontecer bem de perto, ou seja, deve, primeiro, acontecer dentro de si, para depois se espalhar para os outros.

As pessoas tentam amar os outros sem ter consciência de que nem ao menos amam a si mesmas. Como é que elas podem amar outras pessoas? Não se pode compartilhar aquilo que não se tem. Só se pode dar aos outros aquilo que já se tem.

Portanto, o primeiro e mais básico passo em direção ao amor é o amor por si mesmo, sem que haja o "eu" nele. Deixe-me explicar.

O "eu" surge apenas como um contraste ao "tu". O "eu" e o "tu" coexistem. O "eu" pode existir em duas dimensões. Uma dimensão é o "eu-coisa": você-sua casa; você-seu carro; você-seu dinheiro – o "eu-coisa". Quando há esse "eu", esse "eu" do "eu-coisa", o "eu" é quase igual a uma coisa. Esse "eu" não é consciente, ele está dormindo profundamente, está roncando. A consciência da pessoa não está lá. Ela é exatamente como coisas, uma coisa entre coisas: parte de sua casa, parte de sua mobília, parte de seu dinheiro.

Já observou? Um homem que é ganancioso demais por dinheiro aos poucos começa a ser as qualidades do dinheiro. Ele se torna apenas dinheiro. Ele perde a espiritualidade, não é mais um espírito. Ele está reduzido a uma coisa. Se a pessoa ama dinheiro, ela ficará com o dinheiro. Se a pessoa ama sua casa, aos poucos ela vai se tornar material. O que quer que a pessoa ame, é no que ela se torna. O amor é alquímico.

O homem nunca deve amar a coisa errada, porque ela vai transformá-lo. Nada é tão transformador quanto o amor. O homem deve amar algo que possa levá-lo para altitudes mais elevadas. Deve-se amar algo além de si mesmo. Esse é o esforço da religião: dar ao homem um objeto de amor como Deus, de modo que não exista nenhuma maneira de cair. É preciso subir.

Um tipo de "eu" existe como "eu-coisa", enquanto outro tipo de "eu" existe como "eu-você". Quando uma pessoa ama alguém, um outro tipo de "eu" surge nela: "eu-você." A pessoa ama alguém, ela se torna esse alguém.

Mas o que dizer do amor-próprio? Não há "coisa" e não há "você". O "eu" desaparece porque o "eu" só existe em dois contextos: "coisa" e "você". O "eu" é a figura, a "coisa" e o "você" funcionam como o campo. Quando o campo desaparece, o "eu" desaparece. Quando a pessoa está sozinha, ela é, mas ela não tem um "eu", ela não sente nenhum "eu". Ela é simplesmente um "não ser" profundo.

Normalmente dizemos "eu sou". Nesse estado, quando a pessoa está profundamente apaixonada por si mesma, o "eu" desaparece. Permanece apenas o "não ser", a existência pura, o puro ser. Isso vai preenchê-lo com enorme êxtase. Isso vai fazer de você uma celebração, uma alegria. Não haverá nenhum problema para distinguir entre eles.

Se a pessoa estiver cada vez mais infeliz, é porque está a caminho de tornar-se egomaníaca.

Se estiver cada vez mais tranquila, calma, feliz, centrada, então ela está em outro caminho, o caminho do amor-próprio. Se estiver no caminho do ego, vai se tornar destrutiva em relação aos outros, porque o ego tenta destruir o "você". Se estiver se movendo em direção ao amor-próprio, o ego desaparecerá.

E quando o ego desaparece, a pessoa permite que o outro seja ele mesmo, pois ela lhe dá total liberdade.

Se a pessoa não tem nenhum ego, ela não pode criar uma prisão para quem ela ama, não pode criar uma gaiola. Ela permite que o outro seja uma águia que voa alto nos céus. Ela permite que o outro seja ele mesmo, ela lhe dá total liberdade.

O amor dá liberdade total. O amor é liberdade, liberdade para a pessoa e para o objeto de seu amor.

O ego é escravidão, escravidão para a pessoa e escravidão para sua vítima.

Mas o ego pode pregar peças muito profundas na pessoa. Ele é muito astuto, e seus meios são muito sutis: ele pode fingir ser amor-próprio.

Deixe-me contar uma anedota.

O rosto de Mulla Nasruddin iluminou-se quando reconheceu o homem que descia as escadas do metrô à sua frente. Ele deu um tapa tão entusiasmado nas costas do homem que este quase caiu, e gritou:

— Goldberg, quase não te reconheci! Pudera, você ganhou 15 quilos desde a última vez em que o vi. E você consertou seu nariz, e posso jurar que está uns dez centímetros mais alto.

O homem olhou para ele, irritado.

— Desculpe — disse ele, seco —, mas acontece que eu não sou Goldberg.

— Ah! — disse Mulla Nasruddin —, então você também mudou de nome?

O ego é muito astuto e tem alta capacidade de autojustificação, autorracionalização. Se a pessoa não estiver muito atenta, ele pode começar a se esconder atrás do amor-próprio. A própria palavra "eu" vai se tornar uma proteção para o ego. Ele pode dizer: "Sou o seu eu." Pode mudar seu peso, pode mudar sua altura, pode mudar seu nome. E como é apenas uma ideia, não há problema nisso: ele pode se tornar pequeno, pode tornar-se grande. É apenas a fantasia da pessoa.

É preciso ter muito cuidado. Se a pessoa realmente quiser crescer no amor, será necessário muito cuidado. Cada passo tem que ser dado em profundo estado de alerta, de modo que o ego não possa encontrar nenhuma brecha atrás da qual se esconder.

O seu verdadeiro eu não é nem o "eu" nem o "você", não é nem você nem o outro. O seu verdadeiro eu é completamente transcendental.

O que a pessoa chama de "eu" não é seu verdadeiro eu. Na verdade, o "eu" é imposto. Quando uma pessoa chama alguém de "você", ela não está abordando o verdadeiro eu do outro. Ela novamente impôs um rótulo nele. Quando todos os rótulos são retirados, o verdadeiro eu permanece, e o verdadeiro eu é tanto da pessoa quanto dos outros. O verdadeiro eu é único.

É por isso que continuamos a dizer que participamos dos seres uns dos outros, somos membros uns dos outros. Nossa verdadeira realidade é Deus. Podemos ser como icebergs flutuando no oceano, eles parecem estar separados, mas, uma vez derretidos, nada restará. A definição desaparecerá, a limitação desaparecerá, e o iceberg não estará lá. Vai tornar-se parte do oceano. O ego é um iceberg.

É preciso derreter o ego. Derretê-lo com amor profundo, para que ele desapareça e a pessoa se torne parte do oceano. Contaram-me a história a seguir.

O juiz parecia muito severo.

— Mulla — disse ele —, sua esposa diz que você bateu na cabeça dela com um taco de beisebol e a jogou da escada. O que você tem a dizer sobre isso?

Mulla Nasruddin esfregou o lado do nariz com a mão, e meditou. Finalmente disse:

— Meritíssimo, acho que existem três lados neste caso: a história da minha esposa, a minha história e a verdade.

Sim, ele tem toda a razão.

— Vocês ouviram dois lados de uma verdade — afirmou ele —, mas há três lados.

E ele está completamente certo.

Há a sua história, a minha história e a verdade, ou seja, eu, você e a verdade.

A verdade não é nem eu, nem você. O "eu" e o "você" são uma imposição na vastidão da verdade.

O "eu" é falso, o "você" é falso, mas são utilitários, são úteis no mundo. Vai ser difícil administrar o mundo sem o "eu" e o "você".

Bom, eles devem ser usados, mas são apenas artifícios do mundo. Na realidade, não há nem o "você" nem o "eu". Existe algo, alguém, alguma energia, sem limitações, sem fronteiras. Dela chegamos e dentro dela desaparecemos novamente.[4]

---

[4] *The Beloved* [O amado], Vol. 2, Capítulo 10.

Informações adicionais

WWW.OSHO.COM

Um site de fácil compreensão que abriga a revista e os livros de OSHO, o acervo da OSHO Talks, em formato de áudio e vídeo, e os textos da OSHO Library, em inglês e híndi, além de ampla informação sobre a OSHO Meditations. Você poderá encontrar o programa da OSHO Multiversity e mais detalhes sobre o Resort Internacional de Meditação OSHO.

SITES:

http://OSHO.com/resort
http://OSHO.com/AllAboutOSHO
http://OSHO.com/shop
http://www.youtube.com/OSHO
http://www.twitter.com/OSHOtimes
http://facebook.com/pages/OSHO.International
http://www.flickr.com/photos/oshointernational

Para entrar em contato com a **OSHO International Foundation**: www.osho.com/oshointernational

Resort Internacional de Meditação

O Resort Internacional de Meditação Osho é um ótimo local para passar férias e para ter uma experiência pessoal direta de uma nova maneira de viver, com mais atenção, relaxamento e diversão. Localizado em Puna, Índia, aproximadamente 160 quilômetros a sudeste de Mumbai, o resort oferece uma variedade de programas a milhares de pessoas que o visitam a cada ano, procedentes de mais de cem países.

Criada originalmente como um retiro de verão destinado a marajás e a colonialistas ingleses abastados, Puna é atualmente uma cidade moderna e próspera, que abriga inúmeras universidades e indústrias de alta tecnologia.

O Resort de Meditação ocupa uma área de mais de quarenta acres em um bairro residencial muito arborizado, chamado Koregaon Park. Seu *campus* oferece um número limitado de acomodações para visitantes numa nova casa de hóspedes, mas existe uma grande variedade de hotéis e apartamentos próximos, que ficam disponíveis para permanência de alguns dias a vários meses.

Os programas do Resort de Meditação se baseiam todos na visão de Osho de um novo tipo de ser humano, capaz, ao mesmo tempo, de participar criativamente da vida cotidiana e de buscar relaxamento no silêncio e na meditação. Realizada em instalações modernas, com ar-condicionado, a maioria dos programas inclui uma variedade de sessões individuais, cursos e workshops, que abrangem desde artes criativas até tratamentos holísticos de saúde, terapia e transformação pessoal, ciências esotéricas, abordagem zen nos esportes e recreação, questões de relacionamento e transições significativas da vida para homens e mulheres. Sessões individuais e workshops em grupo são oferecidos durante todo o ano, ao lado de uma programação diária integral de meditações.

Cafés e restaurantes ao ar livre, situados na própria área do resort, servem cardápios indianos tradicionais e uma variedade de pratos internacionais, todos feitos com vegetais produzidos organicamente na própria fazenda. O *campus* tem seu próprio suprimento de água potável de boa qualidade.

www.osho.com/resort

Este livro foi composto na tipologia Adobe Caslon Pro,
em corpo 11/15,2, impresso em papel off-white,
no Sistema Cameron da Divisão Gráfica
da Distribuidora Record.